JUAN GARC.... ....RTELANO nació en 1928 y en Madrid, ciudad donde se licenció en Derecho, trabaja y casi siempre ha vivido. Su primera novela publicada, *Nuevas amistades*, obtuvo en 1959 el Premio Biblioteca Breve. *Tormenta de verano* recibió en 1961 el Prix Formentor y ha sido traducida a once lenguas y publicada en quince países. A estas novelas siguieron *El gran momento de Mary Tribune* (1972), *Los vaqueros en el pozo* (1979) y *Gramática parda* (1982), que mereció el Premio de la Crítica correspondiente al año de su publicación. Sus *Cuentos completos* (1979) agrupan dos libros —*Gente de Madrid* (1967), *Apólogos y Milesios* (1975)— y una serie de relatos, que nunca se habían publicado en libro. *Mucho cuento* (1987) es su último libro en este género narrativo. Ha editado también una recopilación de poemas, *Echarse las pecas a la espalda* (1977), y *El grupo poético de los años 50 (Una Antología)* (1978).

Juan García Hortelano

Nuevas amistades

BIBLIOTECA DE BOLSILLO

Cubierta: Ripoll Arias

Primera edición
en Biblioteca de Bolsillo:
febrero 1991

© 1961 y 1991: Juan García Hortelano

Derechos exclusivos de edición en castellano
reservados para todo el mundo:
© 1991: Editorial Seix Barral, S. A.
Córcega, 270 - 08008 Barcelona

ISBN: 84-322-3078-2

Depósito legal: B. 1.603 - 1991

Impreso en España

1991. — Talleres Gráficos HUROPE, S. A.
Recaredo, 2 - 08005 Barcelona

> *" Ce jour-là, je compris qu'il avait deux vérités*
> *dont l'une ne devait jamais être dite."*

A. CAMUS

1

Al otro lado de la barra, Ventura cerró la caja registradora y se volvió para responder:

— Sí, ya he cenado. ¿Y tú?

Aún no hacía tres horas que Joaquín se marchó y ahora había regresado. Tres horas antes el bar estaba lleno y la mujer aquella se mantenía erguida en la silla del rincón.

— Yo también. No tengo sueño.

Joaquín se sentó en un taburete.

— Ahí la tienes a tu disposición — le dijo Ventura. — Puedes hasta desnudarla, sin que proteste.

— A mí no me gustan así. Nunca me han gustado borrachas — cruzó las manos sobre la barra. — Ponme algo.

— ¿Café?

— No, algo fresco. Hace calor.

— ¿Una caña?

— Estoy harto de cerveza. ¿Te queda horchata?

— Sí.

Cuando, alrededor de las nueve, llegó al bar de Ventura, la muchacha ya estaba allí, en el rincón junto al ventanal, con el paquete de cigarrillos y el mechero sobre la mesa, como ahora.

— ¿Está fría?

— Helada. Tengo que cerrar y no sé qué hacer con ésa.

Excepto que ahora el mechero estaba en el suelo. Joaquín se acercó y lo puso en la mesa, cerca de los cabellos de la chica.

— Métela en un taxi.

— Ya que has vuelto, podrías ayudarme a despejarla.

— Para que me vomite el traje, ¿no?

— Descuida — rio Ventura. — Sólo le debe de quedar en el cuerpo el alma.

— ¿Ha arrojado ya?

— Dos veces. Se ha levantado, ha ido ahí dentro, me ha emporcado el lavabo las dos veces y se ha vuelto a su mesa.

— A seguir bebiendo.

— Sí, señor; a seguir bebiendo. ¿Sabes cuánto?

— ¿Cuánto? —. Se sentó de nuevo en el taburete.

— Seis copas de ginebra, tres "gin-fizz" y un cubalibre. Desde las ocho de la tarde.

— Es una esponja la niña.

— Hace un rato roncaba.

— ¿Roncaba? Y tú ¿qué crees que será?

— ¿Que será qué?

— Ella, hombre.

Ventura alzó los hombros. Joaquín vio bajo la mesa parte de las piernas, separadas, y un pie doblado, con el alto tacón del zapato paralelo al suelo. Ventura salió del mostrador, se aproximó a la mesa y puso una mano sobre la nuca de la mujer.

— Tiene miga la cosa. Se me ha olvidado su cara — Joaquín giró en el taburete.

— Está como un leño.

— ¿La habías visto alguna vez por aquí?

— No. Es la primera vez que entra. Estoy seguro.

— Puede que sea una fulana.

La mano de Ventura oprimía el cuello de la mujer.

— No tiene pinta de fulana — opinó Ventura. — Parece una chica bien.

— ¿Por qué?

— Si fuese una fulana, te habría hecho caso antes.

— Quizás estuviese enfadada —. Durante unos segundos, el ruido de un camión, que coronaba la pendiente de la avenida, colmó el bar. — O, a lo mejor, ha tenido un disgusto con su chulo y por eso se emborracha.

— Bueno, que haga lo que quiera. Yo, en cuanto recoja, la echo, aunque sea a patadas.

Joaquín se bajó lentamente del taburete. Una excitación extraña le hormigueaba las piernas. Con los puños apretados a los costados, dándole la espalda, Ventura estaba en el umbral de la puerta. Era ridículo haber vuelto al bar, debiendo abrir la tienda a las nueve de la mañana.

— Vaya un verano que se nos está echando encima — comentó Ventura.

— Sí.

A lo lejos, más allá de la obscuridad, brillaban las luces del Puente de Vallecas. Joaquín llegó a la mesa y puso la mano en la nuca de la mujer, como acababa de verle hacer a Ventura. La piel estaba húmeda, ajada. Percibió una especie de murmullo silbante.

— Oye, ¿no estará muerta?

Ventura dejó caer bruscamente los brazos a lo largo del cuerpo.

— No me fastidies, tú.

La risa se le atornilló a Joaquín en la garganta.

— Mírala —. Le sostuvo los hombros y apoyó la cabeza contra la pared. — Se me había olvidado cómo era.

La muchacha tenía la boca abierta y el cabello revuelto. El maquillaje descompuesto, caído a trozos el rojo de los labios, desfiguraba su expresión de sueño. Ventura acudió a asegurarla en la nueva postura, que le había obligado a tomar Joaquín.

— Ya no es una niña.

— Unos treinta.

— Más —. Ventura se sentó en una silla y apoyó un codo en la mesa. — Las piernas las tiene muy ricas.

— Es posible que no sea una fulana —. Joaquín se sentó al otro lado de la mesa, frente a Ventura. — No sé qué pensar. Yo, antes, creía distinguir a las mujeres. Pero se ha llevado uno cada chasco.

— Te comprendo.

La muchacha vaciló y ellos dos, a un mismo tiempo, se enderezaron. Suavemente, como escurriéndose, con los ojos ligeramente abiertos, cayó la cabeza entre los brazos cruzados sobre la mesa. La mujer emitió un gemido entrecortado.

— ¿Estará despierta? — preguntó Ventura en un susurro.

— ¡Oiga! — llamó Joaquín.

De la calle llegaban ruidos aislados.

— No, no parece — se respondió Ventura.

Joaquín tendió el paquete de "Camel" a Ventura y, después de encender los cigarrillos, dejó el mechero rozando los dedos de ella.

— Y mañana a las nueve tengo que abrir la tienda.

Ventura asintió, solidarizándose en la fatal relación entre aquel hecho y el estar velando el sueño intranquilo, erizado en una modorra de pequeños sobresaltos respiratorios y mínimos movimientos, de la muchacha.

— Bueno —. Ventura dejó caer la punta del cigarrillo entre sus pies —, ¿no te acabas la horchata?

— ¿Vas a echarla?

— A ver qué remedio. Tengo que cerrar. Y, además, que no me gusta tenerla ahí. Puede entrar alguien.

— Y a ti ¿qué?

— Bastantes contemplaciones he tenido ya —. La mano derecha de Ventura sacudió el hombro de la durmiente. — Es inútil; cuando una mujer o una mula se paran, es inútil tratar de moverlas.

Ventura se puso en pie y se mordió el labio inferior.

— ¿La has mirado el bolso?

— No.

— Pero ¿te ha pagado?

— Sí. Le dije que me pagase, que íbamos a cerrar. Me pidió el cuba-libre, me pagó, se lo bebió y se quedó como un leño. Ahí la ves.

Los dos miraron la alargada cartera de piel azul al borde de una silla. Joaquín se levantó con una violencia decidida.

— Venga, ya, hombre —. Cogió la cartera y, después de abrirla, se la ofreció a Ventura. — Mira tú.

— ¿Yo? — titubeó. — Maldita borracha.

Joaquín se acercó a examinar el registro de Ventura. La cartera contenía unos billetes arrugados, un llavero, un tubo de carmín, una polvera, dos pañuelos y una agenda. Entre las hojas de la agenda había una cartulina. Ventura la leyó despacio y se la entregó a Joaquín, sonriendo. Tenía el tamaño aproximado de una tarjeta de visita y, escrito a máquina: "En caso necesario, llame a este teléfono, pregunte por el señor Cantarlé y dígale que venga a recogerme al lugar donde me encuentre. No importa la hora. Gracias". En el reverso, a grandes trazos, estaban las seis cifras.

— Por lo visto — dijo Joaquín — la chica tiene costumbre de estas cosas.

Ventura pasó al otro lado del mostrador y sacó el teléfono de debajo de la barra. Joaquín se sentó en el taburete y bebió un sorbo de horchata, mientras Ventura hacía girar el disco.

— A cualquier hora... Valiente gente hay por ahí —. Cambió el tono de la voz y retiró la mirada de Joaquín. — Oiga, ¿vive ahí el señor Cantarlé?

— ¿Es usted el señorito Pedro?

— No, no, señora. Yo llamo desde un bar. ¿Está el señor Cantarlé?

— No, señor.

— Oiga, señora, y ¿usted sabe cuándo llegará?

— Ay, no. ¿Conoce usted al señorito Pedro? Él también le está buscando. Creía que era usted.

— No, no soy ése —. Ventura le hizo un gesto de resignación a Joaquín, que seguía expectante su monólogo —. ¿Podría usted coger un recado?

— Sí, señor.

— Mire, es de aquí, de un bar del Paseo de Ronda. Hay una señorita que está mareada. Ha bebido un poco más de la cuenta, ¿comprende?

— Dios mío.

— Y, bueno, en el bolsillo lleva una tarjeta, diciendo que se llame a ese número para que vengan a recogerla.

— El señorito Leopoldo no está. Pero yo se lo diré en cuanto llegue a casa. Descuide usted. Y ella ¿cómo se encuentra?

— Bien, señora, no se preocupe. Que ha bebido un poco, pero no es nada. Ahora, que yo tengo que cerrar y no puedo estar aquí toda la noche.

— Lo comprendo, sí, señor, lo comprendo. El señorito Leopoldo no tardará seguramente. Dígame usted las señas.

— Paseo del Doctor Esquerdo, número 82. Cerca de Ibiza. No tiene pérdida.

— Paseo del Doctor Esquerdo, 82. En seguida que pueda localizarle, irá. Y muchas gracias, señor.

— De nada. Adiós.

Ventura apoyó los codos sobre la barra y contempló a la mujer.

—Que no está el tipo ese, ¿no?

—Van a ver si le encuentran. La mujer parecía asustada. Debía de ser una criada o cosa así.

—Pues estamos listos —. Ventura le miró. —Tú, sobre todo, que tienes que cerrar. Oye, ¿por qué no apagas las luces y echas medio cierre?

—Mejor será, tienes razón. ¿Quieres beber algo más?

—No. Toma, cóbrate la horchata.

La muchacha continuaba durmiendo. Joaquín le acarició la curva de la cabeza. Siempre le había gustado aquel tono rojizo, casi color paja quemada, en los cabellos de una mujer. Retiró la mano y se colocó bajo el dintel de la puerta. Oía a Ventura moverse de un lado para otro, abrir y cerrar la caja registradora, asegurar los grifos. Los dos rectángulos de luz —uno, a lo ancho, otro, a lo largo— sobre la acera, se apagaron y el reflejo del rojo y verde de las paredes desapareció. Detrás de él, en la obscuridad, estaban Ventura y la mujer. Instintivamente bajó el escalón de la entrada. Sintió moverse una puerta y, de inmediato, la presencia de Ventura. Se volvió sobre sí mismo.

—Toma.

—¿Qué es eso?

—Las vueltas, hombre.

—¡Ah! Trae que te ayude.

Bajaron el cierre y se sentaron en unas sillas plegables, de lona amarilla, que había sacado Ventura. Joaquín descansó la cabeza en la fachada. Frente a él, por cima del descampado, el cielo tenía un pálido azul de anochecer o amanecida. Bajó la vista hasta el seto, que separaba en el centro de la calzada las dos direcciones de la marcha, y oyó a Ventura encender un cigarrillo.

—Vaya una idea la tuya, pensar si estaría muerta.

—Ya. Son tonterías que se le ocurren a uno.

—Y ¿qué hubiésemos hecho, si llega a estar muerta?

—Yo qué sé —replicó Joaquín. —Debe de ser difícil desprenderse de un cadáver.

—Con dinero, no creas. El dinero lo puede todo.

—Sí, ahí tienes razón.

El aire estaba quieto, cálido. Aún pasaban algunas personas y, de vez en vez, los camiones llenaban la avenida con el ruido de sus motores y las luces de los faros. Un gato se paseó frente a ellos y Joaquín le empujó con la puntera del zapato.

— Va a ser mal verano.

— Sí. ¿Has ido ya a la piscina?

— El otro día. Estaba un poco fría el agua.

Con el mandil abierto y el chuzo colgando, pasó el sereno, a media carrera.

— ¿Qué, tomando el fresco? — saludó, llevándose una mano a la gorra.

— Buenas noches, Eusebio.

Joaquín le vio doblar la esquina. Más tarde, miró al cielo y descubrió que no había estrellas. La novia de Ventura era guapa, con una piel muy blanca y tirante, un poco gruesa. Desde hacía unos meses, sus padres estaban como esperando que él llevase una chica parecida a la novia de Ventura. Tendría sueño — lo sabía ya — cuando, a las nueve, abriese la tienda.

— ¿Quién será?

— ¿Cuál? — se sorprendió Ventura.

— El tío ese al que has llamado.

— Vete a saber. A lo mejor, el marido.

Joaquín permaneció en silencio; luego, afirmó:

— No está casada. Por lo menos, no lleva anillo.

— ¿Te has fijado? Pues, el padre o un hermano. La gente es muy rara.

— Está buena, ¿verdad?

— ¿No dices que te repugnan borrachas?

— Hombre, sí, pero... ¿Seguirá durmiendo?

Ventura se arrellanó en el sillón y gruñó algo.

— Creo que voy a llamar otra vez. Nos va a tener la dichosa niña toda la noche de guardia. Vete a casa. Por mí, no estés.

— No tengo sueño.

De la obscuridad del descampado, al fondo del cual brillaban las luces del Puente de Vallecas, llegó una ráfaga de viento. Olieron a carbón y los dos miraron hacia el puente del ferrocarril. Ventura bostezó. Con las manos cruzadas sobre el estómago, Joaquín experimentaba una laxitud especial, como después de un gran trabajo o un gran disgusto. Recordaba, con intermitencia, que la muchacha continuaba al otro lado del muro. De un momento a otro, miraría la hora en su reloj de pulsera. No obstante, allí se estaba bien y era preferible no moverse. Ventura acababa de encender otro cigarrillo.

Ventura se levantó. El taxi — que venía detrás de un camión — frenó frente a ellos. Dentro del automóvil se encendió una pequeña bombilla. Cuando la portezuela se abrió, Joaquín se puso en pie. Ventura estaba alzando el cierre y el cuerpo, que llegaba en línea recta, se desvió hacia Joaquín. Entonces, le vio el rostro. Era un muchacho de unos veinte años.

— ¿Llamaron ustedes?

— Sí — dijo Joaquín. — Hay una señorita que no se encuentra bien —. Las luces del bar se encendieron. — Pase.

El muchacho fue hasta la barra y estrechó la mano de Ventura.

— Leopoldo Cantarlé.

Ventura, desconcertado, se presentó a su vez.

— Le llamamos a usted, porque llevaba sus señas en el bolsillo.

— Ya. ¿Dónde está?

Sonriendo, Ventura ladeó la cabeza en dirección al rincón del ventanal. La muchacha permanecía en una postura muy parecida a la que tenía cuando ellos dos salieron a la calle. Rapidísimamente, Leopoldo enfrentó el lugar señalado y comenzó a reír.

— Nunca aprenderá a emborracharse, la condenada. Llegará a vieja cualquier día de éstos y aún no sabrá emborracharse. Bien, veamos cómo transportarla.

Joaquín dio un paso atrás, para dejarle más libre el camino hacia la mesa, y se colocó junto a Ventura, detrás del muchacho.

— Ha bebido mucho — dijo Ventura.

— ¿Ha vomitado?

— Sí, dos veces.

— ¿Qué ha bebido?

— Al final, pidió un cuba-libre. Antes, sólo ginebra.

— ¿Cuánto tiempo lleva aquí?

Ventura se pasó la mano por la nuca.

— Desde las ocho. O, quizá, siete y media.

Más alto que ellos y mucho más delgado, parecía — ellos

dos a su espalda — que fuese a emitir un diagnóstico u orde-
nar una medicación, después de considerar los datos que ter-
minaban de darle. Joaquín avanzó hasta la mesa. Percibió que
el muchacho le miraba fugazmente, pero mantuvo la mirada
en ella, como si se tratase de un objeto extraño, no alarmante,
que le excitara una serena curiosidad. Se metió las manos en
los bolsillos del pantalón y dijo:

— Está dormida desde hace dos horas.

Leopoldo puso las manos en las mejillas de la mujer, em-
butiéndolas entre sus brazos cruzados, y llamó:

— Isabel.

Joaquín creyó oír a alguien en la puerta y miró a Ventura.

— Isabel, muchacha —. Las manos obligaron al rostro a
separarse de los brazos, pinzando las mejillas con los dedos.
— Hay que ir a casa.

Isabel abrió los ojos violentamente. En los pómulos quedaban las marcas de los pellizcos. De improviso, sonrió.

— Parece que se despierta — dijo Ventura.

— Escúchame, Isabel. Ya está bien por esta noche.

Asintió con unos movimientos de los párpados, sin dejar
de sonreír, y trató inútilmente de levantarse de la silla. Reía
a cortos sorbos, sin tregua. En las comisuras de la boca y de
los ojos le temblaban unas arrugas. Leopoldo reía con ella, al
tiempo que rodeó sus hombros.

— Vamos, ¡arriba! Espero que te hayas divertido.

—No mucho —. La voz, algo metálica, tenía un tono que-
jumbroso. — Estoy muy bien, ¿sabes?

— Seguro.

— Como nunca me he sentido.

— Te creo, Isa. Pero en cualquier momento puede volver
la náusea.

— Oh, Leopoldo, cállate — se tambaleó contra él.

— Por lo tanto, será conveniente que me obedezcas.

— ¿Va a amanecer ya?

Leopoldo la condujo hasta la barra y, dejándola sentada
en un taburete, se volvió a Ventura.

— ¿Le ha pagado?

— Sí, señor. ¿Quiere usted que busque un taxi?

— No es necesario —. Abrió la cartera de Isabel y sacó
un billete. — Apóyate fuerte, Isa.

Dejó el billete sobre la barra.

— Oiga... — dijo Ventura.

— Pásame el brazo por la cintura.

Al bajar el escalón, Isabel tropezó e hizo vacilar a Leopoldo. Joaquín acudió a sostenerles y tomó el brazo izquierdo de la muchacha.

— He dejado el coche por alguna de estas endemoniadas esquinas.

— Sé donde está, Isa. Procura no tambalearte demasiado y, sobre todo, no intentes correr o volar o cualquier otra acción etérea.

— Te obedezco, Leopoldo. Firme y recta por la senda del mundo. ¿Le peso mucho?

Joaquín se turbó y, al replicarle, su voz tenía una premiosa entonación aduladora:

— No se preocupe por mí y apóyese fuerte.

— Gracias. Dejé el coche por aquí.

Con la cabeza vuelta, vio a Ventura a la puerta del bar. Cerca de Ibiza se detuvieron y Leopoldo, mientras él sostenía el cuerpo de ella, buscó en el bolsillo de Isabel las llaves del automóvil.

— Ahora, Isa, procurarás darte un baño de viento. Y, sin dormirte. El sueño conduce a la náusea.

— Calla.

Era un "Seat" gris, con el interior tapizado en verde. Leopoldo encaró a Joaquín.

— ¿Usted sabe conducir?

— Pues, sí. Uno de éstos, sí.

— Andando.

— Pero es que no tengo aquí el permiso.

— Al menos lo tiene en alguna parte, ¿no?

— En mi casa.

— Ya vale más que yo. A mí me lo retienen en el Juzgado —. Ayudó a Isabel a colocarse en el asiento delantero y, dando la vuelta al coche, entró por la otra portezuela. — Venga, hombre, ¿qué espera? Me lo devolverán después del juicio. Maté a una vieja.

Joaquín puso el motor en marcha.

— ¿Dónde vamos?

— Isabel, mantente en la ventanilla —. Isabel continuó

mascullando una canción. — Voy a dedicarte un par d
pero no más. Vivo pendiente de vosotros. ¡De todos vosotros!
Pedro está llamándome desde las seis de la tarde, revolviendo
medio mundo, y aún no hemos logrado hablar. Y, por otra
parte, tengo que recoger a Gregorio antes de ir a la cama.
Puede que algún día me sea permitido dedicarme a mis propios asuntos.

— ¿Dónde quieren ir?

— ¿Tienes gasolina?

El aliento de ella les llegó repentino y fugaz con su olor
de alcohol.

— Depósito rebosante. Se colma, se derrama, un mar, pe-
troleros negros en el depósito de mi coche. ¡Por mí; que dina-
miten el Canal de Suez!

— En la ventanilla, Isa. Vaya por donde quiera.

El automóvil se puso en marcha. Paulatinamente, Isabel se
despertaba y Leopoldo y ella mantenían una regocijada conversación, en un tono engolado de reticencias, de sobrenten-
didos, donde cada palabra podía desencadenar las carcajadas
o una ristra de injurias. Joaquín, exasperado por el continuo
parloteo, conducía por la avenida a una velocidad creciente. El
coche, según el cuentakilómetros, sólo había rodado mil nove-
cientos treinta y dos. Al llegar a la autopista, aminoró para
preguntar qué dirección deseaban. Leopoldo luchaba, sujetaba
o abrazaba a la muchacha, que reía inconteniblemente. Dobló
a la izquierda. Una recta sucesión de luces verdes fue apare-
ciendo hasta el cruce con la Castellana, donde hubo de frenar.
En el brusco silencio oyó sus respiraciones y sus risas espa-
ciadas. La señal cambió y comenzaron a subir la cuesta. Otra
vez se apagaban los discos rojos, antes de alcanzarlos, como
si los faros los transformasen o una invisible barrera cediese
a su proximidad. La muchacha se abalanzó sobre Leopoldo.
Percibió el agrio y picudo olor de su cuerpo, un raro aroma
de aliento, alcohol y perfume.

— Pare.

El neumático rozó el bordillo de la acera.

— Vamos, Isa.

— Pero...

— ¿Pretendes vomitar en los asientos?

Leopoldo la obligó a descender.

17

— ¿Él se queda?

— ¿Quiere tomar algo?

— Prefiero esperar aquí — dijo Joaquín.

Les vio cruzar la calle y entrar en un bar. A lo lejos, las luces fluorescentes convergían en una mezcla de destellos. En la patente leyó los apellidos y el domicilio de Isabel. Una vez más, la sangre le hormigueó las piernas. La pareja regresó pronto.

No habrían recorrido quinientos metros, cuando Leopoldo le mandó detener el automóvil. Joaquín les acompañó a una pequeña cafetería muy iluminada. Isabel bebió una taza de té, a fuerza de persuasión.

— ¿Por qué no puedo tomar yo coñac y vosotros, sí? Eh, ¿por qué? Leopoldo, así no conseguirás que me ponga bien en toda la noche. Es un mal método. ¿Verdad, que es un mal método? ¿Cómo te llamas? — le puso una mano en el hombro.

Joaquín sonrió a Leopoldo. Brillaron unos reflejos en la superficie del coñac.

— Isa, un trago más y harás de nosotros lo que quieras.

Acabó de beber el té, sin quitar la mano del hombro de Joaquín.

— ¿Cómo te llamas?

— Joaquín.

— Podríamos ir a bailar. ¿Qué os parece?

Leopoldo abrió el bolsillo de Isabel y preguntó a la mujer del mostrador:

— ¿Cuánto le debo?

Mientras Leopoldo pagaba, Isabel enlazó a Joaquín y le llevó hasta la puerta. Cruzó la calle entre los dos y, al llegar al automóvil, entró por una portezuela para salir por la otra. Leopoldo la persiguió por la acera y, al fin, la introdujo en el coche:

— Vamos a la Universitaria.

Ella se dirigía ahora a él, como si el otro no estuviese presente, insistiendo en su deseo de ir a bailar.

— Estará todo cerrado — opinó Joaquín.

—De ninguna manera. Es que no quieres ir. Es eso. Te avergüenzas de entrar conmigo en una sala de fiestas. Si llego a imaginar lo aburrido que eres, no vienes.

— Es tarde. Mañana tengo que madrugar.

— ¿Madrugar? — Isabel apoyó la cabeza en su hombro. — ¿Qué tienes que hacer, Joaquín? Resulta delicioso madrugar. El verano pasado vi amanecer en Sangenjo. ¿Te he contado que vi amanecer en Sangenjo, Leopoldo?

La mejilla continuaba contra su brazo. — Dime qué es lo que tienes que hacer mañana, Joaquín. Te guardaré el secreto.

— Abrir la tienda a las nueve.

Isabel se dejó caer sobre el asiento, riendo, y, a su lado, el chico sonrió tenuemente. Circunvaló una plaza con un obelisco en el centro. Unas luces violetas iluminaban la carretera. Se desvió hacia la derecha. Los edificios encajonaban con sus sombras el paseo. Isabel no cesaba de hablar.

— Aquí mismo.

Descendieron los tres. Joaquín miró al horizonte, donde la claridad de la noche se ennegrecía. Con una herramienta del coche Leopoldo abrió una boca de riego, regulando la salida del agua.

— Anda, Isa.

— Pero yo no quiero lavarme.

— Óyeme, tienes que quitarte todo ese maquillaje y peinarte. No puedo perder más tiempo contigo. Además, no vas a entrar en tu casa así.

— Estarán todos dormidos.

— ¡Vamos, no seas terca!

La muchacha se arrodilló en el bordillo de la acera. Leopoldo se alejó.

Con el pañuelo, que llevaba en el bolsillo superior de la chaqueta, le ayudó a secarse. La muchacha alisó sus cabellos con las manos y abrió los ojos. Joaquín apretó sus brazos sobre las caderas de Isabel. El rostro recién lavado le daba una expresión nueva y su aroma se hizo más penetrante.

— Isabel.

La mirada de ella estuvo sujeta a la suya durante unos segundos. Luego, intentó desasirse de su brazo, al tiempo que Leopoldo les separaba violentamente.

— ¿Qué haces? ¿No comprendes que está borracha?

Ella subió al automóvil y se sentó al volante. Leopoldo permanecía junto a la portezuela, como esperando; cuando se colocó al lado de Isabel, el automóvil se puso en marcha. Joaquín corrió unos metros, en silencio.

Bebió un trago del agua, que manaba aún de la boca de riego. Era difícil saber lo que había sucedido, ahora que le parecía despertar. Estuvo sentado unos minutos en un banco de piedra. En el otro extremo de la ciudad, Ventura habría cerrado el bar. Los muchachos se rieron, cuando dijo que a las nueve tenía que abrir la tienda. Joaquín comenzó a caminar. Hacia el cruce de las carreteras vio las luces rojas de un automóvil, que ya no podía ser el de ella.

2

Por el pasillo, cuando se dirigía al cuarto de baño, Gregorio se cruzó con Adela.

— Buenos días. ¿Cómo ha descansado usted?
— Bien, bien. Y ¿tú?
— Estupendamente.
— ¿No extrañas la cama?
— Ni lo más mínimo.
— No os oí anoche. ¿Llegasteis muy tarde?

En el comedor, Felicidad arrastraba algo, posiblemente una silla.

— No muy tarde. Estuvimos en el cine.
— Ahora te pondrá el desayuno Felicidad.

Gregorio saludó a Felicidad, que estaba sacando al pasillo las sillas del comedor, y entró en el cuarto de baño. El zumbido de la máquina de afeitar le reinstaló definitivamente en su conciencia despierta. Resultaba difícil saber si la pregunta de Adela tenía una motivación moral. Tan difícil como averiguar hasta dónde llegaría, en un posible interrogatorio, la capacidad de silencio de Felicidad. El agua estaba fría y tonificaba ejecutar unas flexiones bajo la ducha. Mientras se secaba, entornó la ventana y contempló un trozo de cielo azul. Unas voces sonaban en el patio. Harían bien en ir al cine cualquier noche. Hacía semanas que no veía una película.

Se apoyó en el quicio de la puerta y, antes de preguntárselo, esperó a que Felicidad acabase de limpiar el polvo de las patas de la mesa y se irguiese:

— ¿Dónde molesto menos a estas horas para desayunar?

— Válgame Dios; donde usted quiera, señorito. ¿Le parece bien en la sala?

Se sentó a una mesa pequeña, junto al balcón, y Felicidad se apresuró a traerle el periódico y la bandeja con el desayuno.

— ¿Continúa usted sola?

— Esta tarde viene la nueva doncella. Veremos.

— La casa es grande. Necesita usted ayuda.

— Yo no estoy vieja —. Vertió café en la taza y le añadió leche. — Pero la señora es la que manda. Coma usted tostadas.

— Gracias, Felicidad.

Acabó de hojear el diario y terminó su tercera tostada. Las acacias de la calle estaban repletas. En la casa frontera había ropas a orear en las barandillas de los balcones. Gregorio encendió un cigarrillo lentamente, con una deliberada y minuciosa voluptuosidad. Casi le sobresaltó la presencia de Felicidad.

— Debía haber comido más tostadas.

— Es lo que debía haber hecho, estando tan buenas como están. Pero no tengo costumbre de desayunos así. Me van a poner a reventar en esta casa.

— Pues ahora le dejo que lea con tranquilidad el periódico y, dentro de media hora, ya tiene usted todo arreglado y habitación para elegir.

— Aquí me encuentro a gusto.

Felicidad había cogido ya la bandeja y Gregorio volvía a mirar por el balcón, cuando dijo:

— Ha dormido usted poco.

Inmediatamente Gregorio sonrió.

— Yo duermo poco.

La mujer le devolvió la sonrisa y dio unos pasos hacia la puerta.

— Hace usted mal. A su edad conviene dormir mucho.

A determinadas edades conviene dormir, en otras es conveniente no cenar demasiado, en época de exámenes es preciso no leer novelas. La vida, por cualquier parte, le ofrecía a uno aquellas saludables máximas de la sabiduría popular. La de la noche anterior — Lupita — había resultado también un arsenal viviente y parlante de sabiduría popular. Aplicada a analogías y diferencias entre el hombre y la mujer, consideraciones en torno al amor y categórica sentencia sobre la calaña moral

21

del otro sexo — el de Gregorio. Gregorio recordó a Lupe, con su cofia amarilla y su uniforme a cuadros; necesariamente tenía que excitar la atención de todo el que se acercase a la barra. Sin duda alguna, la muchacha estaba comenzando a malearse. Tendría que vigilar sus impulsos, si no quería fracasar con ella. Oyó sonar el teléfono. Felicidad vino a interrumpirle los proyectos mentales.

— Es el señorito Pedro.

— ¿Cómo?

— El señorito Pedro, que ha vuelto a llamar. Ya no sé qué decirle. Quiere hablar con usted.

— ¿Conmigo? Pero si yo no le conozco.

— El señorito Pedro es simpatiquísimo. De los mejores amigos del señorito.

— Bueno —. Una vez en el teléfono, aspiró fuertemente del cigarrillo antes de hablar. — Dime.

Una voz muy matizada se apresuró a replicarle.

— Hola, ¿qué hay? Soy Pedro. Leopoldo te habrá hablado de mí.

— Sí, desde luego. Yo soy Gregorio. Me alegro conocerte, aunque sea por teléfono.

— Y yo a ti, hombre. Por lo visto, Leopoldo está durmiendo.

— ¿Quieres que le despierte?

— No. Se acostaría tarde.

— Sí, nos acostamos algo tarde. Estuvimos por ahí, ¿sabes?

— Sí, claro. Le telefoneé.

— Aquí le dijeron que tú le andabas buscando, pero no pudo buscarte a ti, porque también le dijeron que una amiga vuestra... En fin, no sé si hago bien, pero creo que sois de la intimidad. Pues, que una amiga vuestra se encontraba en un apuro. Leopoldo tuvo que ir a recogerla.

— ¿Isabel?

— Sí.

— ¡Hombre, no sabía la de anoche! No te preocupes; yo también la he llevado a su casa tajada perdida. Bueno, mira, hazme el favor de decir a Leopoldo que me llame. Estaré en el Ministerio hasta las doce y media y en casa a partir de las dos.

— Hasta las doce y media en el Ministerio y desde ... en tu casa. Yo se lo diré.

— Es que necesito hablar con él.

— Descuida que no se me olvida.

— Y a ver si esta noche vas por la cafetería.

— Desde luego. Tengo ganas de conoceros. Leopoldo me ha hablado mucho de vosotros.

— Pues nada, a quitarle a Leopoldo el título de benjamín de la panda. Porque tú eres más joven, ¿verdad?

— Sí, dos años más joven.

— Muchas gracias, Gregorio, y hasta luego.

Gregorio tragó saliva rápidamente.

— Hasta luego, Pedro. Un abrazo.

Felicidad le informaba de algo a Adela. Las sillas del comedor continuaban descolocadas. Al abrir unos centímetros la puerta del dormitorio, oyó el débil y continuo ronquido de Leopoldo. La habitación expelía un olor a aire estancado. Gregorio se retocó la corbata y consultó el reloj.

— ¿Puedo hacerle algo en la calle, Adela? Voy a salir a dar un paseo.

— Muchas gracias, hijo. Anda y diviértete. Pero ¿aún no se ha levantado Leopoldo?

Subió a un autobús y se apeó en la Gran Vía. Las aceras estaban casi vacías. La cafetería se hallaba situada en una de las calles adyacentes. Como había temido, Lupita no estaba detrás de la barra. Le sirvió la ginebra una muchacha fea y taciturna. Gregorio fumó un cigarrillo y, con la última bocanada, bebió la copa de un trago. Paseó una media hora, deteniéndose en algunos escaparates, y tomó otro autobús.

En el piso — ya desde la escalera lo intuyó — todo seguía igual. Felicidad le informó acremente que Leopoldo continuaba durmiendo.

— Llámale, Felicidad. No son horas de estar en la cama — decretó Adela.

Gregorio prefirió asistir desde el despacho a las primeras diligencias del despertar de Leopoldo. Cuando le vio pasar en pijama, arrastrando los pies en las pantuflas y mascullándole respuestas a Adela, se fue detrás de él y, mientras se afeitaba, se sentó en el borde de la bañera.

— ¿Tú no duermes?

— No necesito dormir mucho. Comprendo que te he reventado, levantándome a las nueve. Por el contraste.

— ¿A las nueve? Y ¿qué has podido hacer a las nueve?

— Desayunar —. Leopoldo examinaba minuciosamente sus encías, con la nariz pegada al espejo. — Luego, me he ido a la cafetería de anoche.

— Y ¿has visto a esa...? ¿Cómo se llama?

Gregorio alzó el tono para hacerse oír sobre el zumbido de la máquina de afeitar.

— Lupita. No, no la he visto. Debe de tener el turno de noche.

A Leopoldo la boca le sabía amarga. En el cuello le tiraba un músculo y le dolían las sienes de sueño.

— No estaba mal.

— Vaya... Te llamó Pedro.

— Eso me ha dicho Felicidad.

— Que le telefoneases hasta las doce y media al Ministerio, y a su casa a partir de las dos.

— ¿Qué hora es?

— La una.

— Déjame.

Gregorio se sentó en una silla blanca, mientras Leopoldo se duchaba. Le tendió la toalla y, envuelto en ella, Leopoldo fue a vestirse. Felicidad le había servido ya el desayuno en el comedor. Gregorio se entretuvo con unas figurillas de marfil, que había en la vitrina.

— ¿Quieres tomar algo?

— No, gracias. No como nada a media mañana. Hace un buen día.

— Calor, ¿no?

Leopoldo desayunaba apresuradamente, con los ojos fijos en la mesa. Con la boca aún llena, preguntó:

— ¿Quieres ir a algún sitio determinado?

— Donde tú quieras.

— Larguémonos de aquí.

Adela hablaba por teléfono y Leopoldo le dio un beso en la mejilla; Gregorio se despidió con un gesto. Al cerrar la puerta, quedaron cortadas las recomendaciones de Felicidad respecto a la hora de la comida. En la calle el aire era caluroso.

—Tengo que ir a la Plaza de España.

—¿Te espero en alguna parte?

Leopoldo oteó la calzada desde la esquina.

—Si no te importa... Será mejor coger un taxi.

—Voy contigo y te aguardo en el bar del "Plaza".

—Se me olvidará llamar a Jovita. Estoy seguro que se me olvidará. Siempre se me olvida todo. Así no puedo seguir.

—Yo te lo recordaré.

Leopoldo recomendó al taxista que acelerase en lo posible. Sentado a su lado, Gregorio miraba por la ventanilla, distraído en la sucesión de las calles. Cuando giró la cabeza, Leopoldo descubrió que sonreía.

—Creo que me gustará vivir en Madrid.

—Dichoso tú, que aún no tienes agotada esta ciudad.

—Sí, realmente me gustará. A ti, ¿te aburre?

—Cuando no me desespera—. La voz había perdido, súbitamente, la cansada tonalidad del sueño. —Todos estamos muy vistos y no sabemos salir de un número fijo de sitios. Es angustioso. Terminaré yéndome a vivir al campo.

—¿Al campo? Pero el campo es una birria.

Por unos instantes, pareció meditar sobre aquello. En una tajante determinación, dictaminó:

—El campo es nuestra única salvación.

En la Plaza de España, Leopoldo pagó el taxi.

—Es inexplicable que prefieras un trozo de paisaje en crudo —levantó un brazo— a esto.

—Es un asunto enojoso, pero tardaré poco.

—Tarda cuanto quieras.

Gregorio corrió para aprovechar el paso de peatones abierto.

El ascensor era rápido y, un instante después de haber pulsado el timbre de la oficina de Jacinto, le abrió la secretaria. Jacinto estaba ocupado con alguien y Leopoldo se sentó, mientras la muchacha movía papeles en un archivador. Se sentía observada e imprimió una forzada diligencia a su trabajo. Hacía años que Jacinto estaba instalado en aquel apartamento, pero, cambiando de decoración y muebles con la frecuencia que Jacinto cambiaba, la oficina ofrecía casi siempre un aspecto nuevo. Leopoldo no recordaba si la chica era la misma de la última vez que él había ido allí. Quizá fuera otra, como las mesas y las sillas. Jacinto pertenecía a los que saben triunfar.

— Espero que acabe pronto don Jacinto — le animó la muchacha.

— Es lo mismo. Me gusta verla trabajar.

Ella le miró desconcertada e inmediatamente emitió una risita raspante.

— ¡Oh!, ver trabajar es bonito.

— ¿La ayudo?

— Gracias, no hace falta. ¿Es usted amigo de don Jacinto?

— Sí. ¿Me ha visto alguna vez por aquí?

— No, por aquí, no. Llevo sólo un mes con don Jacinto. Les he visto a ustedes en un bar de Serrano.

Ella iría allí con su novio o con algún amigo. En todo lugar de la ciudad en que uno trate de refugiarse, una secretaria cualquiera puede estar con su novio. Decididamente, convendría pasar unos días en el campo.

Jacinto acompañó hasta la puerta a un hombre de mediana edad y, después, rodeándole con un brazo los hombros, introdujo a Leopoldo en su despacho.

— ¿Cómo está Neca?

— Muy bien. Vete un día a comer, antes de que se marche fuera.

— Iré. Verás, necesito dinero. Un poco de dinero. Unas miserables dos mil pesetas.

— ¿Sólo dos mil?

— Sólo.

— ¿Cómo se llama ella?

— Te equivocas, por desgracia. Todo consiste en un estúpido conglomerado de circunstancias adversas. Tengo la confianza suficiente contigo, para no ocultarte nada. Circunstancias adversas y caritativas.

Jacinto, que estaba abriendo uno de los cajones de la mesa, se asombró, divertido:

— ¿Caritativas?

— En primer lugar, Isabel. Tú ya sabes lo que cuesta, también económicamente, llevarla a casa. Anoche sufría una contumacia especial.

— Pero, hombre, ¿qué me dices? Cuenta.

— Algo inenarrable. Una fortuna en bares, taxis y salas de fiesta. Tuve que pegarme con un tipo por ella. Prefiero olvidar.

Por uno de los dos ventanales, sobre la cabeza de Jacinto, veía el verde de los árboles de la Plaza de España.

— Te doy tres mil.

— Te aseguro...

— Por favor, Leopoldo, no seas chiquillo. Sigue contándome.

— El tipo salió de las sombras. Alguien siniestro. Estábamos en la Universitaria y yo me había descuidado un poco. Atacó a Isabel. Tuve que realizar un esfuerzo inaudito; ya sabes que no me gusta pegarme. Un día de estos me marcharé al campo.

— ¿Cómo?

— Sí —. Se puso en pie y se guardó los billetes. — Me iré a la finca de Toledo. No puedo más.

Jacinto se levantó también y, rodeando la mesa, se colocó al lado de Leopoldo.

— Deberías descansar. Te agotas en Madrid. Por lo que cuentas y por lo que callas. ¿Ha venido de Gijón ese amigo tuyo?

— Anteayer. Ya le conocerás. Anoche nos acostamos tarde y el muchacho no tiene costumbre de dormir menos de nueve horas.

La mirada de Jacinto le escrutaba, piadosamente risueña. Era un buen amigo, Jacinto. Con sus trajes impecables y su oficina brillante y su importancia, pocos seres le conmovían como él. A Leopoldo, saberse admirado, le suscitó una viva egolatría voluptuosa. Con una mueca resignada, añadió:

— Me espera una temporada de niñera, hasta que el muchacho aprenda a desenvolverse. Pero..., vamos, él vale. Te dejo. Ya te devolveré las tres mil.

— No me hacen ninguna falta.

— Tú eres de los que han sabido triunfar.

— ¿A qué viene eso?

— Ah...

La secretaria recogía unos papeles y llevaba el bolsillo colgado del antebrazo derecho. Leopoldo demoró su partida. Cuando ella salió, mientras Jacinto le hablaba de algo que él no escuchaba desde hacía unos instantes, dijo escuetamente:

— Quisiera vender la casa de la abuela.

— Pero estás idiota. No puedes concebir una idiotez mayor que vender esa casa. ¿Qué ha ocurrido?

Se sentó en el bode de una mesa, dejando balancear una pierna.

— Nada.

— ¿Para qué necesitas el dinero?

— Para nada. Pero hay que acabar con ello.

—¿Con qué?

—Com eso. Con todo. Algún día me tendré que ir de este país, ¿no? No quiero convertirme en un provinciano, como Gregorio, ni ahogarme en esta pocilga de ambiente. No quiero. ¿Es buena época para vender?

— Pésima.

— ¿Por qué?

— Porque es pésima. El dinero no vale nada.

— Le sacaría el doble de rendimiento a lo mío, si mi madre no fuese tan puritanamente intransigente, tan montaraz.

Jacinto comenzaba a desquiciarse. Se sentó junto a la mesa de la máquina de escribir y se estregó rápidamente las manos.

— Deja a tu madre que continúe administrando como hasta ahora.

— Pasarán diez años hasta que el Ministerio nos conceda el coche, por ejemplo.

— Y conseguirás un coche diez veces más barato. Con las rentas tienes más que de sobra. No pienses en vender.

— Necesito ir a Italia — gruñó Leopoldo.

— ¿A Italia?

— A Italia. No me pidas que te explique los motivos, entre otras cosas, porque no los comprenderías.

— Yo te presto el dinero.

— No puedo estar toda mi vida cogiéndote dinero y devolviéndote dinero. Ahora, que soy mayor de edad, puedo vender esa casa, sin que mi madre intervenga. Y, además, tengo que ir a Italia. ¿Cuánto puede valer?

— Yo qué sé.

— Tú estás metido en cosas de éstas.

— ¡En cosas de éstas...! —. Se levantó y fue hasta la puerta. — Yo me dedico a importaciones y exportaciones y no sé nada de fincas.

— Todos los que os dedicáis a importaciones y exportaciones — marcó las palabras con una breve risa — sabéis de todo. ¿Un millón? Hay muchos americanos por allí. Ya sabes que es el barrio de los americanos.

— Más.

— ¿Cuánto más?

— Bueno, anda, vámonos y tomamos algo juntos.

— No puedo. Tengo que ver a Jovita.

Le dio una palmada en el hombro a Jacinto. Éste abrió la puerta. Bruscamente volvió a serenarse y sonrió a Leopoldo. No era más que un inteligente muchacho, intranquilo por exceso de vitalidad.

Leopoldo vio sonreír a Jacinto. Era bueno llevarse aquel dinero, despedirse de Jacinto, que Jacinto quedase pensando en él y hablase a Neca, durante la comida, de que él, Leopoldo, había estado a verle aquella mañana.

— Saludos a Neca.

— ¿Vas esta noche por la cafetería?

En el otro despacho sonó el teléfono. Jacinto giró la cabeza.

— Con Gregorio. Anda, ya salgo yo.

— Espera, si quieres. Bueno, hasta luego.

Cerró la puerta y se apresuró a descolgar el auricular. Era Pedro, preguntando si sabía algo de Leopoldo. Jacinto volvió a salir al pasillo, lleno a aquellas horas, y llegó hasta el recodo. El ascensor subía y Jacinto regresó a su despacho.

— No le he encontrado. Pero, ya te digo, hace un momento estaba aquí.

— ¿Sabes dónde iba?

— Le he oído algo de llamar a Jovita.

— Ah, ya. Parece cosa de brujas, ¿sabes? No logro comunicar con él.

— Esta noche os veis en el bar. ¿Y Julia?

— Bien. Estuvo de tiendas con tu mujer, me está diciendo.

— Dale recuerdos. Hasta la noche, ¿no?

— Gracias, Jacinto. Hasta luego.

Los papeles y las carpetas desordenaban la mesa. Estuvo inmóvil unos instantes, con el eco de la voz de Pedro imponiéndole una suerte de acuciante extrañeza. La luz era muy fuerte en los cristales y Jacinto bajó las persianas.

3

Detrás de él — en el espejo les veía — Jovita y Leopoldo continuaban discutiendo. Las manos de ella se separaban de la mesa vehementemente y caían, inmóviles, en los escasos momentos en que Leopoldo hablaba. Jovita no era muy alta, ni tan delgada como la supuso; los pómulos pronunciados le daban un aspecto incitante y exótico. En el restaurante, Gregorio la había observado con detenimiento. Temió una negativa de Leopoldo, cuando propuso ir a la cafetería, con la intención de ver a Lupe. Ahora se encontraba satisfecho, saboreando su ginebra, cambiando alguna que otra frase con Lupita. A Lupe, naturalmente, debían de asediarla los hombres. Si hasta entonces no había mostrado demasiada altanería con él, habría sido por su actitud tranquila. Gregorio sonrió a Lupe.

— Te equivocas — susurró. — No me gusta beber.

— Bueno, y a mí ¿qué? Más le vale a su novia que no le guste la bebida.

Todos sabían, en Gijón, que el padre de Mari Luz era bebedor. Además de ignorar las murmuraciones, alardeaba de que gracias a estar borracho no le fusilaron en la guerra.

— A mí, quien me gusta es ella.

Lupita enarcó hipócritamente las cejas.

— Ah, ¿sí?

— Claro, mujer.

Estaba en uno de los balcones del primer piso de su casa, cara al mar inquieto de aquella noche, cuando los otros llegaron. Desde lejos se le oía gritar un discurso incoherente, en el que mezclaba la política, el amor y una interminable serie de chistes sexuales. Algunos reían, otros decidieron que era mejor marcharse a asuntos más serios y los menos insistían en subir. Uno de estos últimos clavó una bala en el muro, a menos de un metro del balcón, pero el borracho no pareció enterarse. A sus espaldas, en la habitación a oscuras, sollozaban su mujer y otros familiares. Se marcharon y eso permitió al padre de Mari Luz escapar. Y él contaba que había hecho voto de emborracharse, mientras le fuese posible.

— Pues anoche no me dijo usted que tuviera novia.

— No me preguntaste nada.

— Ay, hijo, para preguntas estoy yo. ¿Qué tal es?

Gregorio movió los ojos en redondo y silbó. Lupe rio abiertamente. En el espejo — cuadriculado en lunas iguales — Leopoldo seguía hablando. Jovita había cruzado las piernas y Gregorio descubrió sus llamativos zapatos rojos.

Mari Luz y él se habían quedado hasta tarde en el parque. Regresaron por el paseo. Era una noche del último invierno, cuatro o cinco meses antes, y ahora recordaba las farolas, el ruido del mar y los cabellos negros y alborotados de Mari Luz.

— ¿En qué piensa?

Tuvo un pequeño sobresalto y enrojeció.

— En ti. Pensaba en ti, Lupe. Dónde vivirás, qué harás los días libres.

Lupita, que fregaba unos vasos, se inclinó aún más. En el escote tenía la piel salpicada de pecas. Los ojos le brillaron y Gregorio entreabrió la boca.

— ¿Es que quiere usted mi dirección?

— ¿Para qué?

— Eso usted sabrá.

— Tú eres una buena chica.

Ella tardó en comprender. Cuando lo hizo, se irguió, ofendida y halagada, y se alejó. Leopoldo entendía mucho de mujeres. Si él algún día llegaba a entender de mujeres, se lo debería a Leopoldo. Los veranos anteriores, en la playa, Leopoldo le había enseñado parte de su deslumbrante ciencia.

Gregorio se volvió sobre sí mismo en el taburete. Sentado de perfil, con el largo cuerpo adelantado, sus mejillas hundidas y sus huesudos dedos tan expresivos, Leopoldo transmitía seguridad.

Gregorio se pasó una mano por la boca y apretó el labio inferior.

— Lupe.

— ¿Qué quiere?

— No te molestes, porque te haya dicho que eres una buena chica. Es que lo eres.

Lupita alzó los hombros.

— Anda éste; eso ya lo sé yo.

— Por fuera, no, ¿eh? Por fuera tienes pinta de fulana, pero en seguida se nota todo lo buena chica que eres.

— ¿A que le tiro un plato a la cabeza?

— Ojalá, así me tendrías que curar — sonreía tenuemente, con independencia de sus palabras y de sus intenciones — y te besaría las manos.

— Le está dando a usted romántica.

— ¿Tú no eres romántica?

— ¡Uy, yo...! Menuda soy yo.

— Y ¿cómo eres tú?

— A mí no hay quien me la dé, ¿sabe? Yo le cuento los pelos a un gato.

— Lupe, estás guapa hoy.

— Y ¿cuándo no?

Jovita miró fugazmente hacia él y, luego, hacia la calle. Una mujer jorobada, con un blanco delantal sobre el vestido negro, salió de los lavabos y llamó al limpiabotas.

Cuando regresaban, por el paseo al que llegaban los últimos golpes de las olas, había dejado de luchar contra la decepción. Mari Luz había sido más lista. Bobo de él, encandilado con nada, sin pensar siquiera que ella le rehusaba todo. Dejó de telefonearla durante más de tres semanas. El rencor de Mari Luz facilitó las cosas al siguiente encuentro.

Sería mejor irse de allí; no iba a pasarse la tarde, como un perro, lengüeteando su ginebra en acecho de Lupe. Gregorio llamó a una muchacha, que servía a las mesas.

— ¿Cuánto es?

— ¿También lo de sus amigos?

— Sí, todo.

— Lupita, ¿cuánto es lo del señor?

— Hazme rebaja, Lupita.

Gregorio pagó y se acercó a la mesa. Jovita le hizo sitio a su lado, en el diván.

— ¿Cómo se te da ésa? — se interesó Jovita.

— Bah.

— Es mona.

— Yo la conozco de algo — intervino Leopoldo.

— ¿No sabes de qué?

— No — cogió el cigarrillo que le tendía Gregorio —, pero sé que la conozco.

— Harás creer a Gregorio que ha estado enamorada de ti. Seguro que es eso lo que vas buscando.

Leopoldo, con una deliberada parsimonia, limpió de ceniza la punta del cigarrillo, pasándola por el borde del cenicero.

— Es posible que la hayas visto aquí o en otra cafetería — dijo Gregorio.

— Es posible. Desde luego, conviene no dejarse torturar por las amnesias y más en una ciudad pequeña como ésta.

— ¡Ahora dices que Madrid es una ciudad pequeña! — gritó Jovita —. Gregorio, ¿a ti Madrid te parece una ciudad pequeña?

— Pues, verás..., no sé — rio tontamente. — Mayor que Gijón, ya es.

Sobre la loza blanca del cenicero, el cigarrillo de Leopoldo se movía con una circular lentitud. Jovita cerró una mano sobre la nuca de Gregorio.

— Bueno —. Leopoldo hizo una seña a la camarera.

— Ya he pagado.

En la puerta, Gregorio cedió el paso a Jovita, al tiempo que se despedía de Lupe con un gesto.

— ¿Dónde vamos? — preguntó Jovita.

El aire, en la Gran Vía, estaba cargado de un fuerte olor a alquitrán. Se detuvieron en la acera, formando grupo, en silencio. A Jovita la comida le había dejado rosadas y sudorosas las mejillas. Leopoldo parecía más cansado que de costumbre.

— Es pronto para ir a bailar.

— Nadie ha hablado de ir a bailar — sentenció Leopoldo. — Puedes, incluso, perder toda esperanza de ir a bailar esta tarde, Jovita.

— Muy amable.

— No encadenes una estupidez con una definición estúpida de mi carácter.

Leopoldo también llevaba las manos en los bolsillos del pantalón; Gregorio las sacó de los suyos. Mientras subían la cuesta, Jovita se separaba de ellos para ver algún escaparate y, luego, acelerando el paso, se les unía otra vez. Cuando, como si fuese un muchacho, Jovita se había interesado por su asunto con Lupe, Gregorio había experimentado una agradecida admiración. Ella se colgó de su brazo y anunció que rabiaba por fumar un cigarrillo.

— Vamos aquí mismo a beber algo — propuso Gregorio.

— Ahí, no.

— ¿Por qué? — se encolerizó Jovita. — ¿Por qué narices el señor ha decidido que ahí, no?

Leopoldo encendió un cigarrillo y no alteró el ritmo de sus pasos. Inesperadamente, entró en un bar y ellos dos le siguieron.

— Bueno, ¿qué se va a hacer? — dijo Leopoldo.

— Podríamos ir a tomar unas copas.

— Tú aún no conoces a ésta. Nunca se te ocurra permitirla beber. Sencillamente, no sabe. Lo ignora por completo, ¿comprendes? Suele ignorarlo casi todo. Puede disculpársele su absoluta falta de cultura, dada su, en principio, agradable anatomía. Pero no sólo es eso, Gregorio. Créeme. Vida instintiva y de las más bajas. Únicamente. Un día, por ejemplo hoy, descubres que no recuerda cuál es la capital de Italia. Otro día, que carece de una idea remotamente aproximada sobre los precios de los taxis. ¡Y toma taxis a diario! Entonces, ¿es que no pagas?, le preguntas. Sí, sí — Leopoldo fingió una ridícula voz apesadumbrada —, claro que pago, pero no me fijo. Este curso ha aprobado todas. ¡Todas! Estudia de memoria, naturalmente. Observa su curva frontal —. Gregorio miró la frente de Jovita. — No es deficiencia, como puedes ver claramente. Confieso que no he logrado clasificarla. Es, digámoslo así para entendernos, una especie de inteligencia radicada en los ovarios. Inteligencia primaria, se entiende. Y, además, radica en los ovarios.

— Ya te lo hemos oído. No lo repitas.

Leopoldo abrió los brazos, con una voluntaria exageración.

— ¿La escuchas? Su pavor a cualquier palabra relacionada con la penumbra abisal en que vive su yo, la define.

— Jovita, en cierto sentido, se parece a Mari Luz.

— ¿De veras?

— ¿Te acuerdas de Mari Luz? Es aquella que...

— La recuerdo perfectamente. Me la presentaste el último

34

verano. Aún recuerdo algo de su tipo. Sí, clarísimo. Pero no creo que fuese como ésta.

Jovita le acarició la barbilla a Leopoldo.

— No te enfades conmigo.

— No, claro, igual, no. Pero parecida.

— Y ¿qué es de Mari Luz? A ti te gustaba.

— Mucho. Me gustaba mucho.

— Hasta existían unas remotas posibilidades de matrimonio, ¿no?

— ¡¿Sí?! — se interesó Jovita.

— ¿Por qué no nos vamos a casa de mis tíos? — propuso Gregorio. — Allí encontraremos alguna botella.

— Perfecto — aprobó Leopoldo.

Al salir del bar, Leopoldo, entre ellos dos, les asió a cada uno de un brazo.

— No podía casarme con ella.

— Comprendo.

— Yo no comprendo. ¿Por qué?

— Calla, Jovita. Tú no le hagas caso. Sigue.

— Entre otras razones, no podía casarme con Mari Luz, porque en una carta que me escribió desde Bilbao, una vez que se fue a Bilbao a no sé qué, me decía que había visitado los Altos Hornos y que, durante la visita, no había dejado de enjuagarse el sudor.

— Pero esa chica es una cerda — se indignó Leopoldo.

— Como es lógico, no podía pensar en casarme con una mujer, por muchos millones que vaya a heredar, que confunde enjugar con enjuagar.

— Claro — reconoció Jovita. — Y ¿es verdad que va a heredar?

— Cuando se muera su padre.

Mientras Gregorio explicaba al portero que era sobrino de los señores del segundo y que, al encontrarse de veraneo en San Sebastián, le habían dejado una llave del piso, Jovita y Leopoldo permanecieron apartados, acariciándose las manos. El portero remoloneaba, indeciso.

— Soy su sobrino carnal — repitió Gregorio — y tendré que venir con frecuencia.

De repente, el hombre pareció comprender y se precipitó a abrirles la puerta del ascensor. En el ascensor, Leopoldo trató de besar a Jovita, que le rechazaba con un malhumor fingido, lo cual hacía reír a Leopoldo. Gregorio soportaba la lucha y las risas, contra un rincón de la caja. Evidentemente, Leopoldo sabía tratar a las mujeres. Aquella jocosa indiferencia lo demostraba.

Entraron riendo y persiguiéndose en el piso, a obscuras. Olía a polvo y humedad. Gregorio encontró el conmutador.

— Pasad. Esto aun estando habitado, es siempre una tumba.

En la sala, por las rendijas de las maderas de los balcones, penetraban unas finísimas láminas de luz. Gregorio abrió y la habitación se llenó de una luminosidad dañina. Los tres se contemplaron unos instantes, desconcertados. Luego, Jovita volvió a reír.

— Poneos cómodos. Voy a ver dónde guarda las bebidas el tío Luis.

Las habitaciones traseras, con los muebles enfundados y en tinieblas, le serenaron. En la frente y bajo el mentón, se le secó el sudor. El armarito, donde tío Luis guardaba las botellas, estaba abierto. El grifo soltó un agua color barro; tuvo que esperar a que cayera limpia. Sobre el baño se extendía una capa de polvo cuarteado.

Encontró a Leopoldo sentado en una butaca, embebido en la contemplación de sus uñas, y a Jovita, acodada en uno de los balcones.

— Está siniestra la casa — anunció, colocando la botella y los vasos en una mesa.

— Sí —. Leopoldo alzó la cabeza.

Gregorio les sirvió. Jovita se sentó en el umbral del balcón y oblicuó las piernas, juntas. Por segunda vez, a Gregorio le hirió el rojo de sus zapatos.

— Es bueno — paladeó Leopoldo. — Tú, niña, ten cuidado.

— El "whiskey" no me hace daño.

Gregorio arrastró una butaca de líneas curvas frente a Leopoldo.

— El tío Luis y la tía Matilde saben cuidarse. Ellos han entendido la vida — levantó el vaso a la altura de los ojos.

— ¿Llevan mucho tiempo casados?

— No están casados — dijo Leopoldo.

— ¿No?

— ¡No!

— No — aclaró Gregorio. — Son hermanos. Hermanos de mi madre. Han permanecido solteros. Él tiene unos cincuenta y la tía Matilde, unos años más.

— Una pareja deliciosa — dijo Leopoldo. — Con estilo.

— Simpáticos, agradables, pacíficos, tolerantes y egoístas. Su mundo, esta casa y sus costumbres son inviolables.

— Parece una novela — admiró Jovita. — El piso es precioso.

— Luego te enseñaré las vitrinas.

— ¿Con abanicos y marfiles?

— Con abanicos y marfiles. Luego te las enseñaré.

— Será como mostrarle joyas a una campesina vieja.

— Leopoldo, puede que esta tarde esté insufrible, pero no te enfades conmigo. Cuéntame cosas de ellos, Gregorio.

— Son legendarias en la familia sus historias. Sobre todo, las referentes a sus amores y la soltería. Yo creo que mucho más de la mitad son patrañas.

— Seguro — coincidió Leopoldo.

— Para vosotros todo es una patraña. No sabéis explicar las cosas más que por la libido esa y según vuestro cochino Freud.

— Ella, como es evidente, no ha leído a Freud. Jovita, cállate y no bebas "whiskey".

A aquella hora la casa estaría silenciosa; únicamente llegarían algunas voces por el patio o del cuarto de la plancha. Leopoldo apretó con más fuerza el vaso. Estaba fatigado y Jovita le exasperaba. El esfuerzo por contener la irritabilidad le doblaba la fatiga. Haría bien en irse. Gregorio no cesaba de hablar y de hacer reír a Jovita. Su madre habría salido; Felicidad le prepararía un jugo de frutas, mientras se desnudase. Luego, la penumbra de la habitación, la paulatina llegada del sueño, el sueño sin límites. El proyecto era demasiado reconfortante para renunciarlo. Se puso en pie y paseó por la sala. La luz de la tarde menguaba, pero aumentaba el calor. Tomaría un taxi; después de dormir, contaría el dinero de Jacinto y haría presupuesto. No podría resistir la desesperanza y el hastío, que presagiaba, fuera de la paz oscura de su dormitorio.

— Me voy.

Era insólito, pero Jovita le miró sin protestar. Gregorio, solícitamente, giró la cabeza.

— ¿No te encuentras bien?

— Algo de jaqueca. Y tengo que hacer.

— ¿Quieres que te acompañe?

— No es preciso. Gracias, Gregorio. El asunto es aburrido.

— ¿Irás por la cafetería? —preguntó Jovita.

— Ah —. Leopoldo salió al pasillo, tanteando las paredes, _guido de Gregorio.

Gregorio engarfió un dedo en el pestillo de la cerradura.

— Tienes que llamar a Pedro — le recordó.

— ¡Es cierto! Nunca me dejarán en paz. Hasta luego, Gregorio.

— Hasta luego.

Había bajado sólo dos escalones, cuando se volvió. Gregorio, que estaba cerrando la puerta, la abrió del todo y salió a la escalera.

— Por mí no hay inconveniente, si quieres besarla, ¿eh?

— Hombre, yo...

— Nada, tú no seas tonto. Podemos compartirla — le dio un golpe amistoso en el estómago y le guiñó.

Leopoldo querría saber. Regresó a la sala. Aquella graciosa cesión de sus derechos — aunque se tratase de derechos no muy estimados — le obligaba a actuar. Miró a Jovita, que continuaba sentada bajo el dintel del balcón. Atardecía y los ruidos del tráfico subían de la calle; en el aire quieto de la casa, los ruidos se propagaban a saltos, como en eco. Dieciséis o diecisiete habitaciones a sus espaldas, con los muebles enfundados, con las ventanas cerradas, con el aroma del polvo. Gregorio se inclinó, apoyando los antebrazos en los muslos, y sonrió a la mancha difusa que era el rostro de Jovita en la penumbra.

— ¿Quieres servirme un poco más?

— No te sentará mal, ¿verdad? — su voz había cambiado, sin que se lo propusiese.

— Oh — Jovita rio —, no te dejes impresionar por lo que diga Leopoldo. No me hace daño beber. Él trata de zaherirme constantemente. Le gusta eso. Sadismo, creo que se llama.

— Sí, sadismo. Pero Leopoldo quizás... ¿Quieres ver los tesoros de tía Matilde?

— Sí.

Gregorio se levantó de la silla y dio unos pasos hacia ella, pero se detuvo, porque Jovita no se había movido. Se apoyó en una consola. Bajo sus manos, la tela blanca de la funda tenía un tacto áspero. Jovita dijo algo y él asintió, sin haber escuchado. En poco tiempo, no habría más luz que los reflejos eléctricos de la calle. Gregorio se sentó en el suelo, junto a Jovita, y colocó la botella al alcance de la mano.

— Entonces, ¿te quedas ya a vivir en Madrid?

— Definitivamente.

Ella también hablaba en el mismo tono bajo de Gregorio.

— Mejor, ¿verdad? A mí me gusta mucho Madrid.

— Sí, mejor.

Cerró los ojos y bebió con lentitud. Al levantar los párpados, frente a él, blanqueaban las fundas de los muebles. Unos luminosos se encendieron en un edificio cercano y, al instante, comenzó a brillar el rótulo, azul y rojo, de un cine. Quizá fuera más eficaz llevársela a las habitaciones de atrás, pero no deseaba romper aquella inmóvil calma.

— ¿Quieres mucho a Leopoldo?

— Sí, mucho — inmediatamente, aclaró: — Pero no estoy enamorada de él.

Resultaba convincente lo que decía. Los ojos de Jovita movían en la obscuridad unos destellos tenues.

— Es magnífico, Leopoldo.

— Es un genio — continuaba hablando en voz baja, pero ahora con apasionamiento. — Y no conviene enamorarse de un genio. Al menos, una chica como yo.

— ¿Cómo eres tú?

— Una chica sencilla.

Gregorio tomó la botella y sacó el tapón con los dientes.

— ¿Un sorbo más, chica sencilla?

Ella asintió, sonriendo. Gregorio vertió "whiskey" en el vaso, mientras sentía el cuerpo de Jovita apoyado en el suyo. Se separó y ambos bebieron. Crujió un mueble. En aquella sala, tía Matilde recibía a sus amigas. Más tarde, llegaba tío Luis del Círculo y cenaban, contándose lo que habían hecho durante el día. Algunas noches salían juntos y otras, sólo tío Luis. Era divertido comparar a Jovita con las amigas de tía Matilde. Se envejece y un día se va a tomar el té con tía Ma-

tilde, a aquella sala. ¿Pensarían, cuando tuvieron la edad de
Jovita, en que se envejece?

— Es bueno, ¿eh?

Gregorio chasqueó la lengua.

— ¿Cuándo te vas de veraneo?

— A finales de julio — contestó Jovita.

Gregorio bebió otro trago.

— ¿Vamos a ver las vitrinas? — propuso.

— Bueno.

Dejó el vaso en el suelo, al lado de la botella, y cambió de
postura. Jovita se recostaba en la jamba del balcón, con la
cabeza contra la madera. Gregorio le acarició un tobillo. Jovita sonrió y acercó el rostro. Colocó las palmas de las manos
en las mejillas de Jovita y permanecieron unos instantes con
las miradas unidas. Cuando fueron a besarse, tropezaron y los
dos, simultáneamente, murmuraron una disculpa. Gregorio le
abrazó los hombros y ambos cuidaron de controlar el beso.

— Se está bien aquí.

— Muy bien.

Jovita se apoyó en el pecho de Gregorio; levantó los brazos y tanteó en busca de los labios. Él tomó sus manos y mordisqueó las puntas de sus dedos. A Gregorio la boca de ella
le obligaba a cerrar los ojos y a apretar los puños contra su
espalda.

— ¿No tienes calor?

— Sí, hace calor.

Gregorio asentó los talones en el suelo y Jovita se tumbó
sobre sus piernas flexionadas. Movió las pestañas en el mentón
de Jovita y ella le asió la nuca y le besó.

— Tendremos que irnos — dijo Jovita — si queremos ver
a ésos en el bar.

— ¿Qué hora es?

Jovita levantó su muñeca y vieron el reloj.

— Déjame el vaso por ahí —. Gregorio puso el vaso en el
suelo. — Gracias.

Voluntariamente, Leopoldo les había dejado solos. Pero aun
así, quizá, no había hecho sino adelantarse a unos acontecimientos que sabía inevitables.

— Habrá que irse, cariño.

Jovita fingió un suspiro apesadumbrado. A Gregorio se le

40

desmandaron los dedos entre el cabello de Jovita. Gracias a la alegría de la muchacha, recuperaba el sencillo sentimiento de unos minutos antes.

Ella no quiso que encendiese la luz de la sala. Le acompañó hasta el cuarto y, mientras colocaba la botella y los vasos, advirtió:

— Deja correr el agua. Sale sucia.

En el aseo del servicio, se lavó las manos y se peinó. Jovita, en el centro de la luz que salía del cuarto de baño, apretaba la espalda a la pared del pasillo.

— Estas casas antiguas tienen un encanto bárbaro. Pero yo — Gregorio le rodeó la cintura — prefiero una moderna.

— Claro.

— ¿Dónde ha comprado tu padre el piso?

— En Rosales.

— Estupendo.

— Sí, buen sitio. Un poco lejos de vosotros. ¿Todos vivís por el barrio de Salamanca? Voy a cerrar los balcones.

Jovita le contestó, desde el vestíbulo.

— No. Isabel vive también por Argüelles. Oye — alzó la voz: — ¿Cuándo vienen tus padres?

Gregorio inspeccionó en una mirada circular la sala y apagó la luz.

— Tienen aún que hacer en Gijón. Dentro de unos quince días, supongo.

Besó repetidas veces sus mejillas, estrechándola un tiempo contra sí, aspirando su aroma.

— Volveremos — la voz de Jovita recobró la tonalidad susurrante — otro día a ver las vitrinas, ¿verdad?

— Desde luego.

Estaba abriendo la puerta y el aliento de Jovita en su oído le quemó un placer doloroso y largo.

— Anda.

El portero se levantó de la silla, al pasar ellos. Caminaron por entre la gente, que llenaba las calles. Jovita desechó la idea de tomar un trolebús o un taxi. Andaba, colgada de su brazo, en silencio. Gregorio, de vez en vez, le buscaba la mirada y sonreían.

— Estará ya Leopoldo.

— Sí — dijo Jovita.

4

Unos gritos lejanos, en círculos concéntricos, se sucedían en variables intensidades de sonido. Más tarde, los gritos se colorearon y en ese mismo instante supo que iba a despertar, desaparecieron los recuerdos oníricos y, al momento siguiente, se reanudó la continuidad, rota unas horas atrás, cuando sintió hundirse en el sueño. Se apoyó en un codo y cayó sobre la almohada. De nuevo, la vida. En alguna parte de la mesilla de noche debía de estar el paquete de cigarrillos. Y el mechero. La mano, tanteando sobre el cristal, retrotrajo los límites de la mesilla a unas dimensiones normales. La luz de la llama le resultaba insoportable: cerró los ojos doloridos. Las manos le temblaban y aspiró ansiosamente varias bocanadas. El cuerpo exige su veneno. Otra sería la trama de la vida, si al cuerpo le negásemos los venenos que exige. Las pequeñas causas y los grandes efectos. Así hablaban en el colegio, veintitrés años antes. Escribía en la pizarra y olía a mañana, a madera, al ácido úrico de los "wateres", a dedos manchados de tinta. En los bancos, reían. También ahora, veintitrés años después, las niñas reían, al otro extremo de la casa.

— Estoy dormida — murmuró con los labios aplastados contra la almohada.

Antes de acabar el cigarrillo, Isabel se sentó en la cama, con las rodillas abrazadas.

Abrió la ventana. Un cielo estrellado, negro, lucía por encima de la línea de los tejados. Envuelta en la bata, fue al cuarto de baño. La voz de Eloisa sermoneaba a las niñas. Procuró no hacer ruido para que la supusiesen acostada aún. Eran las ocho y media, cuando se encontró frente al espejo, a falta de maquillarse los labios únicamente.

Había dormido desde la comida. Una laxitud total le abotargaba los músculos. Trató de encontrar una brecha a aquella indecisión y romper la quietud de sus piernas. Con una mueca inexpresiva, la muchacha — aviejada, Isabel — del espejo se asomaba a ella. Retocó los cabellos de las sienes con un cepillo.

Eloisa explicaba a su madre la nueva decoración de las habitaciones de las niñas. Apoyó las manos en el respaldo de un sillón y trató de seguir el diálogo. El vestido de Eloisa era nuevo. Isabel se despidió de su hermana.

— La abuela no quiere jugar y el abuelito no ha venido.

— Yo me voy.

— Llévame contigo, tía Isabel.

Su madre le besó en las mejillas y le preguntó si vendría a cenar.

— No sé; ¿por qué?

— Tu padre y yo salimos esta noche. No te retrases demasiado, de todas maneras.

— De acuerdo, mamá. Adiós, Eloisa.

En la calle se encontró más tranquila. Al final de la cuesta, en Argüelles, un nuevo optimismo le hizo desistir de beber algo, antes de coger el autobús.

Estaba ya en la puerta de la cafetería, cuando Pedro la llamó. Se habían sentado en unas mesas, bajo un toldo, de la terraza. Junto a Jovita, derecho en la silla, un muchacho hablaba con Jacinto. Saludando a Julia, percibió cómo Jovita avisaba su presencia al muchacho. Éste se puso en pie. Era bajo, muy joven, con los cabellos lisos peinados hacia atrás. Isabel se sentó entre Jacinto y Julia. El muchacho le sonreía e Isabel recordó.

— Ah, Gregorio. Perdona. Tú eres el amigo de Leopoldo.

— Sí. Ha venido de Gijón — dijo Jovita.

— Ya, ya. Perdona, chico — repitió. — Leopoldo nos ha hablado mucho de ti.

— Y a mí, de vosotros.

— Prefiero no averiguar lo que te ha contado.

Jacinto rio estentóreamente.

— Siempre temes lo peor, Isabel.

— ¿Me trae un cuba-libre? — pidió Isabel al camarero. — De Leopoldo siempre puede esperarse lo peor.

Pedro miró a Julia e Isabel sorprendió aquella larga mirada, extrañamente vacía.

— Están inaguantables — le susurró Jacinto en un tono falsamente confidencial.

— ¿Sabes lo que me ha hecho? — la voz de Julita se exasperó.

— Cuéntame mejor qué clase de perfume llevas.

— Ella prefiere contarte su drama —. Pedro alzó un brazo. — Mademoiselle Julie, la première actrice de la Comédie Française.

— Silencio, señoras y caballeros — dijo Jovita. — Los dos primeros actores, en escena.

Pedro, con las manos sobre los brazos del sillón, ejecutó una grotesca reverencia. Jacinto y Jovita rieron.

— Me ha tenido esperando dos horas.

— Por su culpa.

— Cállate.

— Es igual. No conseguirás transmitirles tus nervios a éstos.

— ¡Cállate, Pedro! — gritó Julia.

Isabel dejó de sonreír; la voz, agria y desorbitada, de Julia creó un silencio molesto. Pedro avanzó una mano y la dejó sobre una rodilla de Julia.

— Vamos, Julia — ella levantó los ojos y, por un momento, pareció que lloraría. — Es absurdo.

Jacinto intervino rápidamente. Julia intentó contener su rencor con una sonrisa afable.

— El calor tira de los nervios — dijo Isabel.

— Bueno, bueno, olvidémoslo. ¿Qué tal una cena colectiva? Llamo a Neca y nos vamos por ahí — algunos denegaron con la cabeza. — Pero ¿qué os pasa?

— Como estás todo el día trabajando, sales igual que un toro.

— Jovita, pequeña, no me llames esas cosas. ¿Te vienes a cenar?

— ¡Bárbaro! Y tú, Gregorio.

El muchacho volvió su sonrisa hacia Jovita.

— Pues claro que sí.

— Gregorio va a resultar un elemento fantástico. Y tú, Pedro, ¿te unes?

— Mañana tengo que madrugar.

— Pero ¿trabajáis ahora los del Estado?

— Nada, nada, vamos nosotros tres — dijo Jovita — y Neca. Vosotras estáis aburridísimas.

— Te había dado yo a ti dos horas de espera. El señor
— apretó la mano sobre un hombro de Pedro — es casi mi-
nistro.

— Pero no gana aún bastante para casarse — dijo Pedro.

Jovita le señalaba algo a Gregorio y Pedro acariciaba una
muñeca a Julia. Isabel apoyó el vaso en el dorso de su mano
izquierda.

— ¿Cómo está Neca?

— Bien.

— ¿Y la niña?

— Muy maja. ¿Por qué no te vienes mañana a comer?

— No podré seguramente —. Isabel bebió un trago y miró
a Jacinto. — Ayer pensaba en ti.

— ¿En mí? ¿Qué pensabas de mí?

— No te falta nada.

No comprendió en seguida.

— Claro que me falta una cosa. Tiempo. En la oficina, en
casa, con vosotros, con los clientes. Llevo retraso y no sé cuándo lo cogí. ¿Qué te hizo pensar eso?

— No sé. Recordé a Neca, a la niña, tu coche, tu piso. Pensé que no te faltaba nada. Sencillamente.

— ¿Qué hiciste ayer?

Gregorio contuvo una carcajada y Jovita, turbándose, miró
a Pedro y a Julia. Julia se inclinó sobre la mesa y Jovita le
secreteó algo, mientras Pedro gesticulaba a Gregorio.

— Estuve por ahí.

Una ráfaga movió el colgante del toldo. Frente a ellos pasaban unos conocidos y Jacinto saludó.

— Verás — movió la silla hasta tocar la de Isabel —. No
me falta nada. Tengo a Neca, a mi hija y a vosotros. Y me
sobra dinero. No se lo digas a nadie — Isabel sonrió —, pero
me sobra. A veces, creo que es con dinero como únicamente
sé demostrar que quiero a alguien. Y voy y le compro un collar a Neca o un juguete a la niña o... te pregunto a ti si
necesitas un préstamo. Sin interés.

— Te han ido con el cuento de que ahora me emborracho
en bares inmundos y tú has deducido que me faltan unos billetes. Eres genial. ¿Cómo haces para fingir que tienes treinta
y ocho años?

— Treinta y seis. Serás mema, si estás en un apuro.

Vestía un traje claro, de una tela ligera, y una de las puntas del cuello de la camisa se doblaba contra la solapa. Quizá descansase ahora por primera vez en el día y era posible que hubiese dudado entre ir a casa o a la cafetería.

— Tú sí que eres incomprensible. Es cierto que he estado bebiendo en bares repugnantes. ¿Sabes por qué? Pero promete que no vas a decir al final que debo casarme. ¿Me lo prometes? De todas maneras, ya sé que debo casarme y, para este invierno, verás cómo me espabilo.

— Acaba tu historia de una vez.

— Salgo de casa, paseo, entro aquí, allí, y, en dos ocasiones, Leopoldo ha tenido que cargar conmigo. He descubierto que Madrid es muy grande. Hay algo más que la Gran Vía, Serrano, Recoletos y la calle de Goya. Compréndelo, no puedo estarme quieta, a veces. Soy — bajó la voz — casi una solterona.

— ¡Maldita solterona! Gregorio, ¿conoces a alguien que quiera casarse inmediatamente?

— ¡Yo! — exclamó Jovita.

— No me vales. Ha de ser un poco más masculino que tú.

— Pedro dice que quiere casarse — Jovita miró a Julia.

— Sí — arguyó Pedro —, pero soy ligeramente más masculino que Jovita.

— No me valéis, os digo. Tú, Gregorio, ¿no conoces a nadie?

— Sí, a uno. No se atreve a salir a la calle sin escolta.

— Eso es estupendo — dijo Julia.

— Pero si Gregorio es estupendo.

— Gracias, Jovita — con un gesto desmañado, añadió mirando a Isabel. — Hablo mucho.

— Ah, porque no está Leopoldo. Por cierto, ¿dónde está Leopoldo?

— No lo sé, Isabel.

Julia escuchaba a Pedro; después, dijo:

— Anda, ve.

Pedro se dirigió hacia la puerta de la cafetería.

— Oye, Pedro — le llamó Jacinto —, ¿vas a telefonear?

— Sí.

— Llama a Neca y dila que se venga por aquí.

— Que yo no voy a cenar, eh — advirtió Jovita.

— ¿Cómo, que no?

— De verdad, Jacinto. Debo cenar en casa.

— Eso no es lo pactado — protestó Gregorio.

— Podéis ir vosotros.

— ¿Tú, Isabel?

— Bueno, ¿llamo a Neca?

— Estoy algo cansada, Jacinto.

— No, no la llames. Son unos rajaos.

La terraza se iba quedando desocupada. Isabel dejó su vaso vacío sobre la mesa. Las hojas de los árboles permanecían inmóviles.

— Otro día — dijo Jovita.

— Otro día, otro día... Y ¿cuándo vamos a ir a la Sierra?

— Cuando queráis — dijo Julia.

— El próximo lunes, no; el siguiente es festivo. Yéndonos el sábado, podemos estarnos casi tres días. ¿Qué os parece?

— También se habló de ir a Segovia — dijo Jovita.

Gregorio descansó los antebrazos en las piernas y preguntó a Jacinto:

— Tienes un chalet por Guadarrama, ¿no?

Julia había cambiado de silla y uno de sus hombros rozó a Isabel. Descruzó las piernas y enfrentó a Julia.

— Dos horas me ha tenido.

— Mujer... No habrá sido su culpa.

— Me dijo: Acércate por el Ministerio a eso de las siete. Y fui. A las siete en punto estaba allí. Me pasaron a un despacho, vino él, se largó, volvió a la hora, se marchó otra vez. Yo, con los nervios destrozados, ya te puedes figurar. Dos horas. Y no es eso lo peor. Lo peor es la desfachatez que tiene. Va y me dice, fíjate lo que me dice. Porque yo, claro, estaba con una cara hasta aquí. Y va y me dice: No seas niña, Julia. ¿Cómo niña?, le digo yo. Sí, no seas criatura. Como si él fuese un Vittorio de Sica, y sólo me lleva tres años.

— Pero la cosa carece de importancia. Entre Pedro y tú... ¡vamos, Julia!

— No tiene en cuenta nada.

Con los años, había adquirido aquella firme belleza, que continuaba creciente, aquella boca gruesa, sus ojos redondos, su piel tensa. Isabel, en un instantáneo recuerdo, vio a la adolescente sin atractivo de los tiempos en que comenzó a salir con Pedro. Y ahora acababa de percibir que Julia no era bella, como lo eran Jovita o Meyes, o elegante como Neca, sino en un cierto sentido más rotundo, natural y, sobre todo, diferenciador. Isabel dejó las manos entrelazadas sobre la falda de Julia.

— Si os conocisteis cuando él empezaba la carrera... Y, hoy mismo, ya le hemos oído. Pero, dime: ¿realmente quiere casarse?

— Sí, sí. Conseguiremos el piso hacia abril. Por sus padres, ¿sabes? De la Constructora esa, que ha formado su padre. En la autopista de Barajas. Ya están con los cimientos.

— ¡Y me lo dices así! Tardes, Julia, tardes enteras te he estado oyendo, que Pedro no se casaría contigo nunca, que qué podrías hacer para casarte con Pedro. Y ahora...

Julia tenía los ojos muy abiertos. La blusa acusaba el plácido movimiento de su respiración.

— Sí. Se cambia mucho.

Quizás fuese Gregorio, a quien mejor conocía de todos ellos. Absurda e impropia de Julia, aquella frase ridícula, y la sincera nostalgia con que la había pronunciado. Jacinto llamaba al camarero y Jovita ya estaba en pie, jugando con su falda acampanada.

— ¿Dónde has comprado esos horribles zapatos de fulana? — le preguntó Julia.

Jovita se indignó, pero Jacinto y Gregorio, abrumándola con sus testarudas bromas, le obligaron a que mostrase los zapatos a Isabel. Pedro regresó del interior de la cafetería.

— Leopoldo no está en casa. Oye, Gregorio, dile que necesito hablarle urgentemente.

— ¿Te vienes, Gregorio? Hago de taxi para el barrio de Salamanca.

— No, gracias. Prefiero dar un paseo.

— No se te olvide decírselo, Gregorio.

— Claro que se lo diré. Adiós, Julia. Me alegro de haberos conocido.

— Ahora nos veremos con frecuencia, ¿eh? Pero siéntate. Vamos, Jovita.

— ¿Tienes el coche, Isa?

— No, pero no te preocupes, Jacinto. Gracias. Dile a Neca que la llamaré.

— Hasta mañana.

— Adiós, Jovita.

Jacinto tenía aparcado el automóvil en la otra acera. Les despidieron, levantando las manos, y vieron a Jovita y a Pedro reír y manotearse en los asientos posteriores. Gregorio aproximó su silla a Isabel.

— Estabas todo el año en Asturias, ¿no?

— Sí. Mi padre se ha traído ahora los negocios a Madrid. Tú vives por Argüelles, ¿verdad?

— En Marqués de Urquijo.

— Mi padre ha comprado un piso en Rosales. Seremos vecinos.

— Ah, ¿sí? Es un barrio agradable. Excepto los años de la guerra, yo siempre he vivido allí.

Estuvieron unos minutos en silencio. Isabel volvió a mirar las inmóviles hojas de los árboles. El camarero acudió a una seña de Gregorio.

— ¿Quieres tomar algo más?

— No, gracias.

— Puede retirar el servicio.

— Leopoldo y tú sois grandes amigos.

— Las familias se conocen desde años. Nos veíamos poco. Alguna vez que venía yo a Madrid, algunos días que en los veranos pasaba él en Gijón. Pero sí, somos muy amigos.

— ¿Estudias?

— Derecho, como Leopoldo. Pero yo empiezo este año segundo.

— Más que Leopoldo, seguramente.

— No, no creas. En Oviedo, no es tan difícil la carrera.

— Yo hice Farmacia. Pero lo he olvidado ya todo. Aun así, me alegro haber pasado por la Universidad.

El camarero acabó de llenar la bandeja.

— ¿Cuánto es? — le preguntó Gregorio.

— Ah, oye, cada uno lo suyo.

— Pero...

— No, de ninguna manera. Es la costumbre, entre todos nosotros — explicó. — Como aquí, en la cafetería, tomamos algo casi todas las tardes, lo hemos acordado así. Si quieres, nos marchamos.

— De acuerdo. Yo no tengo nada que hacer y no me apetece mucho ir a casa.

— A mí tampoco. Mis padres cenan fuera y las paredes se me caerán encima.

— Se te llenará el pelo de yeso, como dice Leopoldo. Espera un minuto, que voy a telefonear a Adela.

Andaba, los hombros adelantados, con la americana desabrochada colgándole a ambos lados, y los pies algo separados. Apenas si ya quedaba alguien en las mesas y, por las aceras, transitaban menos personas. El aire pesaba, espeso. Isabel sintió en la garganta la dulce y leve huella del ron. Su mano derecha tuvo un impulso hacia la mesa vacía. Cuando regresó Gregorio, se puso en pie.

— ¿Dónde quieres cenar?

— La verdad es, que no tengo ganas de comer nada.

— Yo tampoco. He bebido un poco más de lo que acostumbro y se me ha cargado la cabeza.

— ¿Vamos a dar un paseo?

— Magnífico. Si sientes hambre, dilo.

— Lo diré.

Descendieron por Ayala hasta la Castellana.

— Adela es una mujer extraordinaria — dijo Isabel.

— Ah, claro que sí. Y valiente.

Visto por delante, separaba los pies mucho más de lo que le había parecido. Al doblar la esquina y tomar uno de los andenes centrales del bulevar, Gregorio pasó por detrás de Isabel, para colocarse a su izquierda.

— ¿Vas a alguna piscina? — preguntó Gregorio.

— A la de Eduardo. ¿Te ha hablado Leopoldo de Eduardo?

— Espera que recuerde — dudó. — ¿Es el que está en Karachi de secretario de Embajada?

— Sí. Bueno, ahora lo han trasladado. Un gran tipo, Eduardo.

— ¿Mayor que Jacinto?

— No, no. De la edad de Pedro. O dos años más. No lo sé bien. Jacinto es el mayor de todos nosotros. Incluso, mayor que yo —. Gregorio reflejó la sonrisa. — Eduardo hizo una carrera estupenda y sacó la oposición muy joven. Hace poco tuvimos carta de él. Cada vez nos escribe a uno, aunque la carta es para todos. Yo he sido muy amiga de su hermana, pero ella se ha casado y ya sabes.

— Sí.

— Puedes venir con nosotros a la piscina. Su padre es encantador. Tiene un chalet en El Viso.

— Iré.

Isabel le supuso distraído. Las luces paralelas se juntaban en una confusa luminosidad hacia el Hipódromo. Caminaban despacio. En el aire se respiraba el calor.

— ¿Qué piensas hacer, cuando termines la carrera?

— No lo sé. Probablemente, no haré nada.

— Es una lástima. Tú eres inteligente.

Pareció no haber oído el elogio.

— ¿Por qué imaginas aparentar más edad?

La imprevista pregunta, formulada con aquella seriedad reconcentrada, resultaba cómica.

— ¿Te ha dicho Leopoldo mi edad?

— Me dijo que tenías catorce años más que yo.

— Y tú ¿cuántos tienes?

— Diecinueve.

— Pues..., no te ha mentido. ¡Catorce años! — extendió los brazos, sin dejar de reir. — ¿Te das cuenta? Tengo amigos, ya, que son catorce años más jóvenes que yo. Es inconcebible. Como soy tan vieja, voy a darte un consejo, ¿quieres?

— Es lo que te corresponde.

— No dejes pasar una sola hora sin pensar que estás viviendo. Ni una sola hora. Si te confías, llegarás a tener catorce años más que alguien sin darte cuenta. Como si te acabasen de despertar o...

— O te hubiesen estafado el tiempo — le interrumpió apresuradamente.

También él había hablado así. En cierta ocasión, la previno contra el tiempo estafado. Desde hacía unos minutos y sin que ella hubiese advertido cómo, Gregorio le había desencadenado el recuerdo de él.

— Sí, eso es. Veo que no te hacen falta mis consejos.

— Pero, bueno — insistió — ¿te parece una tragedia tener treinta y tres años?

— Recién cumplidos, ¿eh? — No cabía enojarse por aquella simple terquedad del muchacho, desprovista de malevolencia, y continuó bromeando. — Desde luego, no es una tragedia muy grande, pero preferiría tener tu edad.

— ¿Para qué?

Contorneaba la Plaza y, en la noche, iluminado por la luz fluorescente, Castelar persistía eterno, inmarcesiblemente enlevitado, con los representantes del pueblo a sus pies. Pasó un tranvía casi vacío. Isabel esperó a llegar a la acera.

— Tienes razón. De nada me valdría volver a tener tus años. Sería molesto empezar todo otra vez.

— Bien, perdona.

— Pero ¿por qué?

— Tú tenías que despejarte dando un paseo, y yo me estoy poniendo rollo con mis preguntas estúpidas. ¿Tienes apetito?

— Ni lo más mínimo. Continúa con tus preguntas estúpidas, te lo ruego.

— ¿Quieres que nos sentemos a beber algo?

— Sí; más adelante. ¿Qué te ha contado de mí Leopoldo? ¿Es una ingenuidad esperar que seas sincero?

— Que bebes demasiado. Que habías empezado a beber demasiado hace años, cuando él apenas te conocía. Cuando — aclaró la voz — terminaste con un novio, casi a punto de casarte. Y que eras muy guapa, muy inteligente, muy elegante. Pero, esencialmente, eso. Yo le pregunté y contestó que nadie sabe bien por qué deshiciste la boda. Prometió darme la versión verdadera de los hechos...

— Leopoldo siempre tiene la versión verdadera de los hechos — rio Isabel.

— ... otro día.

Así oída, con la precipitada sinceridad de Gregorio, la historia no era más que un melodrama. Y en la realidad, una vez extraída la constante amargura o la desesperanza o la incredulidad, o todo aquello que fuese consecuencia de la historia, ésta continuaba siendo un mal melodrama. Casi aburrido percatarse de que ella era la protagonista. Resultaba tan insólito en aquel instante, que era preciso remover la herida de la memoria y despertar, con el dolor, la conciencia.

— Posiblemente, la versión auténtica es mucho más sencilla que la de Leopoldo. Incompatibilidad invencible, descubierta a última hora. ¿Te parece bien aquí?

Se acomodaron en la terraza de un kiosco, a media ladera

de la colina del Museo de Ciencias Naturales. Unos reflectores, instalados en la tierra, iluminaban el césped. Las sombras, las luces de la Avenida, los anuncios luminosos, encendían un complejo de duras aristas en la noche.

— Es un buen sitio éste.

— Me alegro que te guste.

Durante un largo tiempo permanecieron en silencio. Gregorio, hundido en el sillón de mimbres, fumaba. A su lado, Isabel bebía a cortos sorbos un cuba-libre y fijaba la mirada en las luces lejanas, en algún automóvil, en sus propias manos.

— Jacinto parece estupendo.

— Espera a conocer a Neca.

— ¿Cómo es?

— Elegantísima. Tiene uno de esos tipos impresionantes, que arreglan cualquier cara. Y no es fea. Aunque tampoco guapa. Con encanto, ¿comprendes? Adora con delirio a su marido, a su hija y el "jazz". No recuerdo que nada le haya sido difícil. Y, a pesar de ello, nadie le guarda rencor y es raro que alguien no la envidie. Sobre todo, las mujeres.

— Me gustaría conocerla. Allí, en Gijón, estaba muy solo. Sí, sí, ya sé que todos estamos solos. Pero vosotros os halláis unidos y podéis destruir vuestra soledad física. Aunque no sea más que la soledad física.

— ¿Lo crees suficiente?

— El noventa por ciento de las tristezas se arreglan con un billete de mil, y el noventa por ciento de las soledades, yéndose a cualquier parte con alguien.

— Parece extraño, pero Leopoldo te ha influído.

Gregorio se alzó trabajosamente en el sillón, hasta unir la espalda al respaldo.

— A todos nos influye Leopoldo. Y todos le influímos a él.

— Quisiera que Leopoldo fuera muy feliz. Claro está, que estas cosas se las digo únicamente cuando me lleva a casa; y no siempre.

— Es lo que suele ocurrir. A ciertas horas de la noche se dicen esas cosas, de las que uno se avergüenza a la madrugada. Las declaraciones de amor y de amistad deberían de hacerse al levantarse de la cama — Isabel rio. — Todo sería más claro.

— Todo te será más claro con los años. Desgraciadamente.

— Eso espero — acercó la llama del mechero, en el cueco de la mano, al cigarrillo de Isabel. — Y, desde luego, no representas esos terribles años, que dices tener.

Era halagador que el mechero hubiese iluminado favorablemente la boca, el mentón y parte de las mejillas. Ella, en cambio, no había observado sus manos. Las miró. Gregorio apoyaba la barbilla en ellas y fruncía la frente. Sus cejas, muy espesas, se unían por encima de la nariz y una vena se hinchaba en su sien izquierda.

— Es verdad que no los represento. Pero, en cualquier momento, puedo dar el bajón —. Inesperadamente preguntó:

— ¿Te gusta mi pelo?

Gregorio comenzó a hablar unos segundos antes de volver la mirada.

— Tiene un buen color.

— Y debe de ser suave — la mano fue calmosamente hacia ella. — Pensé, cuando me hablaba de ti Leopoldo, que tendrías un pelo muy negro y rebelde.

Los dedos acariciaron la nuca. Isabel supo dominar a tiempo un movimiento retráctil. La mano de Gregorio pasó como una brisa imperceptible casi, sin temblar. Le sonrió, mirándole a los ojos, pero él devolvió una mirada exenta de intimidad, distraída.

Regresaron andando hasta la Plaza de Colón, donde se despidieron hasta la mañana siguiente.

— No te molestes, Gregorio. El autobús me deja en cinco minutos y tú, en cambio, para volver tendrías que coger un taxi. A las once y media, aquí. ¿De acuerdo?

— De acuerdo, Isabel.

Esperó la llegada del autobús y, luego, se dirigió a paso rápido a casa de Leopoldo.

Adela había salido al cine con unas amigas, según le dijo Felicidad, que estaba cosiendo cuando Gregorio llegó.

— Bueno, y ¿esa doncella?

— Mañana al mediodía vendrá a quedarse.

— ¿Qué tal impresión le ha hecho?

— Ya veremos. Voy a ponerle la cena.

Gastó muchas palabras en convencer a Felicidad de que un vaso de leche le era suficiente.

— ¿Cómo lo has pasado?

Leopoldo estaba sentado en la cama, con un atlas abierto sobre las piernas dobladas.

— Muy bien. Son muy agradables todos ellos.

Gregorio arrastró una butaca baja, sin brazos, y encendió un cigarrillo.

— He estado durmiendo hasta las doce. Me llamó Pedro y Felicidad le dijo que yo no estaba en casa. ¿Qué es lo que quiere?

— No lo sé. Me encargó te recordase que necesita verte.

— ¿Qué te han parecido Jacinto, Julia, Isabel? Vamos, cuenta.

Gregorio clavó un codo en la cama. Tenía sueño, pero le alegraba encontrar despierto y curioso a Leopoldo.

5

— Que pase — ordenó Pedro al portero.

Anudó las cintas rojas de la carpeta y, antes de que hubiese acabado de rodear la mesa, ya estaba Leopoldo en el despacho.

— Dispongo de diez minutos para permanecer en esta covacha — anunció, apoyando un puño sobre el voluminoso expediente.

— Ponte cómodo y no me revuelvas los papeles.

Abrió el ventanal y graduó la luz con la persiana plegable, mientras Leopoldo, sentado en un sillón, leía atentamente un oficio. Pedro volvió detrás de la mesa y apartó el expediente.

— Da náuseas vuestra pestilente prosa.

— Deja los papeles en su sitio. Y no los leas, si no te gustan. Llevo tres días persiguiéndote por todo Madrid.

— Lo sé. Yo llevo tres días no alcanzándote por tres segundos. Suelta lo que sea, de una vez, para que pueda marcharme rápidamente a que Jovita me fría la sangre.

— Escúchame con tranquilidad, eh.

El timbre del teléfono sonó y Pedro arrastró con el cable la pluma estilográfica, que, abierta sobre la mesa, quedó en el borde.

— Dígame... Ah, ... Julia... Estoy aquí, con Leopoldo... Sí, acaba de llegar.

Leopoldo rescató la pluma y fingió observarla, al tiempo que percibía en la voz de Pedro una suerte de torpe azoramiento. Con parsimonia, se puso en pie y se acercó al ventanal. El tráfico de la calle era incesante; resultaban grotescos los dos grupos de peatones apresurándose en direcciones opuestas, entre los vehículos detenidos. En unas habitaciones del edificio frontero se movían hombres en mangas de camisa y una muchacha ante una máquina de escribir. Pedro acabó de hablar con Julia y Leopoldo se volvió hacia él. Con la mano sobre el teléfono, le escrutaba ansiosamente.

— Siéntate.

Leopoldo dio unos pasos en dirección a la mesa.

— ¿Qué te sucede, hombre?

— Julia está embarazada.

Leopolvo dejó de respirar unos segundos y, luego, cerró los ojos. Pedro levantó la cabeza.

— Vamos, siéntate.

— Sí, será mejor que me siente.

— Sí.

— Y ante todo no te desfondes. Ahora ya estamos juntos y no vamos a hacer tonterías. Ahí tienes tabaco.

— Toma del mío.

— Anda, anda, fuma de éste.

— Leopoldo, me he metido en una grandiosa.

— Te insultaré hasta que me duelan las mandíbulas, pero procedamos con orden — apretó las puntas de los dedos contra el cuero del sillón.

— Es espantoso.

— Pero ¿cómo se te ha ocurrido acostarte con Julia?

— ¡Yo qué sé! — gritó Pedro.

— Parece inconcebible — manoteó violentamente la ceniza que le había caído en el pantalón y buscó un cenicero entre los papeles de la mesa. — Julia, una muchacha como Julia... Eres un animal descompuesto y salvaje.

— Lo sé, Leopoldo.

— No tienes disculpa. En una ciudad de dos millones de habitantes...

Pedro asintió con una autoacusadora sonrisa. Parecía esperar, la cabeza entre las manos, el final de las gesticulaciones de Leopoldo. Leopoldo se frotó las mejillas vivísimamente e hizo oscilar el cigarrillo en los labios. Cuando se tranquilizó lo suficiente para no mover más que la pierna derecha, que cabalgaba sobre la izquierda, Pedro se inclinó hacia él.

— Tienes que comprender.

— Resulta absurdo que me hayas tenido que buscar todo este tiempo — suavizó el tono de voz. — Habla.

— Yo no lo podía suponer. Yo tomé mis precauciones.

— Mira, Pedro, sé que acabaré por comprenderte, por disculparte y aun por glorificarte, pero es preciso que me des la justificación de todo esto.

— No sé qué decirte. Pregunta tú.

— Será mejor —. Leopoldo descruzó las piernas. — ¿Cuándo empezasteis?

— Hace siete años. Ya sabes, que desde hace siete años, Julia y yo...

— No me cuentes ahora la historia de vuestro noviazgo — le interrumpió acremente: — ¿Qué te decidió, cómo pudiste convencerla y cuándo?

— Pues..., Julia y yo nos queremos. Éramos unos críos cuando nos conocimos, recuérdalo. Yo nunca premedité una cosa así, naturalmente. No hubo necesidad de convencerla. Fue todo natural.

— Pero eso es una canibalada.

— Como el día que nos besamos por vez primera. Me parece que te lo conté.

Leopoldo protestó:

— ¡Ya lo creo! Cuéntame ahora esto con la misma minuciosidad que aquello.

Pedro comenzó a pasear por la habitación.

— Pues, parecido. Por un impulso. Cualquiera ha podido observar que Julia y yo nos gustamos. Estamos unidos el uno al otro por encima de muchas cosas. Ocurrió hace un año.

— Un año.

— Sí, aproximadamente. Ya sabes.

— Ya sé, claro. Sigue.

— Ella estaba en Santander y vino a pasar unos días aquí, ¿comprendes? —. Leopoldo cerró los ojos. — Luego, se marchó otra vez. Incluso, dejamos de escribirnos. Ella estaba un poco asustada. Y yo, también. En octubre, regresó del veraneo.

— ¿El último octubre?

— Sí, hombre, el último octubre. Estábamos sentados en la cafetería y ella fue allí. Ambos habíamos pensado lo mismo durante ese tiempo y... Julia y yo nos queremos.

Leopoldo saltó, giró sobre sí mismo y se sentó en la mesa, con las largas piernas cruzadas, los pies contra el sillón y los hombros curvados hacia delante.

— ¡Déjate de retóricas!

— Bueno, mira, ignoro qué es lo que quieres que te explique.

— ¿No lo sabes?

— No, no lo sé.

— Llevas un año de amante de Julia, me lo cuentas ahora y dices...

— Pero... Se trata de Julia.

— Y ¡se trata de mí! En un año, creo que has tenido tiempo y ocasiones de demostrar que eres mi mejor amigo y que soy un caballero.

— Te he oído alardear cuarenta mil veces de no ser un caballero. Además se trataba de Julia.

— Continúas con toda tu destructora dialéctica administrativa en los sesos. Una vez, conocí a un tipo que aseguraba que el alcohol no le dañaba. Bebía sin cesar y cada día le era más difícil hacer creer a los otros que el alcohol no le dañaba. Pero, entonces, dejó de beber, recuperó la salud y siguió afirmando que bebía más que nunca. Esto te pasa a ti; que has dejado de pensar y no lo has dicho.

Pedro se sentó en el sillón. Leopoldo se escurría de la mesa y constantemente volvía a sujetarse a ella.

— Pero ¿con qué fin iba a contártelo?

— Para no llegar a esto, por lo menos. Tú te crees muy listo, pero esta clase de listezas insolidarias traen estos barros. Nos has metido en una de las grandes.

— Hombre, Leopoldo, estáis todo el día con Julia, vamos por ahí, somos amigos. Por otra parte, ¿en qué ibas a ayudarme?

— No, no, en nada. El señor saber hacer las cosas muy bien por sí mismo.

Leopoldo rio. —Demasiado bien. El señor es cuatro años mayor que yo y no necesita consejos. ¡Acabarás casándote!

—Desde luego. Hace tiempo que he decidido casarme con Julia.

—Está bien, me voy. No lo entenderé nunca.

Leopoldo descansó un hombro en la pared, junto al ventanal. Oyó a Pedro buscar algo en la mesa. Había tenido la debilidad de confesar a Felicidad su dolor de garganta y ahora la infame solución gargarizante le agriaba el paladar. La puerta se abrió y el ordenanza oblicuó la cabeza.

—¿Se puede, don Pedro?

—Adelante.

—Que don Víctor no puede subir la firma y me ha dicho si le hace usted el favor.

Pedro cogió una carpeta de cuero rojo y advirtió a Leopoldo:

—Son cinco minutos. Espera.

El portero dejó pasar a Pedro y cerró. Leopoldo estuvo tecleando y oprimiendo diversos resortes de la máquina de escribir. La voz de Pedro, cuando el portero había entrado, no falló al recobrarse. En los últimos meses había mostrado una asidua predilección por Jacinto y quizá Pedro no fuese su mejor amigo. Le había mentido durante un largo tiempo: a partir de aquella noche del último octubre. Leopoldo se sentó en el sillón. En aquel instante, todos ellos le rodearían de ocultas verdades, absolutamente inaccesibles. Consultó el reloj. Por fortuna, no había citado a Jovita y la proyectada visita a Jacinto podía ser aplazada. Aquello de Pedro era simplemente lo más excitante que había sucedido en muchos meses.

Pedro regresó y arrojó la carpeta encima de la mesa. El ruido plano reavivó a Leopoldo.

—¿Has decidido casarte con Julia por esto de ahora?

—No.

—¿Por qué, entonces?

—Me gusta mucho Julia. Es la mujer que más me gusta. Me entiendes si quieres y si no, no. Tengo asegurada con ella mi virilidad para muchos años. Además, la quiero.

—Bueno —le ofreció el paquete de cigarrillos—, fuma y a ver si aclaramos la situación. Ella volvió de Santander y reanudasteis la tontería del verano.

— No inmediatamente. Julia estaba asustada. Pero sí, casi en seguida. Para ella supuso un choque extraordinario. Una nueva vida, llamémoslo así. Para mí, también. En otro sentido, claro. Más sosegado. Incluso, éramos muy felices; como temo que nunca más lo seremos. Cuando no estaba con ella, tenía la certidumbre de que ella también ansiaba la hora de encontrarnos. Con vosotros, en el cine, en la Sierra, en cualquier bar, Julia y yo nos mirábamos y, a pesar de todos, nos veíamos solos y unidos.

— Una vez descritas las voluptosas sensaciones que proporciona el erotismo secreto y común, atente a los hechos. ¿Dónde ibais?

— A una casa de cerca de Diego de León.

— La conozco. Te aseguraste.

— Hablé con la dueña. Dinero. Usábamos hasta otra puerta.

— Y decidiste casarte con Julia.

— Y continúo decidido. Más que nunca, como es lógico. Tú también te casarás.

Leopoldo no pudo domeñar el grito:

— ! ¿ Yo ?! ¡ Déjame en paz!

— Sí, tú —. Pedro sonrió inesperadamente y Leopoldo experimentó un alivio. — Por mucho que hayas decidido permanecer soltero. El abuelo me lo aconsejó una vez: Cásate, que es lo que debe hacer un hombre, aunque sólo sea para que no se dude de él, porque la gente se calla, pero, cuando se encuentra con un soltero, piensa que no ha podido casarse por marica o por impotente o, en el mejor de los casos, por estéril.

— Pues a mí, ser estéril me importaría muy poco. Casi mejor. Y si no, que te lo pregunten a ti.

Pedro dejó de sonreír. Se restableció la desasosegada tensión de un largo silencio. Felicidad y sus curanderismos de pueblo — a los que tan flojamente había resistido — acabarían por hacerle vomitar contra aquellos armarios repletos de papeles.

— ¿Nos vamos? — propuso Leopoldo.

— Tengo que esperar un poco. No puedo marcharme todos los días temprano. Se darían cuenta. Espera y te llevo en el coche o nos largamos a comer juntos por ahí.

— Imposible — denegó Leopoldo. — También un día se

hartará mi madre de que no aparezca nunca a las horas de las comidas.

— Vivimos sobre falsedades. Una existencia como falsa.

— Y provisional — susurró Leopoldo. — Isabel afirma que fue la guerra. Que desde la guerra todo parece provisional.

Pedro tamborileó los dedos sobre la carpeta de cuero rojo y agudizó la voz:

— Nada, vente a comer con nosotros y charlamos.

— ¿Con vosotros? — instantáneamente recordó haberle oído citarse con Julia. — Pero no podremos hablar.

— ¿Por qué no? Julia sabe que iba a decírtelo.

— Has hecho mal.

— Fue ella, quien me sugirió la idea.

— ¿Ella? — y antes de que Pedro pudiese continuar: — ¿Qué idea?

— Oye, Leopoldo — se levantó del sillón, pero continuó inmóvil —, parece que no te has dado cuenta. Estoy con el agua al cuello y sólo puedo contar contigo. Eso es lo que me hizo ver Julia.

Se habían extraviado demasiado en las palabras y ahora Pedro, con su torpe gesto solemne de ponerse en pie al otro lado de la mesa, enderezaba el asunto. Como si Pedro señalase el impreciso, pero urgente, imperativo de someterse a la realidad. Leopoldo se apretó los párpados y respiró hondo.

— Julia siempre está cargada de sentido común.

— Ella y yo hemos estudiado todas las salidas — dijo Pedro.

— Lo imagino.

Con su desesperante sentido común, quizá había claudicado. Habría temido insuficiente la energía de Pedro. Le necesitaban y ello le excitó una rencorosa embriaguez. De inmediato, sintió el aire asfixiante y húmeda la frente.

— Sí, lo imagino muy bien. Estará desesperada la pobre Julia.

— Lo está.

— Me voy, porque no puedo esperar más.

Pedro se precipitó a mirar el reloj. Dudó, mientras Leopoldo aplastaba la punta del cigarrillo en un cenicero y retocaba el nudo de la corbata. Era evidente que temía quedarse con sus expedientes y su insatisfacción.

— Al fin y al cabo, para lo que me pagan...

Leopoldo esperó, con una mano en el picaporte.

— Así es, que pensáis casaros.

Pedro se despidió del portero y saludó a alguien en el pasillo.

— ¿Bajamos en el ascensor?

En el portal, Pedro dijo:

— Enormemente lo deseamos los dos. Pero por ahora no podrá ser.

— Claro.

Caminaron unos pasos por la acera. Un cielo limpio, lleno de luz, se alargaba sobre las líneas de los tejados. Leopoldo se asombró de los colores vivos de los vestidos de las mujeres. Absurdo encerrarse una mañana semejante en aquel despacho nauseabundo, donde desmesuraban los problemas y vaciaban de significado los acciones. Se volvió hacia Pedro. El mismo Pedro parecía haber adquirido consistencia.

— Allí está Julia — anunció Leopoldo.

Vestía una falda ceñida y una blusa amarilla, sin mangas. Leopoldo le buscó la mirada. Antes de escuchar su voz, procuró retener la impresión de que Julia no era la misma de siempre, sino otra.

— Estás guapa.

— Gracias, Leopoldo. Sí que lo debo de estar, por todo lo que vengo oyendo.

— Pero ¿cómo has venido tan pronto?

— Me aburría en casa. He hablado por teléfono con tu madre. ¿Ibais a alguna parte? — puso una mano en la nuca de Pedro. — Necesitas un corte de pelo, cariño.

— Ya, ya lo sé. No íbamos a ningún sitio. ¿Llamas a Jovita?

— Desde luego. Hasta la tarde — Julia le sonreía inexpresivamente y Pedro observaba un automóvil aparcado en la acera. — Todo se arreglará.

— ¿Te llevamos? — reaccionó Pedro.

El paso de peatones estaba abierto y Leopoldo corrió por la calzada; desde el bordillo, vio a Julia y a Pedro en el mismo lugar, alzadas sus manos sobre las cabezas de los transeúntes.

Mientras buscaba un teléfono, bruscamente recordó a Encarna. Le tranquilizó pensar que Pedro no había mencionado el asunto de Encarna, debido quizá — tal como inexplicablemente su memoria no había funcionado hasta entonces — a un olvido definitivo. Pero aunque no fuese así, ya sabría eludir toda relación que pretendiese establecer Pedro con aquella estúpida historia. Él era el fuerte, puesto que sólo a él habían recurrido. Últimamente, la ausencia de acontecimientos le estaba haciendo olvidar su propia importancia.

Se quebró uno de los timbrazos.

— Oye, Jovita, vete anunciando a tus viejos que comes fuera.

— ¡Eres genial! Hoy tenía yo ganas de salir por ahí. Te adoro.

6

Isabel alzó la cabeza al sol, cerrando los ojos, y la cabeza se le llenó de una suave obscuridad, en la que brincaban puntitos rojos, verdes y blancos. Oyó caer a Gregorio y una voz dentro de la casa. El antebrazo de Gregorio le rozó las rodillas y, antes de que ella le hubiera ayudado, ya estaba sentado en el borde de la piscina con las piernas dentro del agua. Isabel inclinó el cuerpo para alcanzar la toalla, que estaba junto a la bolsa de lona.

— Sécate las manos, si es que quieres fumar.

— Gracias — dijo Gregorio, con la respiración anhelante. — Está bárbara.

Bajo los árboles, en el césped, las sillas de hierro y mimbre, con sus violentos colores, reavivaban el azul del cielo y la luz de la mañana. Isabel tomó con los labios el cigarrillo, que Gregorio le había encendido.

— Tienes que estar cansado.

Tendidos en las losas de granito, Gregorio, con los ojos entrecerrados, seguía los reflejos de la luz sobre los cabellos de Isabel.

— Realmente, es muy bonito tu pelo.

— Gracias. ¿Quién se iba a figurar que pensabas en mi pelo?

— Ponte en el colchón de goma —. Gregorio se arrastró unos centímetros sobre el vientre. — En tu mejilla derecha hay una espinilla.

— Oh, debes de verme como en un microscopio.

Gregorio se volvió cara al cielo y resguardó los párpados con un brazo. Isabel, a su lado, canturreaba una melodía. En las junturas de las losas crecía hierba. Isabel arrancó una brizna y le cosquilleó en una oreja a Gregorio.

— ¿Qué haces?

Se incorporó de un salto. Mientras Isabel reía, divertida, Gregorio, el mentón en las rodillas, entrevió el techo de la casa, el azul igual y deslumbrante sobre el verde de los árboles, la espalda de Isabel.

— Llevas una hora mirándome las piernas.

— Pero ¿no me creías dormido? Tienes unas piernas rectas y largas. Tienes piernas de niña danesa, con la nariz pecosa.

Isabel apretó la punta del cigarrillo en la piedra.

— Y tú, cejas de moro celoso — palmeó un extremo del colchón. — Tienes sitio.

Gregorio, al sentarse, apoyó un codo entre los pies de Isabel.

— Oye, ¿no se volverá — su cabeza ladeada señaló la casa — a casar?

— No creo. Sus hijos, sobre todo Eduardo cuando está aquí, le gastan muchas bromas sobre al matrimonio.

— Es muy simpático. Debe sentirse solo.

— No sé qué decirte. Trabaja mucho, cuenta infinidad de historias divertidas, le gusta que vengamos por aquí. ¿Dónde dices que tengo esa espinilla?

— Era mentira. Para hacerte rabiar. A la hora que es, supongo que ya no vendrá Leopoldo. Nos deberíamos ir, ¿no?

— Espera un poco. Se está bien.

— Se habrá quedado estudiando.

— ¿Quién?

— Leopoldo. Me dijo que iba a estudiar un rato.

— Apuesto que aún sigue en la cama. ¿Cuántas le han quedado?

— No me lo ha dicho.

— No se lo ha dicho a nadie. Jovita dice que tres. Es una lástima que Leopoldo no quiera estudiar un poco más.

— Te vas a freir la espalda. ¿Sabes una cosa? —. Isabel se aproximó. — Tenía miedo de no seros simpático.

— ¿Cómo? — sonrió.

— De no caeros bien. A todos vosotros. Pero seremos amigos.

— Y tú, ¿sabes otra cosa? Que eres un chico raro.

— Prácticamente, nunca he tenido una gran amistad.

— Yo soy tu amiga, ¿de acuerdo? Prométeme que nadie, ni siquiera Leopoldo, será más amigo que yo.

A pesar de las sonrisas y la entonación, premeditadamente pueril y engolada, Gregorio descubrió una suerte de ansia en el gesto de Isabel.

— Lo prometo — subió la mano derecha a la altura del hombro. — Isabel será mi mejor amigo. No tendré con ella pensamientos secretos. Seré fiel, alegre, casi nada egoísta y, de vez en cuando, le diré que tiene el pelo bonito. La ayudaré en todo y le pediré ayuda cuando la necesite.

— Gregorio... — dejó de sonreír. — Eres encantador. Mis catorce años de diferencia me permiten ver todo lo que vales. Bien, yo también lo prometo — sus dedos le rozaron una instantánea caricia — y que Dios no te estropee nunca. Ahora, suelta todos tus secretos.

— Estás haciendo trampa.

En la veranda apareció don Eduardo. Isabel y Gregorio se levantaron.

— ¿Qué significa esa bolsa en tus manos, Isabel? ¿No pretenderéis marcharos?

— Pero si es tardísimo.

— Exacto. Y por eso, dentro de unos minutos podremos ya comer.

— Ah, no, no, no.

— Convéncela tú, Gregorio.

— En realidad, yo tampoco debo quedarme. Por Adela.

Don Eduardo les acompañó al interior de la casa y, una vez que se hubieron vestido, les insistió a que bebiesen algo.

— No me ha valido de mucho tener dos hijos. La una se me casa y el otro se me dedica a concertar tratados y piropear embajadoras en plena Asia, dejándome unos amigos que siempre tienen prisa.

— Un día de estos vendré a comer contigo.

— Isabel disfruta ilusionándome. Tú, Gregorio, ya sabes donde tienes una casa abierta a todas horas. Y no dejes de presentarme a tu padre, cuando venga. He oído hablar mucho de él.

Les estrechó la mano con fuerza y les acompañó hasta el automóvil de Isabel.

El fuerte calor había vaciado las calles. Isabel aseguró el freno ante el portal de la casa de Leopoldo y giró los hombros hacia Gregorio.

— ¿Tienes mucho que hacer esta tarde?

— A tu disposición — dijo Gregorio.

— Te llamaré luego.

Al entrar, en el mismo "hall", Felicidad le presentó a la nueva doncella, una muchacha alta, con los pómulos sobresalientes, que sonreía sin separar los labios.

— El señorito Gregorio — añadió Felicidad — es el mejor amigo del señorito Leopoldo. Ya verá usted, Carmen, lo poco que da que hacer.

— Para lo que guste mandar — murmulleó Carmen.

— Gracias. ¿Está la señora?

— Sí, en la sala. El señorito Leopoldo ha llamado diciendo que no viene a comer. ¿Qué le parece?

Adela leía junto a uno de los balcones de la sala. La habitación, en penumbra, exhalaba un leve aroma a perfume. Gregorio se sentó frente a Adela, mientras Felicidad, con los brazos cruzados sobre el vientre, continuaba hablando.

— ¿Qué tal don Eduardo?

Después que le hubo explicado a Felicidad sus impresiones de don Eduardo, Felicidad fue a ultimar los preparativos de la mesa. Adela le preguntó si se divertía, se interesó por sus estudios y, durante la comida, habló de Leopoldo con una actitud temerosa.

— Daría cualquier cosa por comprenderle.

— Pero si Leopoldo es un chico sencillísimo. Y de una gran bondad.

— No, no digo que sea malo. Carmen, sirva vino al señorito. Pero me inquieta. Creo que me falta energía o que he descuidado su educación, que no le he dedicado demasiado tiempo.

La muchacha atendía a la mesa, envarada, con prontitud. Al aproximarse Carmen al aparador, Gregorio veía sus piernas, suavemente modeladas en las medias tirantes. Trató de eludir aquel tema penoso y tranquilizar a Adela.

— Ya se sabe, que estamos en una edad difícil. Pero no creo que deba inquietarse por Leopoldo.

— La vida que hace...

— Bien, como todos. Le gusta poco verle crecer, Adela. A mamá le pasa lo mismo conmigo. Ya le contará a usted, lo que usted me dice de Leopoldo. Pero lo esencial es que Leopoldo vale mucho.

Cuando se inclinó, para que él se sirviese el pescado, Gregorio le descubrió a Carmen unos haces de finísimas arrugas en las comisuras de los párpados.

—Tienes razón. Pero tú, ves, eres distinto. Yo no podría tener con mi hijo esta conversación que tengo contigo, Gregorio.

Gregorio procuró mantener la sonrisa natural. Afectadamente natural, hasta que acabase — si es que acababa — el almuerzo.

— Leopoldo es más inquieto que yo. Pero puede estar orgullosa de él. De su inteligencia, de su sociabilidad, que le llevará muy lejos.

Tomaron café en el cuarto de estar y Adela acudió al teléfono en dos ocasiones. Más tarde, cuando Felicidad había servido el coñac. Adela se disculpó con él.

Gregorio oía a las mujeres por la casa y se mecía en una modorra, que le vaciaba de ideas y sensaciones. Decidió instalarse en la butaca de su dormitorio, menos caluroso que aquella habitación.

Ni dormía, ni controlaba el proceso de sus pensamientos. La melodía que Isabel había canturreado por la mañana se resistía al recuerdo. Fumó lentamente, con insistencia. Adela salió a la calle; más tarde, sonó una lejana música, luego, las voces de Carmen y Felicidad. Creía retener, en la obscuridad de sus ojos cerrados, el aroma de la canción de Isabel, una mancha inestable, jocunda.

Antes de que Felicidad llamase, ya estaba en pie, envolviéndose en la bata.

— La señorita Isabel, al teléfono.

— Voy — abrió la puerta.

— No sé si he hecho bien en despertarle.

— Perfectamente, Felicidad. Gracias — encendió un cigarrillo y cogió el auricular.

— ¿Te apetece que vayamos a bailar con Pedro y con Julia? — propuso Isabel.

Quedaron citados para una hora después. Gregorio buscó en el listín el número de la cafetería de Lupita. La muchacha tardó bastante en llegar a su llamada.

— Veo que tienes mucho trabajo.

— No. Es que me estaba cambiando. Me voy ya. ¿Cómo se le ha ocurrido telefonearme?

— Como no puedo verte... Yo sí que estoy muy ocupado.

— Hoy tengo turno de noche.

— Haré lo posible. Oye, Lupita, maja, de verdad que voy a hacer todo lo posible por verte pronto.

— Bueno — dijo la muchacha.

— Adiós, Lupe.

— Adiós. Que venga usted.

Felicidad cosía junto a la radio. En el cuarto de baño, las melodías, los ruidos y las voces de la emisión se indistinguían. Resultaba inconcebible haber imaginado morena a Isabel. Dentro de unos meses, podría recordar sus facciones aun sin cerrar los ojos. Pero deseaba también conservar la primera imagen que de ella había recibido. Siempre le había gustado atesorar las ciudades o los rostros en sus primeras presencias, faltos de habitualidad, para retrotraer el pasado con un simple recuerdo visual.

Al salir del cuarto de baño, oyó a Leopoldo en el otro extremo de la casa y vio a Carmen, que frotaba con una gamuza el picaporte de una puerta. Carmen se volvió.

— ¿Quiere usted merendar?

Gregorio terminó de anudarse el cordón del albornoz y levantó la vista.

— Se va a reír usted.

— ¿Por qué?

— Porque me gustaría merendar un poco de pan y una onza de chocolate.

La sonrisa conglomeró las arrugas de sus párpados.

— A mí también me gusta mucho el pan y el chocolate.

— ¡Ahora voy, Leopoldo! — gritó Gregorio.

La voz de Leopoldo respondió al instante. Siguió a Carmen a la despensa y le señaló la cantidad de pan que deseaba.

— Y ¿sólo va a merendar esto?

— Sólo.

— No ha comido usted mucho.

Bajo la tela negra del uniforme, a Carmen se le pronunciaban, triangulares, los pechos. Apartó la mirada de Gregorio y volvió a frotar el picaporte. Gregorio buscó a Leopoldo.

— ¿Qué hay?

Estaba sentado en el centro del diván, con las piernas estiradas y separadas, en mangas de camisa, los ojos semicerrados bajo el ceño fruncido. Gregorio colgó la americana de Leopoldo del respaldo de una silla y montó una pierna en el borde de la mesa del despacho.

— Tienes pinta de estar hecho migas.

— Un bochorno infernal. Va a llover.

— ¿Por qué no te acuestas un rato? — mordisqueó el pan.

— Esta mañana estuve en la piscina de don Eduardo. Es magnífica.

Se restregó la boca, pinzándosela con dos dedos.

— No pude ir. No puedo hacer nunca nada de lo que deseo.

Gregorio se aproximó al balcón. Unas pequeñas nubes blanquísimas permanecían incrustadas en el desvaído plano del cielo. Leopoldo suspiró.

— Túmbate un rato, hombre. Yo estoy esperando a Isabel. Vamos a bailar con Julia y con Pedro.

— Lo sé. Hablé con Pedro hace un rato. ¿Te lo pasas bien con ellos?

— Muy bien —. Lentamente anunció: — Bueno, me voy a vestir.

— Y yo, a la cama — se levantó y, cogiendo la americana con un solo dedo, se la puso a la espalda.

— Oye.

— ¿Qué?

— ¿Has visto a Jovita?

— Sí. He comido con ella.

— ¿Qué te ha dicho?

— Afortunadamente siempre olvido lo que me dice Jovita — palmeó un hombro a Gregorio.

Gregorio sonrió, al tiempo que deglutía el chocolate y el pan. Volvió a lavarse los dientes y, ya vestido, fue al dormitorio de Leopoldo. Leopoldo dormía y Gregorio deambuló de una habitación a otra, hasta que avisaron por el teléfono de la portería.

— Creí que el señor se llevaba el coche. El señor tiene siempre la maldita oportunidad de estropear su automóvil, cuando una va a salir.

Gregorio tardó en comprender que Isabel hablaba de su padre. Tenía los ojos ligeramente enrojecidos y quizá eso acrecentase su contenido malhumor.

— ¿Dónde vamos?

— A una de esas salas de fiesta del Retiro.

— Ya.

Otro automóvil, que salía de una calle lateral, chirrió al frenar bruscamente. Gregorio le había visto venir e intuyó que Isabel conducía distraída, pero contuvo la advertencia para no asustarla. Isabel hinchó los carrillos de aire y lo dejó escapar melodramáticamente. Gregorio rio.

— ¿No te has dado nunca un trastazo de los buenos?

— Nunca — dijo Isabel. — Cuando no estoy en vena, no conduzco.

— Haces bien. ¿Te gusta correr?

— No. ¿Y a ti?

— Tampoco.

— A Leopoldo sí le gusta la velocidad.

— Leopoldo es un insatisfecho.

Aguardó a que el tráfico fuera menos constante, para ordenarla detenerse. Isabel arrastró la rueda delantera contra el bordillo. Parecía no haber comprendido, inmóvil frente al volante.

— No te encuentras en vena. Anda — se apeó y subió por la otra portezuela. — Y estate tranquila, que tengo carnet.

— Gregorio.

— Dime.

— Nada.

En la Puerta de Alcalá, les detuvo el semáforo. Observó de soslayo a Isabel. Con el rostro crispado y las manos enlazadas sobre el halda, cerraba los ojos. Sin embargo, su voz fue natural al advertirle:

— Los mandos están aún duros. Lleva pocos kilómetros.

Subieron paralelos a la verja del Retiro. Las pequeñas nubes blancas habían aumentado en número.

— ¿Por qué paras?

— Vamos a tomar algo ahí enfrente. Tenemos tiempo.

— No necesito beber, ¿me entiendes? — chilló.

Durante unos instantes, Gregorio mantuvo su mirada. Su mano derecha se dirigía a la palanca del cambio, cuando, antes de alcanzarla, tropezó con una de las de Isabel, que le buscaba.

— Perdona — dijo, sentados a la barra del bar. — Me ha puesto nerviosa mi padre.

— Comprendo. Quiero decir — se apresuró a explicar — que no necesitas justificarte, o que te justifiques, si lo necesitas, que te comprenderé.

Isabel sonrió y bebió un largo trago.

— Cualquier cosa me pone irascible. Espero que aprenderás a soportarme y a no hacerme caso.

— He sido torpe, suponiendo que querías beber. Pero — levantó el vaso — está bueno, de todas formas.

— Muy bueno — asintió Isabel.

— Has discutido con tu padre.

— Apenas unos minutos. Pero me ha puesto encendida de rencor y de tristeza.

— ¿Tristeza?

— Como si me hubiera hecho un gran mal. Me defiendo con la cólera, pero en el fondo siento que alguien, no sé quién, todos quizá, me han defraudado algo. Algo que tampoco sé en qué consiste.

— Bueno, me gustaría ayudarte.

Bebieron en silencio. Gregorio jugueteaba con una servilleta de papel. El silencio la iba serenando y ella misma propuso volver al coche.

— ¿Nos esperan dentro?

— Sí, pero es posible que no hayan llegado. Son unos impuntuales. ¿Te gusta bailar?

— Mucho.

Julia y Pedro no estaban y, mientras el camarero les traía

las bebidas, bailaron en la pista casi vacía. Entre los árboles, la música tenía algo de inoperante o importuno. Un breve vientecillo trajo olor a tierra mojada.

Pedro les buscaba y dejaron de bailar. El vestido de Julia dejaba sus hombros desnudos. Una mujer de espalda carnosa, con una boca muelle, como Julia, era el tipo que él nunca se atrevería a confesar, que le atraía. Gregorio admiró — o envidió — a Pedro, que oprimía afablemente su brazo.

— Estoy loca con esta cremallera —. Julia le tendió un pequeño bolsillo de una rígida tela brocada. — Gregorio, por favor, a ver si tú puedes.

— ¡Oh!, qué pesada — protestó Pedro. — Toda la santa tarde con su santa cremallera.

— Aquí se está bien — dijo Isabel.

— No creo que venga mucha gente.

— No, no; son ya las ocho.

Gregorio aplicaba una minuciosa atención a los engranajes de la cremallera. En el bolsillo de Julia tintineaban unas llaves y de él ascendía un enervante perfume. Aquel aroma, aun sin conocer a ella, le habría hecho adivinar el tenso cuerpo, algo grueso, de Julia. Pedro e Isabel continuaban su entrecortada charla y Julia se inclinó hacia él, siguiendo la operación. Cuando el camarero comenzó a colocar los vasos y Gregorio retiró los antebrazos de la mesa, Julia desistió:

— Déjalo, Gregorio. Ya la arreglarán.

— No, pero si...

— No te molestes, hombre — intervino Pedro.

— ...acabaré por engancharla.

Isabel, contenta, se movía en la silla, observando a los que bailaban. Gregorio sorprendió la mirada de un extraño, tercamente dirigida a los hombros de Julia. Entonces se percató del vestido gris, con adornos rosa, sin mangas, de Isabel. Como las piernas, Isabel tenía unos brazos largos, casi delgados.

— Bueno, ¿es que no bailamos? — dijo Julia.

Gregorio dejó el bolsillo. Julia oprimió su cuerpo al suyo. Toda una mujer, indudablemente. Una mujer rotunda, alegre, que miraba transparentemente con sus grandes y redondos ojos limpios. Pedro hablaba con Isabel. Los de la orquesta daban bien el ritmo y Gregorio lo tarareó. Julia sonrió, muy cerca de su mejilla.

Llevaban bailando unos minutos, cuando Isabel vino hasta ellos.

— Te quito el hombre.

— No hay derecho — bromeó Julia. — A ver si animo un poco a ese cernícalo de novio que tengo.

— Mujer, está cansado.

Anduvo por entre las mesas, con su larga espalda llena de reflejos en la piel bronceada. De improviso, Gregorio sintió como un calor tenue o un breve repiqueteo por sus nervios; estrechó aún más a Isabel. Pedro enredaba en la cremallera, atento, sin embargo, a las palabras de Julia. La melodía se dulcificó hasta la cremosidad y el ritmo se hizo más lento. En el micrófono comenzó a cantar un muchacho rubio, vestido de un "smoking" blanco.

— Me gusta este momento de las luces eléctricas. Por fin, ya es de noche — los rostros se separaban unos escasos centímetros. — Las luces eléctricas, la noche y el invierno. Son tres cosas que adoro. Gregorio, no pienses que estoy loca.

— ¿Por qué? El verano, las montañas, los ríos, las calles vacías bajo el sol; eso es lo que a mí me gusta. Eres una decadente.

— Y tú, un nauseabundo deportista. ¿Iremos mañana a la piscina?

— ¿Cuándo te largas de veraneo?

El muchacho del "smoking" blanco acabó su canción y la orquesta anunció ensordecedoramente el espectáculo. En la mesa, Pedro continuaba con la cremallera y Julia dejó de hablar, unos segundos antes de que ellos llegasen.

— No sé ni siquiera si saldré este año — respondió Isabel.

— ¿De qué se trata? — curioseó Julia.

— Veo que sigue resistiéndose.

— Del veraneo. Me pregunta Gregorio que cuándo me voy.

— Toma —. Pedro le entregó el bolsillo a Gregorio. — Yo me doy por vencido.

— Mi familia se marcha el próximo martes — dijo Julia.

En la pista evolucionaban unas muchachas.

— ¿Y has conseguido que te dejen sola? — preguntó Isabel.

— Sí. Pedro no se irá hasta el diez o el quince de julio. Me quedo con una de las doncellas. Esa es mona, ¿verdad?

Una rubia movía las caderas, al ritmo del mambo, muy cerca de la mesa. Cuando giró y ellos tuvieron su sonrisa enfrente, Gregorio dictaminó:

— Pire que jolie.

— ¡Hombre! — dijo Pedro. — ¿Sabéis el chiste del francés, que llega a la aduana de Irún y dice que tiene que declarar una bomba? —. Denegaron y Pedro arrastró su silla. — Pues veréis. Un francés llega al puente internacional y dice, que tiene que declarar una bomba.

Las muchachas terminaron su número y sonaron algunos aplausos. Inmediatamente saltó a la pista una bailarina, enmallada. Gregorio, atento al chiste que contaba Isabel después del de Pedro, vislumbró una contorsionada actitud de la chica, con los músculos descoyuntados.

— Es bárbaro, Isa — rio Julia.

— Genial, genial —. Pedro contenía sus carcajadas y golpeaba suavemente contra el borde de la mesa. — ¿Quién te ha contado un chiste tan salvaje?

Cuando la pareja de baile español trenzaba sus arabescos y repiqueteaban las castañuelas, Pedro susurró:

— ¿No os importa quedaros con Gregorio? Tengo que hacer.

— Claro que no — asintió Isabel. — Cuidaremos de Julia.

Pedro les estrechó las manos y besó una sien de Julia. Gregorio volvió a bailar con Isabel y con Julia. Los de la orquesta exhalaban frenesí sincopado. Ellas dos hablaban de vestidos. Sería preciso que lo lograse, si no quería experimentar luego desasosiego. Gregorio se mordió el labio inferior. Su voluntad se endureció; percibió que comenzaba a sudar. Levantó el rostro y anunció en un murmullo triunfante:

— Ahí tienes en forma tu endemoniada cremallera.

Julia, sobresaltada por la interrupción, emitió un breve grito de sorpresa.

— Eres un cielo, Gregorio.

Isabel sonrió a su engreimiento y él le guiñó amistosamente a Isabel. Cuando Gregorio llamó al camarero, Julia le avisó que ya Pedro había abonado la cuenta.

— Adviértele que no me vuelva a repetir esta jugada.

— No te inquiete — le tranquilizó Julia —, que ahora le han subido el sueldo.

— Pero también tiene que casarse, ¿no? — retrucó Gregorio.

Condujo el automóvil, mientras Isabel y Julia continuaban su frondosa charla. Llegaron a la cafetería de Serrano cerca de las diez. Jacinto, sentado en la terraza, estaba desesperado de su soledad. Meyes se había marchado un cuarto de hora antes.

— Aún no conozco a Meyes — dijo Gregorio.

— ¿Qué ha contado de particular?

— Hace un siglo que no la veo.

Las muchachas reanudaron su conversación. Jacinto confesó su fatiga a Gregorio.

— Aquello es un infierno. Tu padre, que también sabe lo suyo de este saqueador negocio de las importaciones, te habrá hablado.

— Sí, sí. Yo realmente no entiendo mucho. El día que termine la carrera se me acabará el momio y habrá que hincar el pico.

— Retrásalo cuanto puedas. Tú estudias mucho, ¿no? Pues haz como Leopoldo —. Jacinto consultó su reloj. — Pero ¿dónde se mete Leopoldo todos los días a estas horas? Ah, por cierto, Neca está en trance de organizar una de sus "jam-sessions". Se avisa con tiempo, para que podáis huir.

— ¿Cuándo te vas a enterar de que no es una "jam-session" lo que organiza tu mujer, sino una audición? — dijo Isabel.

— A mí es que me gusta la palabreja. Además, como no sé inglés.

— Mentira — protestó Julia.

— Bueno, Julia — Jacinto se levantó —, te llevo a casa y me despido de tus padres. Se van a Zarauz, ¿no?

— Primero a Puenteviesgo. Por mamá — aclaró Julia.

Isabel y Gregorio encendieron un cigarrillo dentro del automóvil, unos metros antes del portal de la casa de Leopoldo.

— ¿Se ha pasado bien, eh? — Gregorio asintió con un gruñido. — Creo que voy a dormir de un tirón.

— ¿Cómo se llama la melodía que cantabas esta mañana?

— ¿Cuál?, ¿ésta? — Isabel silbó unos monótomos compases.

— Sí.

— Es mía. Me gusta inventármelas. Te agradezco que la hayas recordado. Dormiré aún muchísimo mejor.

— ¿Cómo se llama?

— No tiene título. ¿Qué te parece a ti?

Desde un tiempo atrás, le sucedía aquello de pensar en algo, sin conciencia de estar haciéndolo. Recordaba a la muchacha de las mallas y la danza descoyuntada, al responder mecánicamente:

— Millonario en francos.

— ¡Es un título maravilloso! — admiró Isabel. — Millonario en francos. Claro, es lo que le va.

Gregorio silbó también y, después, se despidieron hasta el día siguiente.

Carmen le comunicó que la señora se había acostado ya.

— Regresó con un poco de jaqueca. Felicidad está en la cocina.

— Gracias, Carmen.

Al doblar el largo pasillo, oyó las voces en el despacho.

— ¿Va a cenar ahora?

— Ya he cenado — mintió. — Tomaré un vaso de leche. ¿Quiere preparármelo?

Se lavó las manos y los ojos y se cambió de traje. Felicidad le sirvió el vaso de leche e insistió en que comiese algo.

— Espero que no sea nada lo de Adela.

— Nada, una simple jaqueca. A ella le gusta acostarse temprano, además.

— Voy a salir, Felicidad.

— ¿Le llamo a alguna hora mañana?

— No, no hace falta. Gracias.

Descorrió una de las hojas de la puerta del despacho. Sobre una mesita con ruedas, estaba la cena y encima de la mesa, unos vasos y una botella de ginebra. Le miraron como extrañados de su presencia. Los dos se hallaban en mangas de camisa y Pedro, que debía de pasear la habitación al entrar él, saludó:

— ¿Qué hay, Gregorio?

— Pasa — dijo Leopoldo.

A ambos la barba les sombreaba las mejillas y, a pesar del balcón abierto, el aire de la habitación pesaba cálido.

— No, no. Voy a ver a Lupita.

— ¿Qué tal lo habéis pasado?

— Magnífico. Hasta mañana.

— Adiós, Gregorio.
— Adiós, Gregorio.

Lupe sonrió, al descubrirle sentado en el ángulo de la barra con la pared. Acudió presurosa a servirle. El tiempo pasaba lentamente y en el bar alternaban largos espacios de silencio con momentos de algarabía. La luz le dañaba los párpados. Al fin, llegó la hora y Gregorio abonó sus consumiciones. Esperó a la muchacha en la Gran Vía. Sobre los altos tacones, que le obligaban a unos desacompasados movimientos de las caderas, resultaba ligeramente más alta que él. Anduvieron despacio. La muchacha reía con las bromas de Gregorio y le tomó del brazo. Vivía en una calle estrecha y oscura, en las cercanías de la Glorieta de Quevedo. Lupe se recostó en el quicio, con la llave del portal en una mano.

— Otra noche tenemos que ir a bailar, ¿eh, Lupe?
— El sábado.

Gregorio le rodeó la cintura y la besó, primero en una mejilla y, al instante, en los labios. Lupita guareció el rostro en su cuello y gimió mimosa.

— Hay que verse más, ¿verdad, cariño?
— Claro — dijo Gregorio.
— Besas bien. Iremos a todas partes juntos. Yo soy muy cariñosa, ya verás. ¿Te gusto mucho, mucho?
— Desde luego.
— El mes que viene es mi cumpleaños.
— Ah.
— Puedes regalarme un juego de ropa interior de "nylon". Me regalarás un juego de ropa interior, ¿verdad, cielo?
— Lo que tú quieras, Lupe.
— Así me acordaré de ti, cuando me lo ponga.
— Naturalmente.

Las calles solitarias le impulsaban a caminar con energía. Se extravió, pero logró orientarse sin preguntar. La noche anubarrada crecía en calor y entró a beber unos vasos de cerveza en una taberna. Luego, buscó un taxi.

Prefirió no utilizar el ascensor. La casa estaba en silencio. Al llegar al despacho, se extrañó de no haber visto la luz de la fachada, por los balcones — ahora, los dos — abiertos.

— ¿Qué hay?

Pedro, con el cigarrillo en una comisura de la boca, se puso en pie.

— ¿Ya de vuelta?

— Sí. Tenéis un aspecto lamentable.

Leopoldo rio tenuemente, las manos embutidas en los bolsillos de la chaqueta del pijama, abarquillando los hombros.

— Pero ¿qué hora es?

— Las tres y cuarto — informó Gregorio.

— Me marcho —. Leopoldo y Pedro se palmearon las espaldas. — Habrá que bajar a abrir el portal.

— Yo — dijo Gregorio.

— Deja — se ofreció Leopoldo.

— Tú ya estás en pijama.

Cuando nuevamente entró en el piso, después de haber dejado a Pedro encaminado a su automóvil, vio una penumbra difusa por la abierta puerta del despacho; olió el aire espeso. Leopoldo esperaba en el dormitorio a Gregorio.

— ¿Qué tal, Lupita?

— Bah —. Gregorio se desvistió la americana. — No creo que merezca muchos afanes — encendió un cigarrillo; Leopoldo miraba fijamente la pared, en una postura laxa, como derrotada. — Madrid es extraordinario.

— Sí, sí. Bueno, me voy al catre.

— ¿Qué te parece Carmen?

— ¿Quién?

— La nueva doncella, hombre. Resulta un poco zanquilarga.

Leopoldo sonrió con un divertido brillo en los ojos.

— Desde luego. Tiene algo de extraño la chica.

— Sé lo que es. Aspecto bondadoso.

— ¿Qué? Sí, es posible. Apenas me he fijado en ella. ¿Habéis visto a Jacinto? También yo quería haberle visto. No sé dónde diablos he dejado el atlas. Y no me podré dormir, si no lo encuentro. ¿Vas mañana a la piscina?

— Quedó Julia en llamarnos a Isabel y a mí.

— ¿Ha bebido Isabel?

— No, no mucho.

— Mejor. Tiene grandes temporadas de abstención, pero cuando siente el grito del alcohol... Tenía que haber visto a Jacinto. Se llama Carmen, ¿verdad?

Gregorio saltó a la cama y cruzó los brazos sobre el pecho.

— Sí.

— Un poco zanquilarga, tienes razón. Estoy que no puedo con mi alma. ¿Te apago la luz?

— Sí. Que descanses.

Cuando Leopoldo cerró la puerta, Gregorio se dejó escurrir, hasta quedar tendido, con todo el cuerpo estirado en un bostezo de satisfacción.

7

Haría una hora desde que Adela se despidió hasta el día siguiente y unos minutos desde que Felicidad había entrado la cena sobre la mesita rodante, cuando oyeron unas voces.

— Así no adelantaremos nada. Vamos a estudiar la cosa con calma.

— Sí, con calma — repitió Pedro. — Oye, ¿quién será?

— Gregorio, probablemente. No te preocupes.

— ¿Gregorio? — la camisa, sobre todo por la espalda, se salía del pantalón. — Y no hemos concretado aún.

— Bueno, hombre, no te desquicies en divagaciones. Voy a tomar una aspirina, porque no puedo más.

Se descorrió una de las hojas de la puerta y Gregorio les sonrió. La blanca camisa de Gregorio, muy planchada, resaltaba su aspecto calmoso. Pedro se detuvo en su ir y venir.

— ¿Qué hay, Gregorio?

— Pasa — dijo Leopoldo.

— No, no — tardó en añadir, como si enjuiciase la situación. — Voy a ver a Lupita.

Leopoldo inclinó el pecho sobre las rodillas.

— ¿Qué tal lo habéis pasado?

Cuando Gregorio cerró la puerta, Leopoldo se puso en pie y Pedro volvió a pasear.

— Acabarán por enterarse.

— No fastidies.

— Tu madre nos miró de una manera rara.

— Te digo que no. Está acostumbrada a que nos pasemos

horas y horas aquí encerrados. Ella tiene sus propias preocupaciones. Y Gregorio es de confianza.

— ¿Qué habrá pensado?

Leopoldo introdujo la pastilla en la boca, bebió un corto sorbo de ginebra y gesticuló, al tragar. En el pasillo, hablaban Felicidad y la nueva doncella. Leopoldo regresó al diván y apartó la mesa de la cena.

— Continúa.

Pedro se detuvo, retiró una silla de la pared y se sentó en el borde.

— Julia tardaba en comprender el problema. Por otra parte, no me atrevía a planteárselo con claridad. En ocasiones, parecía ser ella quien no osaba hablar claro. Me despistaba.

Limitado por la línea del tejado frontero, veía un trozo de cielo.

— Oye, Pedro — la voz de Leopoldo, aunque fatigada, vibró con firmeza. — Vamos a los hechos.

Pedro le contempló derrumbado sobre el diván, el cuerpo ladeado, las manos caídas entre las piernas. Instantáneamente la presencia de Leopoldo le tranquilizó. El ruido de la silla, al arrastrarla, le serenó aún más.

— ¿Te acuerdas de las veces y veces que en este despacho hemos planeado mil cosas? Haríamos esto, lo otro, lo de más allá... Todo —. Leopoldo ensanchaba una constante sonrisa. — Pero siempre teníamos tiempo, aunque tuviésemos prisa.

— Sí, me acuerdo.

Cogió el cigarrillo que le tendía Pedro. Ya no pertenecían a la época de los aplazamientos esperanzados. Insensiblemente, habían alcanzado la edad de las ejecuciones o de los fracasos. Pedro, encendiendo su cigarrillo, volviendo a mirarle en el momento siguiente, demandaba una urgente acción. Sin él, no podría hacer nada. Pedro descendió el tono de la voz:

— Al fin, se habló claro. No podemos casarnos ahora. Es imposible que, de pronto, nos casemos y, encima, con precipitaciones. Cuando comprendió esto, lo demás fue fácil.

— ¿Fácil?

— Sí. No podemos casarnos, ¿comprendes tú? Mira, es el piso que nos va a proporcionar mi padre; son los muebles, que su madre y la mía quieren inspeccionar desde la última

80

hasta la primera silla; yo, que no debo pedir la excedencia hasta que se constituya esa sociedad y mi padre me dé...

— ¿Qué sociedad?

— Te lo he dicho mil veces. Mi padre quiere formar una sociedad nueva. Prácticamente, para mí.

— Ah, hombre, sí. Continúa.

— En fin, todo. Y el viaje. Ha prometido a su abuela ir en diciembre.

— ¿A dónde?

— A Londres. La abuela materna de Julia vive en Londres.

— Entendido.

Pedro vació el vaso.

— Imposible. Una boda repentina en los dos o tres próximos meses echaría muchas cosas a rodar. Sobre todo, cuestiones de dinero.

— Que es esencial.

— Exactamente — se sirvió más ginebra. — Esto fue lo que acabó por quedar claro de una vez.

— Y lo demás fue fácil.

— Julia es una chica valiente.

Involuntariamente preguntó:

— ¿Y tú?

Pedro se frotó las manos.

— No. Yo no soy valiente.

— Entonces, pensaste en mí.

— Recordé lo de Encarna.

— Ya.

— Julia, naturalmente, no sabe nada de Encarna. Y también pensó en ti.

Habían recurrido a él, porque nadie les valía, sino él. Ni siquiera Jacinto, con su dinero rápido y bien dispuesto. Y, al final, sin olvidar a Encarna.

— Bueno, estás pensando que soy más difícil de convencer que Julia — antes de levantarse, comprobó el desconcierto de Pedro. — Y no es así. Quería enterarme de todo lo necesario. Y ahora, que ya lo sé, voy a echarte el discurso —. Pedro se volvió en la silla. — ¿Sabes qué es esto?

El libro de pastas rojas había pasado bruscamente desde la estantería a la mano de Leopoldo.

— Sí, muy bien. Lo estudié en la Facultad —. Leopoldo

pasaba las hojas. —Antes que tú y hace pocos días estuve consultándolo. Libro II, Tútulo VIII, Capítulo III.

—Exactamente. Artículos cuatrocientos once al... diez y siete, ambos inclusive. Aquí dice, que quien de propósito causare...

—Te repito que lo sé muy bien.

—Textualmente: "...será castigado: Primero. Con la pena de prisión mayor si obrare sin consentimiento de la mujer. Segundo. Con la de prisión menor si la mujer lo consintiera"—. Levantó los ojos. —Esto es lo que importa.

—De acuerdo, Leopoldo.

—Mi discurso consiste en preguntarte: ¿Sabes que te juegas algo más que el viaje de Julia, que el piso, que el dinero, que los gritos y los berridos de vuestras familias?

—Lo sé.

—¿Sin dudas?

Leopoldo cerró el libro, con un golpe seco, y lo colocó en la estantería.

—Julia se juega la vida.

—¡No! Es estúpido que pienses esas cosas y que las digas —se aproximó a él y cogió sus brazos con vehemencia. —Pedro, ésta es una situación extrema; no sé si te das cuenta. Piensa en ti. ¡Primero, tú! —las manos aflojaron su presión. —Además, que a ella no le pasará nada.

—Eso es lo que debemos preparar.

Leopoldo rio alegremente y le abrazó. Bebió ginebra, destapó una de las fuentes y movió la mesita hasta colocarla frente a Pedro.

—A cenar. Debe de estar como un témpano.

—No tengo ganas.

—Las tienes —. Llenó el plato de verduras y unas lonjas de fiambre y después se sirvió abundantemente. —No podemos dejar la cena intacta. Yo, muchas noches cuando regreso tarde y sin apetito, la tiro por el "water", para no tener que oír a Felicidad al día siguiente. No está muy mal, ¿eh?

Pedro osciló la cabeza, al tiempo que deglutía. El humo del tabaco permanecía en guedejas por el aire quieto de la habitación. Leopoldo se acarició las mejillas y observó la barba de Pedro. La noche acomodaba aquella vieja entrañabilidad, como si fuesen a emprender una partida de "poker" sin límite de tiempo o una intrincada conversación sin tema fijo. Tomaría otra aspirina. Le dolían las sienes y, aunque el dolor le despejaba, temía perder la clarividencia.

— He pensado en Darío — murmuró.

— ¿En tu primo Darío?

— Sí. Comprendo que no es una gran idea — reconoció Pedro.

— ¡Es una estupidez! —. Leopoldo arrojó los cubiertos sobre el plato. — ¿Es que deseas, además de no conseguir nada, darle una oportunidad para que suelte toda su podrida intransigencia puritana?

— No conozco otro médico de confianza.

Se recostó en el diván. Con la mano derecha, se rascó violentamente y en círculos el esternón. En alguna parte de la casa manaba un grifo.

— Pues como si no conocieras a nadie. Pero ¿has pensado en Darío? A los diez minutos, llamaría a tus padres, a los de Julia y os denunciaría a la policía.

— La policía debe ejercer una vigilancia total sobre estas cosas.

— No tan total. Hazme el favor de no mantener esas vulgares creencias en la infalibilidad de la policía.

— Tiene que ser persona de confianza y experta. Un médico.

— O una comadrona.

— Un médico. Te digo que ha de ser un médico. No puedo poner a Julia en manos de una mujer.

— Mira, Pedro, no intento resolver las cosas a medias. Pero hay que ser realistas. ¿Dónde encuentras un médico?

Pedro continuaba comiendo. El sudor le humedecía la frente y las mejillas. Cuando levantó los ojos y quedó con la mirada inmóvil, Leopoldo intuyó su angustia.

— Yo, por eso, pensé en Darío.

No es que no hubiese olvidado a Encarna, sino que había sido el recuerdo de Encarna lo que impulsó a Pedro a recurrir a él. Sin duda de ningún género, acababa de comprender, él también. Leopoldo encendió un cigarrillo. O sea, que aquella boba historia, al cabo del tiempo y en cierta manera, renacía contra él. Ni Pedro, ni Jacinto, ni Eduardo, ninguno, llegaron a conocer a Encarna. A aquel fantasma ridículo, a ese vergonzante pasado, que habría que considerar y modificar. Le obnubiló una cólera relampagueante contra el muchacho que él había sido y, unos años atrás, había difundido lo que ahora era incapaz de recordar.

— Olvida a Darío.

— Leopoldo, si yo me cojo a Darío y le suelto el rollo y tú le hablas también, puede que acceda. Al fin y al cabo, es un problema de la familia, ¿no? No va a consentir que en su familia suceda una cosa así, pudiendo él arreglarlo. Pero habrá que hablarle con toda sinceridad y con toda crudeza, ¿entiendes? A ti te admira.

— Me desprecia.

— ¡Qué tontería! ¿De dónde has sacado que Darío te desprecia?

— Le hago gracia, desde su altura de hombre importante y moral. Me desprecia. Olvídate de Darío de una puñetera vez, si es que quieres que lleguemos a algo lógico.

Pedro volvió a manejar los cubiertos.

— Está bien — el tenedor se hundió en su boca y retornó, vacío, al plato. — ¿Quién, entonces?

— No lo sé.

— Cuando lo de Encarna...

— Lo hizo una mujer. Difícil encontrarla, no te fiarías de ella y puede que haya muerto o que se negase. Lo de Encarna fue distinto.

— ¿Por qué?

— ¡¡Oh!! Porque Julia no es una chica como Encarna. La pobre Encarna era casi una criada.

— No sabía eso.

— Pues eso.

— Pero tú, ¿cómo encontraste entonces a aquella mujer?

— Me dio las señas Juan.

— ¿Juan?

— Sí, hombre, sí. ¿No pretenderás que ese cerdo nos saque del apuro?

Pedro continuó masticando durante unos minutos. Luego se inmovilizó, hasta que comenzó a buscar la botella de ginebra.

— Ahí, en la mesita de la lámpara — indicó Leopoldo.

Pedro se levantó, trajo la ginebra, llenó dos vasos, apreció inconscientemente el contenido de la botella y se sentó de nuevo. Leopoldo bebió y retiró el plato, donde la ceniza del cigarrillo punteaba los restos de comida.

— Se pensará en ello. Tampoco en un minuto podemos encontrar quien lo haga.

— No quisiera ponerme plomo —. Pedro se limpió los labios con la servilleta. — Pero hay que dar rápidamente con alguien.

— Julia ni siquiera está de dos meses, ¿no?

— Le ha faltado sólo una vez. Hace unos quince días.

— ¡Hombre, ya sé que no podemos echarle calma a la cosa! —. Pedro sonrió. — Pero hasta que tengamos el asunto bien pensado, sí que habrá que esperar. Ya se nos ocurrirá. No te preocupes.

Cuando lo de Encarna, ninguno le ofreció ayuda. O, al menos (para ser más justo) él no solicitó aquellas ayudas que, naturalmente, fueran rechazadas. Pero no debía complacerse en aquellas ideas, sino reafirmarse en la convicción del desamparo de Pedro.

— El martes se van sus padres a Puenteviesgo. Julia ha logrado quedarse. Por estar conmigo, les ha dicho, y porque se aburre allí. Pero dentro de tres semanas tiene que estar en Zarauz. Tres semanas como máximo.

— ¿Se queda sola?

— Con una criada. Tú la conoces; una chica bajita, andaluza.

— No la recuerdo. Tendrá que guardar cama.

— Ya lo he previsto. Con la doncella únicamente en casa, no puede haber dificultades. Se acuesta y dice que está enferma. Incluso puedo ir a verla con Isabel o alguno de vosotros.

— Será mejor que Isabel no entre en esto. Ni nadie.

— De acuerdo. Pero ¿te das cuenta de que tenemos que hacerlo rápidamente? En estos días.

— Sí.

La llamada de Felicidad en el cristal les sobresaltó. Leopoldo gritó que entrase.

— ¡Qué humareda!

— Están abiertos los dos balcones.

— Y la puerta bien cerrada. ¿Han cenado?

— Muy a gusto — dijo Pedro.

— Ahora traeré el café. Tú no has comido mucho.

— Anda, tráenos el café. Y acuéstate, que es tarde.

— Ya me acostaré a mi hora. ¿No quieren tomar algo más?

— Gracias — dijo Pedro.

— Un momento, que voy al cuarto de baño.

Pedro le siguió. Se lavaron en silencio. Un extraño olor de humedad subía del patio. Leopoldo, mientras se secaba las manos, contempló el cielo anubarrado, de un gris sucio.

— Hace bochorno.

— Parece que va a descargar tormenta.

Cuando volvieron al despacho, Felicidad había servido el café y limpiado los ceniceros. Las americanas continuaban en las sillas y Pedro tardó en encontrar la botella.

— Está aquí, Leopoldo.

Leopoldo regresó del pasillo.

— ¿Dónde?

— La ha dejado detrás de la máquina de escribir.

— ¿Queda? — Pedro llenó los vasos. — Si prefieres coñac, voy a buscarlo.

— No quiero mezclar. Lo que se me ha acabado, es el tabaco.

— Yo tengo.

— Debía de haber llamado a Julia.

— Llámala.

— Es ya tarde.

Durante un largo tiempo permanecieron sentados, fumando. A veces, sus miradas se encontraban. Leopoldo tragó otra pastilla de aspirina y terminó de desabrocharse la camisa.

— ¿No podrías localizar a aquella mujer?

— Terminas de afirmar que no pondrás a Julia en manos de una comadrona.

— Leopoldo, existe alguien. Estoy dispuesto a pagar lo que sea.

— Posiblemente vivirán cientos de personas en esta ciudad, dispuestas a hacerlo por un precio razonable. Pero no las conocemos.

— ¡No conocemos a nadie! —. Pedro manoteó ásperamente frente a su rostro. — Nos creemos el centro de las relaciones sociales, porque vamos a tres o cuatro fiestas todos los meses. Pero no conocemos a nadie.

— Que pueda servirnos — aclaró Leopoldo. — Tampoco es problema para plantear a un amigo de la familia.

El sarcasmo levantó a Pedro una nerviosa irascibilidad.

— ¿Por qué no? ¿Crees que en nuestro mundo no hay gente que lo haga?

— Claro que sí. A mayor precio, desde luego.

— Si pudiésemos preguntar... Quizá Jacinto sepa.

— Jacinto no ha conocido más mujer que Neca. Te ofrecerá dinero. Es lo único que te puede dar Jacinto.

Inmediatamente se turbó. Él no entregaba más que palabras. Pedro le produjo una súbita compasión, dejándose zarandear por sus dilatorias vaguedades.

— Sólo hay uno que pueda orientarnos.

— ¿Darío?

— ¡Déjame en paz con tu dichoso Darío, médico de curas y más curas que Torquemada! No vuelvas a mencionarme a esa víbora incandescente y untuosa de Darío.

— Está bien, está bien. ¿Quién?

— Juan.

Felicidad, antes de acostarse, quiso saber si deseaban algo y averiguar a qué hora cesarían de hablar, beber y llenar la habitación de humo.

— Tú vete y no te preocupes de nosotros.

— Ya veo, que estarán hasta la madrugada. Adiós, señorito Pedro.

— Adiós, Felicidad. Muchas gracias por el café, que estaba riquísimo.

— No vale la pena. Hasta mañana, si Dios quiere.

— Juan — dijo Pedro, nada más cerrarse la puerta — no querrá ayudarnos.

Leopoldo explayó una carcajada sardónica.

— No me seas ingenuo, Pedro. La cuestión radica en si nosotros querremos pedirle ayuda.

— No discutamos. ¿Sabrá de alguien?

— Posiblemente. Según mis últimas noticias, es un personaje entre la más selecta canalla madrileña.

— ¿Qué noticias?

— De cuando estuve en casa de sus padres. Os lo dije.

¿Recuerdas? Fui a buscar unos libros míos. No vive con ellos. Su vieja me comunicó que ahora vive en uno de esos inmundos suburbios que hay por ahí. Por Vallecas, concretamente. Trabaja de mecánico o algo así. Según cree ella, claro.

— Pero ¿continuará allí? De eso hace tiempo.

— No tanto. Un par de meses.

— Yo creo que más. Será preciso recurrir a sus padres para localizarlo, y hasta es posible que ellos no sepan por dónde anda.

— No me amontones tragedias futuribles.

— A lo mejor, está en Francia. Juan siempre estaba hablando de irse a vivir a Francia.

— ¡Hablando, hablando! Es lo único que ha sabido hacer en toda su puerca existencia. No irá a Francia, ni hará nada nunca. Terminará de guardacoche, si es que le admiten. Juan es un fracasado.

— No exageres. Con nosotros se portó suciamente, por su resentimiento social. Pero hizo una carrera estupenda. Era de los más inteligentes de la Facultad.

— ¡Pedro, no me digas cómo es! Le conozco mucho antes que tú.

— Fue él quien nos presentó.

— Y no era sólo resentimiento social, lo que le hizo salir a patadas de nuestro grupo. Mal que bien, con su mierda de poco dinero podía seguir nuestra vida. Nosotros somos tolerantes, ¿no?, y él ha tenido siempre una decidida tendencia a la gorronería. Es que no vale. ¡Que no vale! Un fracasado. Hay muchos así. Tipos que se dedican a la cultura, pero que rabian por vivir como nosotros, por ir de un sitio a otro, por conocer mujeres y manejar billetes. Juan es uno de ellos. Mira, hace años, él estudiaba tercero de bachillerato y yo acababa de empezar, aún no éramos amigos tú y yo, se pasó una tarde entera ordenando su habitación, sus libros, sus papeles, para poder estudiar, dijo. Ya sabes, sus maniáticos arreglos. Y, en cuanto acabó, se largó al cine. Llevaba pantalones cortos y era ya un derrotado.

— No moverá un dedo por uno de nosotros.

— Nos envidia y nos admira. Te lo aseguro.

— ¿Has olvidado que intentó abofetearte?

— Se habrá arrepentido. Le dije únicamente la verdad,

harto de tanta presunción estúpida. Tú, Juan, eres uno de esos tíos, que todos los sábados proyectáis emprender una nueva vida el lunes siguiente.

— No hará nada, te digo — repitió Pedro.

— Sí, sí, lo hará. ¿Le buscas tú?

— ¿Yo? No, yo no.

Posiblemente, Pedro no había dejado de temer los ofensivos silencios de Juan, su deliberada altanería. También él, más que ellos, aunque nunca lo hubiese confesado, valoraba a Juan y, sin embargo, por una terca e irrazonada superioridad, siempre había sabido que Juan no podía humillarle. Leopoldo recogió la cucharilla, que acababa de caer, y sufrió un dolor perforante en la nuca.

— Me dan calambres. ¿Te consideras capaz de torear a ese cabestro de Juan? Se derrite, en cuanto te vea. Estará ansioso de relacionarse con nosotros. No tenía más amistades.

Las manos de Pedro se cerraron una contra otra. Con una lenta mirada, fijó la atención de Leopoldo.

— ¿Y tú? ¿Por qué no vas tú a comprobar cómo se derrite?

— Nos liaríamos a golpes — manoteó sobre los vasos — a los cinco minutos. Absolutamente ineficaz. Yo no sirvo.

— Pero ¿qué te voy a decir? — arguyó Pedro. — No puedo descubrirle que se trata de Julia. Nos haría un chantage.

— No hay por qué nombrar a Julia.

— Y él, ¿qué? ¿Él se chupa el dedo? Me ha envidiado siempre a Julia, como te envidiaba a tu madre, o el dinero de Jacinto o el ingreso de Eduardo en la Escuela Diplomática. No, Leopoldo, no. Vamos a olvidarnos de Juan.

— Está bien. ¿Qué hacemos?

— Dame un pitillo.

Un movimiento de los ojos le repercutió dolorosamente en las sienes.

— ¿Qué hacemos? — insistió fatigosamente.

Una sangre impaciente hormigueaba sus piernas. Leopoldo resbaló en el diván hasta apoyar la cabeza. Necesitaba descanso. Un hombre no puede subsistir sin sueño, sin sosiego. Cuando todo aquello terminase, buscaría la forma de visitar Italia, como le había dicho a Jacinto. Conocería a alguna muchacha interesante, de la que, al regreso, hablar a ellos. Pedro continuaba con su mirada, trabajosamente vacía, sobre él. Se reclinó sobre un codo, para alcanzar el vaso.

—Mañana es sábado y el martes se van los padres de Julia. Tenemos tres semanas.

—Pero ¿qué estás pensando? Lo haremos. No te dejes hundir, Pedro.

—Yo quiero a Julia. Tengo que sacarla de ésta. Julia es para mí algo muy importante, ¿comprendes?

—Sí.

—Ahora recuerdo que Juan me dejó a deber el abono del fútbol.

—¿No te lo pagó?

—No. Juan no accederá ni por dinero; lo rehusaría, con tal de darse el gustazo de despreciarnos.

—Bueno, las cosas siempre se arreglan —un brillo en los ojos de Pedro le animó. —Siempre acaban por arreglarse. Confía en mí.

—Eres el único que puede arrancarme del atolladero.

—Oye, Pedro, es esencial el secreto. Julia, tú y yo. Vamos a jugárnosla y hay que envidar bien. Lo demás, lo arreglaré yo.

—¿Cómo?

—Mañana me pongo a buscar a esa mujer. A la de Encarna.

Pedro contempló el mechero en la palma de su mano, y, al fin, encendió el cigarrillo.

—Si ves que hay peligro, no te comprometas. Tú no tienes por qué comprometerte.

Leopoldo rio.

—¡Vamos, Pedro! Estás desquiciando las cosas.

Leopoldo se despojó de la camisa, se rascó el vello del pecho y fue a buscar una chaqueta de pijama. Pedro continuaba inmóvil, cuando regresó al despacho. En el vestíbulo, la puerta crujió, al cerrarse, y Pedro se puso en pie, con el cigarrillo en una comisura de la boca.

—¿Qué hay? —saludó Gregorio.

—¿Ya de vuelta?

—Sí. Tenéis un aspecto lamentable.

Pedro y Leopoldo se miraron. Leopoldo rio tenuemente. Pedro vino hacia él y se abrazaron.

Esperó en el dormitorio de Gregorio. Cuando Gregorio regresó de abrirle el portal a Pedro y mientras se desnudaba, olvidó todo. Hablaron de la muchacha de la cafetería, de Jacinto, de la nueva doncella.

— Un poco zanquilarga, tienes razón. Estoy que no puedo con mi alma. ¿Te apago la luz?

— Sí — dijo Gregorio. — Que descanses.

Comenzó a buscar el atlas. Al día siguiente, Gregorio iría con Julia y con Isabel a la piscina. Ahora se hallaba en la ignorancia de todo. Como él, el día anterior. Julia tenía un hijo dentro del cuerpo. El atlas apareció, cuando lo buscaba inconscientemente. Se acostó y apoyó el libro, abierto, sobre sus piernas dobladas. La forma de bota, una muchacha de pelo corto, con los ojos rasgados y la sonrisa perenne. Un bobo error toda la tramoya en la que montó la historia de Encarna. Sería preciso que, con lápiz y papel, pusiese en números su economía, antes de pensar en ir a Italia. El dedo recorrió la costa, por el azul del mar. Una muchacha de largas piernas, como había observado Gregorio que eran las de la nueva doncella. Cerró el atlas y apartó las sábanas.

Recorrió el pasillo, tanteando las paredes, a través de los diminutos ruidos de la noche. Un espeso olor escapaba por la puerta del despacho. Encendió la luz. Gregorio, con una sonrisa sobresaltada, le miró.

— Gregorio.

— ¿Qué pasa?

— Es algo muy importante.

Gregorio se incorporó en el lecho.

— ¿Qué? — apoyó las puntas de los dedos sobre los párpados y dejó resbalar las manos hasta el cuello.

— Julia va a tener un hijo.

— ¿Julia? Pero ¿estás seguro?

— ¡Claro que estoy seguro! ¿De qué te crees que hemos estado hablando Pedro y yo toda la santa noche?

La mano de Gregorio se movió en la mesilla, buscando tabaco.

—Perdona. Estoy dormido. ¿Qué es lo que puedo hacer yo?

Leopoldo se sentó en la cama, con las piernas cruzadas, frente a Gregorio.

Gregorio detuvo el automóvil y preguntó por cuarta vez. El hombre extendió el brazo.

—Siga hasta el poste. Allí, tuerza por el camino, a la derecha. No tiene pérdida.

La senda carecía de comunicación con la carretera. El automóvil osciló al pasar la cuneta. La extensión de los campos, solitarios y pardos, desconcertó a Gregorio. No aparecía edificación alguna por los alrededores. Continuó avanzando lentamente por el estrecho camino; tras él, quedaba una transparente masa de polvo blanquísimo. El camino se inclinó en una pendiente, después de la curva. Gregorio frenó. Aquello era el poblado, la chata superficie de manchas que, unos minutos antes, desde la carretera, había supuesto hornos de cal o ruinas. Más allá del alcance de sus ojos, permanecían las chabolas. Acabó la cuesta y, en una extensión libre del terreno, Gregorio maniobró hasta dejar el coche con el morro orientado a la senda. Aseguró el cierre de las ventanillas y las portezuelas.

No había dos edificaciones iguales, aun siendo todas de un solo piso. La mayoría, enjalbegadas, reflejaban la luz despiadada del sol. Tres calles nacían o acababan en aquel embudo, junto a los terraplenes. La más amplia de ellas orientó a Gregorio en el complejo de chozas, cercas construidas con alambres y trozos de lata, arpilleras colgantes en los huecos de las puertas, ventanas claveteadas de maderas y tejados planos, en los que las tejas y las planchas de metal o cemento simultaneaban con otros heterogéneos materiales. El aire quieto de la mañana, cargado de calor, almacenaba olores.

Un grupo de chiquillos corrió hacia él; más atrás, en una expectante guardia, otros muchachos, igualmente mezquinos, le contemplaban. Gregorio se detuvo unos instantes. Al principio de la calle hervía, en diminutas burbujas, un charco de agua sucia. Entonces percibió las finas humaredas, que salían de algunas chabolas; la neblina pesaba sobre el poblado, difu-

minando el horizonte. Unas mujeres andrajosas se complacie-
ron en verle pasar.

La calle pronto perdía su rectitud inicial y se combaba
en vericuetos. Gregorio se percató que había subido, cuando
llegó a lo alto de la cuesta. Las chabolas se abrían en círculo,
formando una plaza. La expectación provocada por su presencia se diluyó. Gentes miserables andaban de un lado para
otro o se mantenían sentadas a las puertas de las casas. Las
miradas de los chiquillos parecían ver sobre su cuerpo una
armadura o una túnica blanca y roja. Frunció el ceño y se
detuvo. Frente a él, un grupo de hombres rodeaban una motocicleta. Gregorio se aproximó.

— Buenos días — contestó alguien a su saludo, en el indi-
ferenciado conjunto de rostros.

En cuclillas, manipulando en el motor, tres muchachos hablaban entre sí. Gregorio preguntó por Juan. La misma voz
respondió:

— Ahí le tiene.

El hombre que había replicado a su saludo sudaba y una
sonrisa plegaba sus mejillas, gruesas y pálidas. Gregorio descubrió la sotana sucia, arremangada hasta la cintura, y los es-
trechos pantalones a rayas.

— Gracias, padre — dijo.

En la dirección que había marcado el mentón del sacerdote
hacia el suelo, sin afeitar, con el torso desnudo, encontró a
Juan. Gregorio carraspeó.

— Quisiera hablar contigo.

— Habla.

— Es un asunto particular.

Los otros les miraban. Juan hizo saltar la herramienta en
su mano, al tiempo que ordenaba:

— Espera.

Gregorio se separó del grupo, molesto por la torpeza de sus
propios gestos. El cigarrillo que acababa de encender saltó entre sus dedos, a punto de caer. Dio una vuelta sobre sí mismo
y entrecerró los ojos a la luz hiriente. Desde allí se veían las
tierras desiguales, de un color cárdeno. El automóvil, entre los
terraplenes y las primeras chabolas, semejaba un negro esca-
rabajo tripudo. Gregorio curioseó por la plazoleta. Gracias
a la expresividad del gesto del cura, le había sido posible

conocer a Juan, antes de verle. Tendría la edad de Pedro y estaba muy delgado. Gregorio sonrió a una niña de pelo escaso y manchado de barro. La niña le sonrió a su vez. Gregorio adelantó una mano y trazó un gesto en el aire. La niña rio, sin moverse, con una mirada ausente o asustada.

— Hace calor, ¿eh?

Un muchacho, de unos trece años, contestó rápido:

— Sí, hace calor. Ahora es el verano.

— En verano hace siempre calor.

— ¡Anda!, pues claro que hace calor — la niña volvió a reír. — ¿Cuánto alcanza?

— ¿Cómo?

El muchacho sustituyó la sonrisa maliciosa por un cansado asombro explicativo:

— Su bote.

— Ciento diez —. Gregorio le abrazó los hombros. — En carretera.

— Arrea, ¿es verdad?

— Y más, si se quiere. Pero es peligroso.

La piel del muchacho era morena y áspera. Uno de los tirantes, que le cruzaban el pecho desnudo, resbaló y Gregorio se lo subió. El sacerdote estaba a su espalda.

— Sí, es la primera vez que vengo.

— ¿Y qué le parece esto?

Continuaba sonriendo en espera de respuesta.

— Espantoso.

Le tomó del brazo y dieron unos pasos.

— Creo que Juan terminará en seguida con mi moto. Hasta ayer iba bien. Todo funciona, pero la máquina petardea y da trompicones.

— ¿Usted vive aquí, padre?

—Sí. Tiene razón, esto es espantoso.

—Nunca lo hubiese imaginado.

— Son como otros cualquiera — la mirada de Gregorio dejó de vagar —, no crea. Parecen distintos, pero sólo son distintos sus trajes y sus casas. ¿Tiene prisa?

— No.

— Le voy a enseñar la capilla.

Aceleraron el paso, hasta que les detuvo el grito de Juan.

— ¡Cura!

— ¿Qué hay?

— ¡No sé lo que tiene! ¡Habrá que desarmarlo!

— Desarmar, ¿qué? —. El sacerdote se separó de Gregorio y se acercó al grupo. — Vas a destrozármela con tu afán de verle las tripas a todo.

Gregorio siguió al sacerdote.

— No son los platinos, ni el carburador; no sé lo que es. Tendrá que esperar a que lo averigüe.

— No, los platinos no son — dictaminó el hombre, poniendo rectas sus piernas.

— Pues menuda me la hacéis.

— ¿Yo? Demasiado trabajo me tomo, para lo que luego voy a cobrar.

— ¡Maldito socialista! —. El sacerdote se volvió a Gregorio, al tiempo que los hombres reían. — Trabaja gratis a cualquiera, menos a su cura.

— Usted prepare un billete de mil, jesuíta. Me la llevo —. Juan se vistió una camisa a cuadros y puso las manos sobre el manillar. — Y no me aparezca por allí cada cinco minutos. Cuando la haga marchar, ya se la traeré yo.

— No, hombre, no te molestes en ir por la iglesia. Te puede dar dolor de cabeza oler a santos.

— ¡Esa es buena! — coreó uno de los hombres.

— No me pierda la calma, ¿entendido? Se está por ahí hasta que yo arregle el trasto y no me incordie con prisas.

— Esta tarde voy a Madrid.

— Pues, póngase unos zapatos cómodos, porque lo que es en ésta, ya ha ido — empujó la motocicleta y alteró la entonación. — Vamos, tú.

Gregorio le tendió la mano al sacerdote.

— Me alegro de conocerle, padre.

— Adiós, adiós. Pásese por la capilla, luego. Verá algo limpio por lo menos.

— De acuerdo, padre. Adiós a todos.

Una confusión de murmullos le respondió. Los hombres rodearon al sacerdote. Juan caminaba en ángulo sobre la motocicleta, unos metros delante de él. Gregorio se desorientó por completo. El constante olor a suciedad le picaba en la garganta. Los zapatos y los bajos del pantalón se habían empolvado y el sudor le ablandaba el cuello de la camisa. De vez en vez, Juan saludaba a un hombre o a una mujer y Gregorio recibía sus miradas penetrantes. Aquel laberíntico conglome-merado acabó al doblar una esquina; un muro de ladrillos formaba un rincón con la fachada postrera de una chabola y la frontera de la de Juan. La motocicleta quedó apoyada en los ladrillos carcomidos.

Inclinó la cabeza, para no tropezar con el dintel. El ventanuco estaba cerrado por un vidrio fijo. Juan se sentó en la cama turca, adosada a una de las paredes, y le indicó una silla. El calor ahogaba dentro de la chabola. Gregorio vio un montón de herramientas debajo de la mesa. Juan se despojó de la camisa, que dejó sobre la cama. Detrás de Gregorio se entornaba una puerta recién pintada.

— ¿Quién te dijo que vivía aquí?

— ¿Puedo quitarme la chaqueta?

— Haz lo que quieras.

Colocó la americana en el respaldo de la silla y volvió a sentarse.

— Fue tu madre, quien informó a Leopoldo.

Gregorio le tendió un cigarrillo. Cuando ambos hubieron expelido el humo de la primera bocanada, Juan preguntó:

— Y tú, ¿quién eres?

— Me llamo Gregorio. Alguna vez le habrás oído hablar a Leopoldo de mí. He vivido en Gijón hasta hace poco.

—Bien — dobló una pierna sobre la cama. — ¿Qué le sucede a esa alcohólica?

— No sé a quién te refieres.

— ¿Está ya en pleno "delirium tremens" o se ha decidido, por fin, a salir con alguno, antes de que toda la carne se le haga pellejo? —. El silencio obstinado de Gregorio le obligó a puntualizar. — Te estoy hablando de Isabel.

— A Isabel no le sucede nada.

— Reconocí su coche, cuando llegaste. Es nuevo, pero yo sabía que era su coche. Alguno de éstos te habrá advertido que yo lo sé todo.

— La habrás visto en él. ¿Y vives aquí?

— ¿Te asombra que se pueda vivir aquí?

— Un tipo como tú, sí. ¿Se sabe que eres abogado?

— ¡Ah!, pero ¿soy abogado? — acabó por tenderse en la cama, apoyando la cabeza en una mano. — Cuéntame chismes de esos. ¿Siguen odiándome y suponiendo que les envidio y les odio? ¿Continúa Leopoldo durmiéndose doce horas al día, sacándole el dinero a su madre y mintiendo cada vez que habla? Y Jacinto, ¿qué le ha pasado últimamente al buen cornudo en potencia de Jacinto?

— ¿Qué os pasó a Leopoldo y a ti?

— ¿No te lo han contado?

— Me gusta conocer las dos versiones de las cosas.

— Lo que ellos te hayan dicho. ¿Por qué?

— Yo soy muy amigo de Leopoldo. Ahora, al verte y comprobar cuanto os parecéis, he comprendido lo profunda que fue vuestra intimidad. Me ha dado como miedo a perder su amistad.

— Eres un crío. ¿Qué puede importarte su amistad?

— Una amistad es muy importante.

Juan rio quedamente. El humo del cigarrillo se iluminó al subir sobre su rostro.

— No te dejes manejar por él.

— ¿Por qué?

Sonó, cercana, una algarabía de ladridos. Juan acudió a la puerta. Gregorio esperó pacientemente, hasta que se volvió.

— ¿Has venido sólo a hablarme de la amistad y a zalamear con el jesuita? Lo que él busca son dos o tres billetes de cien.

— Para mí — murmuró — no es mucho.

— Para mí, sí. Siempre lo ha sido. Jamás he podido permitirme el gesto de largarle trescientas a un cura.

— ¿Por eso te viniste aquí?

Juan lanzó una patada a la mesa.

— ¡Termina de una vez!

Gregorio se levantó de la silla.

— No he venido a pelear, pero tampoco a no pelear si es preciso. No te conozco, no sé nada de ti — su voz era monótona y ambigua — y no me agrada oír insultar a mis amigos, que fueron los tuyos, ni escuchar tus alardes de pobreza. Simplemente, trato de comprenderte y que tú comprendas. Pero no me importa pelear, si es preciso.

— ¿Cuántos años tienes?

— Diecinueve.

— Vas mucho al cine, ¿verdad?

— Sí, voy mucho al cine.

— Siéntate.

Gregorio se sentó. Los perros habían dejado de ladrar y ahora oía un crujir de aceite. Arrastró la palma de la mano por la frente y se secó la humedad en el pañuelo.

— Te repito que Isabel no tiene nada que ver con esto — con toda evidencia, Juan se interesaba. — Únicamente me prestó el coche esta mañana.

— ¿Qué quieres?

— Alguien de entre nosotros está en un apuro. Un apuro difícil. Se necesita un médico o una comadrona de confianza, sin que importe el precio.

Juan no se esforzó por controlar su sonrisa.

— ¿Cuál de ellas es la que no desea ser madre?

— Julia.

— ¡Hombre!, la cachonda de Julia.

— ¡Tú, no empieces! Dime si quieres y puedes ayudar.

— ¿Cuánto?

— ¿También para ti?

— ¿Por qué no?

— Fija la cantidad.

— Tres mil para mí.

— De acuerdo.

— Espera. Y no salgas hasta que vuelva. Cuanto menos te exhibas, será mejor.

Gregorio le habló antes de que llegase a la puerta. Juan, con la luz recibida de perfil, proyectaba una sombra informe.

— Ellos me prohibieron decirte que se trataba de Julia. Pero yo quedé en que haría las cosas como juzgase mejor. ¿Comprendes tú?

— Comprendo.

— Busca sólo a quien realmente valga.

— No tardaré.

Paseó la habitación y miró por la ventana la rugosa pared de enfrente, el suelo de tierra y la rueda trasera de la motocicleta, apoyada en el muro. La puerta entornada comunicaba con una angosta habitación vacía, en uno de cuyos rincones había un alto orinal, descascarillado, cubierto con un cartón. Resultaba asfixiante permanecer, aun quieto, dentro de la chabola. Leopoldo habría tropezado la cabeza en el techo. Y, sin embargo, allí vivía Juan. A media tarde la habitación se enturbiaría de una luz melancólica y, cuando lloviese y el mundo afuera se inundase de barro, exclusivamente cabría llorar con el rostro aplastado al colchón. Para criar amargura y rencor. Y para soportarlo, por el hecho de haberlo elegido libremente. Gregorio oyó una monocorde voz ininteligible en una radio lejana. La puerta se abrió, de improviso.

— ¿Hay que esperar? — preguntó Gregorio.

— Sí.

Juan abrió una lata y cortó dos trozos de pan, sobre cada uno de los cuales colocó tres sardinas. Luego, bebió el aceite que había quedado en la lata.

— No tengo vino hoy.

— Qué se le va a hacer.

Comían en silencio. Al otro lado de los ardientes tabiques la voz de la radio había sido sustituida por música. Con el último bocado, Gregorio le ofreció a Juan un cigarrillo y precisó de nuevo:

— Espero que realmente valga.

— Si accede.

— Por dinero no ha de quedar, ¿eh?

Juan le miró con una parsimonia deliberada.

— A veces, no es cuestión de dinero.

Se puso en pie, arrojó la lata a una caja de cartón, se estiró bostezando y se despojó de la camisa.

— Soy yo quien debería tomar precauciones.

— ¿Tú? —. Gregorio dejó de observar su cigarrillo. — Tú, ¿por qué?

—Entre todos vosotros, os haréis coger. Y, si os cogen, cantáis la marranada de arriba abajo. Soy yo quien debería tomar precauciones.

— ¿Qué clase de precauciones?

— Tienes razón — abrió la puerta de la calle. — Cuando se trata de Leopoldo y sus billetes, no hay más que callar. ¿Cómo has dicho — tomó unas herramientas y salió — que te llamas?

Gregorio apoyó la espalda en un quicial de la puerta. Juan tumbó la motocicleta y se sentó en el suelo.

— Gregorio — respondió.

— ¿Tienes ideas políticas?

— ¿Cómo?

— Nada —trabajaba de prisa. — Hasta cerca de las cuatro, no volverá. Si no encuentras esto muy limpio, espera en el coche.

— Muy limpio no está. Lo molesto es el olor.

— Se acostumbra uno.

— Claro.

Juan comenzó a silbar. Era probable que hubiese olvidado su presencia. A veces, interrumpía el silbido. Sobre una gamuza colocaba las piezas y dejaba el cigarrillo en una piedra plana. Encorvado, con la espalda desnuda, sus vértebras arqueaban un collar del pantalón a la nuca. Gregorio temió que los chiquillos enredasen con el automóvil, pero prefirió continuar recostado contra la jamba.

— Yo también estudio Derecho.

— Cerda manera de ensuciar tu tiempo.

— ¿Dónde aprendiste mecánica?

— Pensaba tener un coche. Como todos ellos.

— ¿Y has desistido?

— Preferiría un camión —giró sobre las nalgas y le dio frente, con los antebrazos apoyados en las rodillas y una llave inglesa entre las manos. — Quisiera tener un camión y hacer portes. No siempre por la misma ruta. Casi a mi antojo.

— Es difícil conseguir un camión.

— Ya lo sé. Todo es difícil, cuando se trata de vivir con libertad. Oye, tú —balanceó la llave, apuntándole con ella—, me entenderé contigo. ¿Quién lleva la batuta?

— Nadie. Únicamente lo sabemos Leopoldo y nosotros dos.

— Pues que nadie más meta las narices.

— No sucederá nada.

— Me es igual, siempre que no me mezcléis cuando la policía os enganche.

— Por nosotros, puedes estar tranquilo.

— ¿Tú crees? No conoces a Leopoldo.

Gregorio se abalanzó hacia él.

— Entonces, ¿por qué lo haces?

Juan reanudó su trabajo. Repentinamente frustrado, dio unos pasos y encendió un cigarrillo. Anunció la hora con una raspante agresividad.

— Bueno, hombre, ahora iré.

— Es que son ya las cuatro y no me da la gana de perder toda la tarde.

Juan tardó diez minutos en entrar a ponerse la camisa.

— No dejes que se acerquen a las piezas los chicos o los perros — le advirtió, antes de desaparecer.

Dentro de la chabola, el calor ahogaba y, afuera, el polvo se mezclaba en la garganta a aquel hedor continuo. Trató de no mirar el reloj, pero quebrantó en dos ocasiones su propósito. Sobre la gamuza, las piezas adquirían una desesperante inmovilidad. Con la puntera del zapato retiró una de ellas del borde, donde la grasa ya había adherido algo de tierra. Otra vez, sonaba la radio en alguna parte. Ruidos diversos llegaban hasta allí desde el centro de la tarde soleada. Para sollozar de cólera y pena, cuando en el invierno lloviese y, entre las casas, se formasen pantanos de barro. Ni un perro, ni un chiquillo. Posiblemente, todos estarían emporcando el automóvil de Isabel. Gregorio se sentó en la cama. Cuando aumentó la sombra, al entrar Juan, levantó la cabeza.

Juan rechazó el tabaco de Gregorio.

— Fuma del mío, ahora. Ya está solucionado, en principio.

— ¿Cuándo?

— Has de traer un frasco con orina, para el análisis previo, como es natural.

— Magnífico. Los síntomas, aunque Leopoldo crea lo contrario, no son concluyentes.

— Ya se verá qué da el análisis.

— Tiene que ser rápido. Es la ocasión. Ahora es la buena ocasión, porque la familia de ella...

— No me cuentes nada — le interrumpió Juan. —Pide cinco mil — añadió en un susurro.

— ¿Es competente?

— Sí.

— Nada de curanderos o brujas de esas que se dedican a enviar madres al otro barrio, ¿eh?

— Tiene título de Medicina.

— ¿Cuándo traigo el frasco?

— El lunes. Al Puente de Vallecas. Yo estaré junto a la boca del "Metro". Vendrás tú, ¿no? —. Gregorio asintió. — No olvides el dinero. Tres mil.

— Y cinco mil para la otra persona. No lo olvido.

— La otra persona cobra una vez que lo ha hecho. Yo cobro antes y ya no quiero saber nada de nada.

— Conforme — dijo Gregorio. — Adiós.

Juan se dirigió hacia la motocicleta.

— ¿Sabes salir hasta el coche?

— Creo que no.

Los faldones de la camisa le colgaban sobre el pantalón. Gregorio anduvo, atento a las desigualdades del terreno. El hedor persistía, hasta solidificarse en el paladar, como una pella de lodo. Las piernas de Juan dejaron de moverse y Gregorio avanzó dos pasos más.

— ¿Quieres algo para ellos? — preguntó impremeditadamente.

— Ya sabes, el lunes a las seis. Por aquí, llegas a la Plaza — introdujo las manos en los bolsillos del pantalón. — Adiós.

Juan no estaba ya al final de la cuesta. Desde lo alto, el conglomerado de chabolas se aplanaba al sol. Gregorio se sorprendió que no fuesen más de las cuatro y media. Atravesó la Plaza y comenzó a bajar hacia el descampado. El tiempo recobraba el ritmo que tenía fuera del hedor, las arpilleras y las callejas sofocantes. Junto a los terraplenes, con el morro orientado a la senda, el automóvil de Isabel resultaba grotescamente insólito.

Unas mujeres dijeron algo, que él no entendió. Inmediatamente, oyó la llamada del sacerdote.

— Buenas tardes — respondió Gregorio.

El sacerdote se puso a su nivel, levantó la teja, saludando a las mujeres, y ambos remprendieron la marcha.

— ¿Le importa llevarme?

— Encantado, padre.

— Juan no se romperá los huesos por reparar la avería — entrecerró los ojos, como si atisbase más allá del cielo blanquecino. — La verdad es que la máquina está muy cascada.

Los chiquillos, tendidos a la sombra del automóvil y bajo él, se levantaron al verlos llegar. Cuando el automóvil comenzó a subir la cuesta, corrieron detrás, vociferando. El sacerdote arregló su sotana y dejó la teja sobre las rodillas.

— Esto ya es otra cosa — comentó al rodar sobre la carretera. — Si tuviesen coches, con esos caminos los destrozarían en un par de meses.

— ¿Quiénes?

— Ellos — respondió, con un ligero movimiento de cabeza hacia el poblado, del que se alejaba velozmente.

— Parece imposible.

— Desde luego. Aunque, a veces, le sorprenden a uno. Son capaces de sacrificar lo muy necesario, por algo totalmente superfluo. Pero coches, claro está, no.

Gregorio descubrió que el sacerdote sonreía continuamente, aun cuando arrugaba el ceño.

— Muy dura su labor, ¿verdad, padre?

— No es mal oficio — rio. — A mí no me fascinan las grandes ciudades. En un pueblo, como este que tengo ahora, hay donde escoger. Recalcitrantes, indiferentes, sañudos, tontos, astutos, fuertes y débiles. Algunos se van y deja de vérseles para siempre. Otros, no sé por qué, se sobrentiende que morirán en el mismo lugar en el que ahora mal viven. Pero todos ellos...

— Sí.

— Le hablo así, porque imagino que usted no les conocerá bien.

— No.

— Todos ellos tienen una común cualidad: su honor.

— ¿Cómo?

— Exactamente, no es su honor. Su erizado derecho a la existencia, quizás. Una suerte de honor. Espero que no me exprese demasiado mal. He tardado años en comprenderlo y aún, a veces, he de recurrir a mis antiguas y equivocadas ideas. Por contraste, recupero distancias. Lástima que no haya visto la capilla. ¿Le gusta la pintura?

— Sí, me gusta.

— La decoró un muchacho que vale mucho. Ha celebrado dos exposiciones. También residen algún que otro poeta, con fama, no crea, y un arquitecto. Uno de los chicos va a entrar en el seminario. Pero no por mí, eh. Antes de llegar yo, ya quería ser cura. Pare aquí, por favor.

— Pero ¿va a tomar el "Metro"? Yo le llevo.

— Me disgustaría hacerle perder tiempo. Voy al convento, en Argüelles. Juan es una excelente persona. Inquieto, con mucha juventud hecha violencia. Cierta forma de violencia no es desdeñable, créame. — Gregorio sonrió, sin despegar los labios. — ¿Usted estudia?

— Derecho.

Había temido que se interesase por su visita a Juan, pero, mientras él aceleraba por las calles casi vacías, el sacerdote hablaba de la carrera.

Gregorio descendió del automóvil y esperó en la acera.

— Muchas gracias por el viaje.

Al otro lado del parabrisas, la funda colgante de la patente llevaba escrito el nombre y apellidos de Isabel. Sacó la cartera y dijo:

— De nada, padre. ¿Quiere aceptar esto para su capilla?

Antes de coger los billetes, le puso una mano en un hombro.

— Para la enfermería, mejor. Y vuelva algún día a ver aquello. Adiós, hijo.

— Adiós.

Puso el motor en marcha. El sacerdote se alejaba, ondeando la teja al bracear; subió unos escalones y desapareció en el edificio de ladrillos rojos. Maniobró la palanca de cambio. Isabel estaría durmiendo o en cualquier bar de la Cuesta de las Perdices con Julia o Leopoldo. Si es que Leopoldo no se encontraba con Jovita. Mientras arrancaba el automóvil, Gregorio no supo a dónde dirigirse.

9

Al otro lado de la puerta, la trompeta sonaba como si nunca fuese a abandonar aquella nota. Gregorio acarició el timbre con la yema del dedo índice e inmediatamente abrieron. En una de las mesas del vestíbulo había dos botellas. La doncella musitó un saludo. Neca vino a su encuentro con la mano derecha extendida.

— Eres Gregorio, ¿verdad?

— Me he retrasado. Perdona.

— Pasa, pasa. Aún podrás oír algo bueno.

Las puertas del salón estaban plegadas. Neca le indicó un

sillón, casi en el hueco de uno de los balcones. Sobre las cabezas, Gregorio vio a Jovita y a un muchacho, sentados en el suelo muy cerca del tocadiscos.

— ¿Quieres — el perfume de Neca le obligó a retener el aire — "whiskey"?

Gregorio asintió. Ella se alejó por entre las sillas, los sillones y las mesas enanas, oscilando su rígida falda acampanada. El vaso, que le entregó la doncella, refrescó sus manos. Jacinto, desde la pared frontera, le saludó alzando las cejas.

La música sonaba con nitidez. Alguno de aquellos rostros desconocidos escuchaban con los ojos cerrados o entornados. La muchacha, recogidas las piernas bajo los muslos, le miraba. Bebió un sorbo. Por uno de los espejos, derivaba el humo de los cigarrillos. Su tímido timbrazo habría quedado oculto por la música. Buscó a Leopoldo y no le encontró. Los ojos de la chica, que replegaba las piernas en el diván, muy abiertos, persistían inexpresivos. Gregorio giró el cuello involuntariamente. A su espalda estaba el despacho, unos muebles de madera obscura, unos cristales tallados, con reflejos, y, a través de otra puerta, el ángulo curvo del "hall". Llevó los dedos, sobre el hombro, a la superficie rugosa de la pared, de un claro tono crema.

— Son unos "blues" — murmuró Neca — en estilo Chicago.

Gregorio varió su postura y ella se sentó en el brazo del sillón. De nuevo la proximidad de su perfume fue como una brisa húmeda. La nuca de Jovita se inclinaba. La pierna, que Neca no apoyaba en el suelo, marcaba el ritmo con unos precisos movimientos circulares. La muchacha del diván parpadeó. Aquellos inverosímiles zapatos de tiras alargaban las piernas de Neca. Unas piernas así, exactas, vivaces, correspondían a la casa, a los muebles, a los cuadros. El cura no acostumbraría a leer subrepticiamente las patentes, cuando viajase en "auto-stop". La música creció de tono y el ritmo se hizo más violento. Era ridículo inquietarse y, más aún, inquietarlos a ellos. Decididamente, no mencionaría al cura. De improviso, al retirar la doncella la bandeja, Gregorio, con el "sandwich" en la mano, percibió su cercana presencia. El sillón, desde donde Julia le sonreía, se encontraba medio metro a su izquierda delante de él.

— Si quieres algo más...

— Oh, no te preocupes por mí.

— ¿Te gusta el "jazz"?

— Sí — devolvió la sonrisa a Julia. — Pero tú no puedes escuchar con calma.

— Lo tengo muy oído. Hazme una seña, cuando se te haya acabado el "whiskey".

La voz adelgazada de Neca dejó libre el estridente galope del saxo. Veinticuatro horas antes había bailado con Julia y, ahora, ella no ignoraba que él lo sabía. Mordisqueó el "sandwich" y bebió de un solo trago el contenido del vaso. En un corte brusco, acabaron los "blues". El muchacho se puso en pie, apoyándose en los hombros de Jovita.

—¡Genial! — rugió.

Las voces agudas de las mujeres se extendieron, indistintas y rápidas.

— ¿Qué hay, Gregorio?

— No te había visto. ¿Qué tal? Estábamos sentados uno al lado del otro y no me daba cuenta.

— Neca, sigues teniendo los discos más geniales de este país de sordos.

— ¿Cómo los consigues, Neca?

— ¡El tuerto es el rey!

— Golpeante, te lo aseguro, Neca.

— Ya imagino que Jacinto. Oye, Jacinto, tienes que traerme a mí también una estupendez de éstas.

— ¿Golpeante? Se me ha metido hasta la médula, oye. ¿Quién era el cafre que afirmaba la otra noche que sólo era posible un arte figurativo?

— ¿Ha venido Leopoldo?

— ¿Quién es el cafre?

— Alguien pedía una ginebra.

— ¡Que salga el cafre! — chilló Jovita.

— ¿Quién quería una ginebra? ¡Sí, Jacinto, sí, te oigo! Que esperes un momento.

Gregorio se levantó del sillón. Isabel, sentada en el "parquet", hablaba apasionadamente con una muchacha que fumaba en boquilla. Alguien tropezó con ella, al pasar, e Isabel levantó el rostro.

— Yo creo que no. Es imposible, después de tantos años. Creo que no. Me lo dijeron. Alguien que todos conocemos y que, naturalmente, no pienso descubrir. Pero no puede ser, después de tantos años. Ahora bien, tampoco pongo la mano en el fuego por ella.

— ¿Queréis callar un momento?

— Dínoslo, hombre. Tienes ganas de darte importancia.

Pedro se aproximó, congestionado de risa y con un vaso en la mano. Gregorio vio a Leopoldo y su corbata verde brillante. Los dedos de Pedro se agarrotaron a los bíceps de su brazo.

— Hay que ser discretos, ¿no? Prometí no decir el nombre.

— Hola, Pedro.

— ¿Conoces ya a Neca?

— Sí — dijo Gregorio. —Llegué un poco tarde.

— ¿Le encontraste?

— Toma —. Pedro dejó de palparse los bolsillos y cogió el cigarrillo, que le ofrecía Julia. — ¡Que Neca quiere hablar!

— Claro — dijo Gregorio.

— ¿Qué tal la entrevista?

— Parece que no habrá dificultades — las mejillas de Pedro se hincharon, al expulsar el humo. —Luego hablaremos.

Gregorio volvió a sentarse. Con los brazos extendidos, de espaldas al tocadiscos, Neca lograba silencio. Julia retrasó una mano hasta el sillón de Gregorio. Gregorio sonrió y Julia flexionó la cintura.

— Gracias.

— Julia.

— Bueno, como sensación final — Neca atipló la voz — y si no estáis ya cansados — un coro de negaciones y aplausos la interrumpieron — una grabación comprada por mí misma en París y no traída por mi marido — algunos rieron y Neca levantó el disco al nivel de sus labios. — Vais a oír a Coleman Hawkins en una versión genial de "Honey Suckle Rose". En segundo lugar, a Jack Teagarden en "Serenade to a Shylock" y, después, a Errol Garner en un "Trío" compuesto por él: Red Callender, con el contrabajo, y Harold West, en la batería. Luego, una cosa más bien apagada, tenue: "Moon Burns". Y, por último, algo absolutamente "Dixieland": "Basin Street Blues", por Rex Stewart.

Sobre la sala hubo un movimiento de acomodación. Los ojos de Julia chispeaban y Gregorio le golpeó la mano.

— Ya sé que nos estás ayudando mucho.

— No te inquiete eso.

A las primeras notas, Gregorio resbaló en el sillón. Paulatinamente la melodía se distorsionaba en un crispante ritmo, retornaba modificada y volvía a elevarse, con algunas pausas de una melancolía picante. Gregorio entrecerró los ojos. El tiempo transcurrido aquella tarde con Lupe en el cine del barrio, aparecía lejano y grotesco. Casi a la altura del abierto balcón, la farola iluminaba esplendorosamente las hojas de los árboles. Un cómodo rincón aquel, desde el que inquietaba considerar que Juan hubiera podido también estar entre ellos, sumergido en los aromas, las luces lenificantes, los sorbos lentos y la música. Juan y el cura cenarían ahora en sus chabolas. Un lento sudor le mojó la frente. Detrás de sus párpados, la neblina del bochorno aplanaba el poblado y su hedor deslizante; entre las bombillas de las esquinas, alguien, irremediablemente, lloraba. El cura era listo. El cura tuvo tiempo de leer la patente y retener la matrícula del automóvil. Y sería a Isabel, que ignoraba aquello, a quien primero — saliendo de la turbia penumbra del poblado — engancharían, como había dicho Juan. El porcentaje del riesgo. Su padre calculaba siempre ese porcentaje. El piso de Rosales, ahora vacío, estaría habitado dentro de unas semanas. Organizaría alguna fiesta como aquella el próximo invierno y su madre conocería a Jovita, a Jacinto, pero no a Juan. El sudor comenzó a gotearle. Isabel vivía cerca de Rosales. Gregorio arrugó la frente y las gotitas se detuvieron.

Abrió los ojos. La niña se acercaba desde el vestíbulo. También sus piernas eran flexibles. Neca dirigía a las doncellas en el comedor. La niña se apoyó en el sillón y observó la sala. De vez en cuando, volvía su mirada a Gregorio, segura de encontrarle, y sonreían.

— Siéntate — susurró Gregorio.

Ella se acomodó en sus rodillas. Más arriba del pelo de Julia, contra el fondo del humo, Jacinto les hizo un gesto.

Tardaría en olvidar la espalda, las vértebras prominentes y las piezas de la motocicleta, a la sombra de la pared de ladrillos carcomidos. La niña tiró de la corbata, enseñándole algo, y Gregorio fingió solidarizarse con ella. Finalizó el disco y Neca llamó a la niña.

— Pero si no me estorba — protestó Gregorio.

— ¿Qué te parece mi hija? —. Jacinto la tomó en brazos. — Ya he visto que habéis hecho buenas migas. Neca se empeña en acostarla, pero...

— Mañana me vengo a oirlo otra vez — dijo Jovita. — Es sensacional. Mañana me vengo, Neca.

— ... en su habitación estará inquieta.

La muchacha de la boquilla cogió a la niña. Neca les invitó a pasar al comedor. A Gregorio le presentaron a varias personas y mantuvo unos diálogos inconexos, hasta que vio a Leopoldo en el despacho y maniobró para acercarse a él. Leopoldo dejó a un muchacho, con el que hablaba, y los dos se retiraron al salón.

— Le encontré pronto. El lunes hay que llevar un frasco con orina —. Creyó que Leopoldo no comprendía. — Para el análisis.

— Es lógico. ¿Algún obstáculo?

— Ninguno. En casa de sus padres, la portera me confirmó las señas. No tuve necesidad de subir. Luego, allí... —. Pedro se les unió. — Es un tipo raro.

— Es un cerdo — dictaminó Leopoldo.

— ¿Qué te ha dicho de nosotros?

— Nada de particular. Se le nota resentido. Como amargado.

— ¿Ha puesto alguna condición esa piltrafa?

En la otra habitación revoleó la falda de Neca.

— Quiere dinero. Tres mil pesetas. Y hay que llevar un frasco con orina, para analizarla. Pasado mañana.

— Está bien —. Pedro sonrió. — ¿Es médico?

— Me lo ha asegurado, pero no he visto a nadie. Ya os contaré más tarde.

Leopoldo arrugó los labios.

— Es tacaño hasta para cobrar un favor. ¿Tienes dinero disponible?

— Sí, hombre — dijo Pedro. — La cuestión es que todo vaya como hasta ahora. Gregorio es fenomenal, ¿eh?

Leopoldo le palmeó la espalda.

— Tened cuidado que no sospechen.

— Descuida — dijo Gregorio.

En el comedor habían empezado a cenar, Jacinto, ocupado de las botellas, pidió colaboración.

— ¿Quieres ayudar a mi marido en el bar, Leopoldo?

Gregorio deambuló por el vestíbulo y por un pasillo. En una pequeña sala, Jovita cuchicheaba con unas muchachas. Por la puerta del "office" entraban y salían las bandejas. Oyó la voz de Isabel.

— ¿Qué has hecho por ahí hasta las nueve y cuarto?

Su reloj señalaba ahora las once y media. Alrededor de la gran mesa, de pie, comían o hablaban, sosteniendo los platos con una mano.

— Me entretuve. Es bonito tu vestido.

— Eres un sol, Gregorio. ¿Qué tal Neca?

— Encantadora.

— Tú también le has gustado a ella. Ya tienes amigos.

— ¿Cómo?

— ¿No decías la otra mañana que deseabas tener amigos?

— Ah, sí. Isabel.

— ¿Qué?

— Creo que estaré borracho dentro de diez minutos.

Isabel rio muy cerca de su rostro.

— Yo, en cambio, estoy contenida. Y muy contenta. Voy a traerte algo.

Con las manos en los bolsillos del pantalón, silbó interiormente. Millonario en francos. Sin duda alguna, sus amigos sabían organizar una reunión. Isabel le entregó un plato y Gregorio se abrió paso hasta el rincón del bar.

— Me convendría más una "coca-cola", pero...

— Entendido — Leopoldo le guiñó un ojo. — Prueba esta ginebra.

— Gracias. Tienes una hija, una mujer y una casa admirables.

— ¿Verdad que sí? Diviértete, ¿eh, Gregorio?

Julia le arrastró junto a la muchacha que fumaba en boquilla. Gregorio levantó el plato y el vaso y ella le estrechó una muñeca con una mano huesuda y fría.

— Lleva tres días tratando de conocerte, Gregorio. Y tú espera a que empiece a hablar y descubrirás a uno de los mejores amigos que tenemos — fingió una confidencia. — Gregorio, Meyes está necesitando enamorarse.

Meyes tenía una piel bronceada y unos ojos hundidos, muy expresivos. Se colgó de un brazo de Gregorio y buscaron unos butacones.

— Todos necesitamos enamorarnos, ¿no crees?

— Sí; todos necesitamos hacer algo —. Leopoldo y Pedro hablaban; Pedro se frotó las manos. — Que ocurra algo.

— Y el amor es lo menos molesto.

La sangre le rodaba en las sienes. A través de un aire humoso, los ojos de Meyes atendían a sus gestos. Ella cruzó sus piernas; el borde de su falda, a cuadros verdes y rojos, era de flecos.

— Llevas una falda original.

— Dentro de dos semanas se la pondrán todas. Yo la llevo por casualidad. No estoy a la moda, ¿sabes? Dime, Gregorio, ¿has vivido siempre en Gijón? Yo he veraneado muchos años allí.

Dejó el plato sobre una mesita y decidió beberse la ginebra, con una excitada curiosidad por alcanzar los límites de la borrachera. Unos móviles volúmenes de cuerpos y colores sustituían las imágenes, en arrebatos instantáneos.

— Me hubiera gustado encontrarte. ¿Qué haces ahora?

— Termino Filosofía el próximo curso.

— Ya.

Meyes charlaba y a él se le llenaba la boca de un azucarado ardor. Las faldas de Neca y de Meyes le estaban derivando a la lujuria. Mientras llegase el momento de volver a ver a Juan, lo más sensato sería beber lo suyo y lo de Juan, que — hoy — no tenía vino. Únicamente con Jovita cabía la posibilidad de atemperar de inmediato el deseo.

— Isabel me estuvo hablando mucho de ti por teléfono. Es insustituíble Isa. Algunas tardes salimos solas. Puedes hablarle de cualquier cosa; ella siempre comprende. ¿No comes?

— No tengo apetito.

Si se levantaba, indefectiblemente iría a que le llenasen el vaso. Si no se levantaba, terminaría por colocar una mano en los flecos de la falda de Meyes.

— Tú y yo saldremos juntos también.

— ¡Claro que sí! Aunque cualquiera de ellos puede darte mi teléfono, apúntalo ahora y no lo dejes para luego. ¿Te gusta el cine? ¿Y el teatro?

Sacó el cuadernito, lo apoyó en el sillón, desenfundó la estilográfica y percibió el aliento de Meyes. Julia les dijo algo. Más tarde, llegó Isabel y la conversación se generalizó. Impensadamente, se encontró en pie, con el vaso al final del brazo caído. Fingió ir al encuentro de alguien, hacia el vestíbulo. Por el pasillo se aplastó dos o tres veces contra la pared, para dejar paso.

Cuando salió del cuarto de baño, con unas gotas de agua escurriéndole de las patillas, buscó a Jovita.

— Bueno, ya es hora de que te tenga dos minutos delante — la mano subió y bajó por el brazo desnudo de ella. — Habrá que volver, digo yo.

— ¿Volver? ¡Ah!, Jacinto cuenta conmigo.

— Volver a casa de mis tíos, digo yo.

Jovita rio repentinamente y le abrazó la espalda.

— Hijo, no sabía a qué te referías. Registraremos las vitrinas. Oye, habla con Jacinto. Vamos mañana a Segovia y tienes que venir.

— Mañana está muy lejos.

— Voy a telefonear a casa. Luego, bailamos, ¿eh? Leopoldo se encuentra insoportable, ¿no lo has notado?

— No he notado nada. Un terrible deseo, en todo caso.

— No te escapes sin que bailemos.

De un lado para otro, en distribución de sonrisas, frases y gestos, con razonables tragos de ginebra, con celéreos recuerdos y pequeños proyectos, la felicidad era una fácil continuidad sin pérdida posible. En el salón bailaban, pero él no oía la música. Descansó contra la pared y sacó del bolsillo interior de la americana el fláccido paquete; rompió el resto de papel plateado en la parte superior de la funda y extrajo el último cigarrillo.

— Jovita me ha preguntado por ti hace un minuto — le comunicó Meyes.

— Llevas la falda más incitante — oblicuó el cuerpo, como en un piropo callejero — de la noche.

La risa de Meyes se alejó y Gregorio, con la funda del paquete de cigarrillos en un puño, entró en el comedor. Mordisqueó un "sandwich" de pollo y comió un pastel de chocolate. Leopoldo y Jacinto preparaban incesantemente las bebidas.

— Espero que otro sorbo de ginebra evaporará mi borrachera.

— Pero, hombre, si no se te nota nada.

Gregorio abombó el pecho.

— Gracias, Jacinto.

Enlazó a Jovita, cuidando de mantener el vaso recto contra el omóplato derecho de ella.

— Estás huyéndome.

— Alguna tarde de éstas nos vamos al piso de mis tíos, a tomar un trago.

— Tú, oye, que no quiero que me gustes mucho.

— Claro.

— ¿Vienes mañana a Segovia?

Jovita reía cuando él besaba sus mejillas o las comisuras de sus labios. Bailarían hasta el lunes. El lunes habría de encontrarse en algún lugar con Juan, con aquel desmesurado y medodramático desconocido, antiguo amigo de sus amigos.

Sentado en el borde de un sillón, frente a un cuadro, en el rincón del tocadiscos, Leopoldo, Pedro y, unos momentos más tarde, Julia, le escucharon expectantes. Hablaba despacio, mientras sus sensaciones recobraban la potencia normal.

Muchos invitados se habían despedido ya y las habitaciones parecían más grandes. Cuando Jacinto se acercó a ellos, Gregorio, que le vio aproximarse, varió sin brusquedad la conversación. Julia, sorprendida, giró la cabeza, al tiempo que Jacinto se sentaba junto a ella.

— ¿Se ha acostado tu hija?

— Sí; duerme ya.

— Neca debe de encontrarse rendida.

— Lo que disfruta ella, con la casa llena de gente — dijo Pedro.

— Mañana, a Segovia y el domingo que viene...

— Hombre, no empieces a planear lo del domingo que viene.

— El lunes de la otra semana es festivo. Podemos pasar dos días y medio en el chalet de la Sierra. No alegar luego que no sabíais nada, porque no permitiré que falte nadie.

— Como éste trabaja tanto — dijo Leopoldo —, vive de proyectos. ¿Dónde iremos en diciembre?

— ¿En diciembre? — preguntó Julia, distraída.

Gregorio volvió al cuarto de baño. Bajo sus ojos no había dos bolsas, sino unas leves ojeras. Bebió otro medio vaso. Apenas una docena de personas quedaban en el vestíbulo, por el comedor, el salón y el despacho. Meyes bailaba con Pedro. Oyó que Isabel proponía marcharse y las protestas de Jacinto y Jovita. Vio a Julia sola y fue a su encuentro. La carne de los brazos y el cuello le brillaba lisa y prieta.

— Ahora se está bien aquí — dijo Julia.

— Antes hacía un calor insoportable.

— ¿Te ha gustado Meyes? — recostó un hombro en la pared y cruzó los brazos.

— Muchísimo. Es muy inteligente.

Isabel se apoyó en la espalda de Gregorio, haciendo vacilar su equilibrio.

— ¿Qué secreteáis ahí juntos?

— Isa — llamó Neca.

Sin modificar su sonrisa, nada más alejarse Isabel, Julia murmuró:

— Creí que pedirían más dinero.

Durante unos segundos, la mirada inmóvil de Julia le dejó confuso y desamparado.

— Mujer... — dijo.

10

Las abundantes hojas de las acacias estaban polvorientas. Leopoldo, derrumbado en la silla de metal, luchaba con aquella partícula punzante e invulnerable al cepillo, que se mantenía introducida entre dos dientes de su mandíbula inferior. Desde que despertó, la punta de la lengua rastreaba inútilmente. Encargó un jugo de frutas y palillos.

En su estómago los ardores de la mañana decrecían. Al cabo de unos minutos, varió la posición de la silla de metal, para rehuir los posibles saludos de los paseantes. El sol mordía las fachadas y cargaba el aire de una pesantez creciente.

Pidió un segundo jugo de frutas y, en una de las servilletas de papel, calculó el dinero que adeudaba a Jacinto y el que precisaría los días inmediatos. Arrugó el fino papel hasta convertirlo en una bola, que mantuvo en pequeños saltos sobre la palma de la mano y que acabó arrojando a un alcornoque. En una mesa vecina se instalaron dos muchachas. Leopoldo demoró el momento de encender un cigarrillo, considerando despaciosamente las anatomías de las chicas.

Al llegar Pedro, se desentendió violentamente del contorno.

— Estoy hecho una porquería — declaró. — Tengo el estómago, el vientre y los bronquios enlodados. No habrá más remedio que cuidarse.

— Pero ¿qué te sucede?

— Voy por el tercer jugo y creo que no podré comer nada en todo el endemoniado día. Nos podíamos haber citado en una tasca. Esto, las mañanas de domingo, es una pocilga. ¿Lo has traído?

— Sí — dijo Pedro.

Entonces observó que Pedro se había sentado sin desabrocharse la chaqueta.

— Estoy aburrido. Confiaba que lo de Julia rompiese el tedio, pero, nada más despertarme, me ha cazado otra vez. Anonadante. Hay momentos en que temes vomitar. ¿No te ha sucedido nunca?

Pedro pidió coñac al camarero y volvió el rostro hacia Leopoldo.

— No tengo tiempo para ello. ¿Sabes qué necesitas tú? Una tía buena.

— Me cansan las mujeres.

— Pero una buena de verdad. No una zorra cualquiera. Las zorras, para los dependientes, los funcionarios y los que sólo saben buscarse un vientre con un par de billetes. La frase es tuya, ¿no?; pues, aplícatela.

Leopoldo consiguió un silencio meditativo.

— Tú eres funcionario y has sabido librarte de ellas —. Pedro sonrió, arrugando la frente. — Escúchame, las fiestas, los libros, las mujeres y el dinero me aburren. Me voy a largar a Italia o a cualquier otro puerco lugar. Es eso, lo que voy a hacer. Si no, terminaré asesinando a Felicidad o a mi propia madre. Como Raskólnikov.

— Raskólnikov no mató a su madre.

— Porque no la cogió a mano. Además, tampoco intento

imitarle. No quiero hacer nada original. Quiero librarme de esta agresividad, para poder mandarlo todo pacíficamente a la maldita mierda.

— Este no es un país para ti. No lo es. Deberías estar fuera hace tiempo. A Julia se lo he dicho en algunas ocasiones.

— ¿De qué habláis Julia y tú? En estos días, ya me figuro de qué. Pero, normalmente, cuando salís por ahí y os pasáis las tardes juntos.

— De ti, de Jacinto, de Meyes, de todos. También discutimos. Nos descargamos el mal humor mutuamente o nos lo traspasamos o intentamos suprimírnoslo. Según las circunstancias. Otras veces, nos estamos callados.

— No lo comprendo — disminuyó el tono de la voz. — El muchacho parece que tiene miedo.

— ¿El muchacho?

— Gregorio.

— ¿Cómo que tiene miedo? ¿Miedo?

— Sí.

— Pues es lo que nos faltaba.

— O, al menos, que empieza a tenerlo. ¿Cómo puedes beber coñac? ¿No notas el calor? Anoche...

— ¿Qué pasó anoche? Vi que hablabais de algo, al salir de casa de Neca.

— Tuve que convencerle.

— ¿De qué?

— No quería ir a Segovia hoy, cuando supo que nos quedábamos tú y yo en Madrid.

— ¿Eso es todo?

— Y la borrachera que se trincó anoche.

— ¿Gregorio se emborrachó anoche?

— Miedo, ¿comprendes?

— No. Y, además, estoy convencido de que te pasas de astuto.

— No me equivoco —. Leopoldo se retrepó en el asiento, con un gesto de cansada resignación. — Es más, creo que fue Juan quien lo asustó.

Pedro había dejado de sonreír. Leopoldo bebió un largo trago de jugo. La partícula dejó de oprimirle entre los dientes.

— Cuando esperamos, no tenemos miedo. Todo es fácil. Pero, entonces, puedes pensar que no imaginas certeramente

116

lo que ha de suceder. Te debates, por averiguarlo antes de que suceda. Y llega el miedo. No la impaciencia, ni la curiosidad, ni siquiera una represión. Es el miedo.

Los ojos de Pedro insistieron. Los ruidos de la calle agolpaban un runruneo constante.

— Oye, Leopoldo, déjalo, si quieres — no había acritud en su voz, sino una inesperada dulzura. — Os estoy obligando demasiado.

— No digas boberías.

— Sí, os estoy...

— Calla. Además, hasta ahora, Gregorio es el único que ha dado la cara.

Aquello pareció calmar la turbación de Pedro.

— Pero ¿estaba borracho?

— ¡Claro que lo estaba! Es magnífico.

— Se fue por fin, ¿no?

— Sí. Salieron temprano. Jacinto, Neca, la niña, Jovita y él. Pasó un momento a mi dormitorio. Iba contento, convencido de que resultaría sospechoso quedarse con nosotros.

— Bueno, tú, ¿dónde te doy esto?

— Aquí, no, desde luego.

Después de abonar la cuenta, entraron en la cafetería, llena de clientes. El pasillo del fondo doblaba en su mitad. Pedro, cerca de los urinarios, se volvió y sacó de un bolsillo de la americana el frasco, envuelto en un papel blanco y sujeto con una goma. Leopoldo percibió la dureza del vidrio.

— ¿Te cabe? Cuidado, no lo rompas.

— No, hombre, no. ¿Se nota mucho? — se alejó unos pasos de aquel tufo a ácido úrico.

— Nada.

— Aguarda.

Se reunió con Pedro en la barra.

— ¿Tienes prisa?

— Julia me espera para misa de dos.

— ¿Qué hacéis esta tarde?

— Merienda familiar en su casa. Com se marchan pasado mañana...

La acera de la sombra y las terrazas de los bares estaban repletas. Leopoldo acompañó a Pedro hasta unas esquinas antes de la iglesia.

— Esta tarde no nos vemos, entonces.

— No, claro. ¿Qué vas a hacer tú?

— No sé. Ya concretaremos.

— ¿No sería preferible — dijo Pedro — que acompañásemos alguno a Gregorio? Yo, por ejemplo. No por desconfianza, sino por hacer algo nosotros.

— No me sacrifiques la eficacia con criterios quijotescos. ¡Ah!, y es preciso más precaución. Anoche, en dos o tres momentos, estuvieron a punto de pescarnos tratando el asunto.

Pedro se alejó entre la gente y Leopoldo saludó a unos conocidos. Mientras regresaba a casa, intentó inútilmente, en un gesto instintivo, embutir la mano en el bolsillo derecho del pantalón; a aquel lado, el peso apretaba su cadera.

En el ascensor, sacó el frasco y lo colocó entre el pantalón y la camisa, cubriéndolo con la chaqueta. Abrió con el llavín y se dirigió directamente al despacho. Felicidad, a quien cruzó por el pasillo, le comunicó que su madre no había llegado aún.

Era un frasco de los usados para jarabe, biselado en los bordes y con un tapón a rosca de pasta negra. Atravesado por el sol, el líquido transparentaba un tenue color amarillo, en el que flotaban pequeñas burbujas blanquísimas.

Leopoldo rehizo el envoltorio y lo ocultó en el último estante de la librería. Después fumó un cigarrillo. Carmen contaba a Felicidad una película.

Aquella tarde sería difícil leer; incluso, soportar la soledad. Se desanudó la corbata. Camino del teléfono, recordó que Jacinto no estaba en Madrid. Desconectó la radio, que transmitía la música de un acordeón.

— ¿Vamos a comer pronto?

— Ay, hijo, tardaremos. ¿Quieres tomar algo?

Subía, difusa, incontenible, una vaharada de cansancio y apatía. Atenazó las manos en los costados. La decisión de telefonear a Isabel coincidió con el segundo en que abrió los ojos. Su habitación. La colcha azul tensaba los límites de la cama con una precisión acogedora. Dormiría aquella tarde. El desesperado malestar cesó.

11

Isabel, en el portal, se aseguró los guantes. En una media hora acabaría de anochecer en las calles casi vacías. Antes de la esquina, percibió la presencia de él, a su izquierda. De inmediato, la voz dijo algo, como un saludo o una súplica, e Isabel movió el cuello.

— ¿No me recuerda? — habló de nuevo.

Los gestos y la escasa hendidura de la boca vacilaron en la memoria de Isabel.

— No.

— Soy Joaquín.

Tendría unos treinta y cinco años y vestía un traje azul marino, muy planchado, y una camisa a rayas, con un sujetador bajo el nudo de la corbata.

— Bien. Es lo mismo que recuerde o no — él avanzó dos pasos, al detenerse ella, y, por eso, hubo de girar por completo para mirarla de frente.

— Deseaba hablar con usted. No sé por qué, pero... — su balbuceo terminó, al reanudar Isabel la marcha. — Supe su domicilio por la patente.

— ¿La patente del coche?

— Sí.

— ¿Ha estado usted en mi automóvil?

— Sí. Lo he conducido.

— Evidentemente, encontrándome yo borracha.

— Usted se encontraba muy mareada — afirmó con un júbilo repentino.

— Me estaba acechando frente a mi casa, ¿no? —. Joaquín asintió sonriente. — Diga de una vez lo que sea y lárguese.

La actitud de Isabel le desconcertó. Ladeó la cabeza y pronunció sin decisión, como si su torpeza fuese deliberada:

— El miércoles último... Usted no se tenía. Su amigo fue a buscarla y estuvimos por ahí. Usted insistió en ir a una sala de fiestas. Luego, me dejaron tirado en la Universitaria.

— ¡Vaya! —. Isabel emitió una sonrisa raspante. — Sí, usted dijo que se llamaba Joaquín.

— Pensé que, quizá, saliese sola o, quién sabe, que sería posible acompañarla un trecho.

— Oiga — ahora su entonación le detuvo simultáneamente —lamento lo de la otra noche. Pero usted se lo buscó.

— Me vino bien el paseo. Estaba acalorado — no enjuició la sonrisa de Isabel — y la noche me serenó.

— Entonces, si no es el precio del taxi, ¿qué busca usted?

Isabel prosiguió bruscamente. Al desembocar en la Castellana, Joaquín estaba de nuevo a su lado, en una proximidad hostil o de angustiosa mendicidad.

— Perdone, Isabel. Yo tengo dinero, ¿sabe? Quiero que me oiga.

— ¡Hable! Eso pretendo desde un principio.

—Pues — su voz, por contraste, silbó casi atiplada — ya se lo he dicho. Que charlemos, que paseemos... Lo corriente entre un hombre y una mujer. Tampoco es para extrañarse. Nos conocimos. Usted me fue...

Por allí, Gregorio y ella habían dado su primer paseo. Sintió nostalgia de los alegres gestos de Gregorio. El otro continuaba hablando.

— Sea sincero — le interrumpió. — Usted me descubrió en aquella tasca repugnante y ya no dejó de perseguirme, hasta que llegó la circunstancia precisa de ponerme la zarpa encima. A usted le atraen mis piernas, mi boca o mis pechos y me gimotea tres estupideces, a la espera de poder restregar sus manos en lo que a usted le gusta.

A lo largo de la Avenida, se encendieron los tubos fluorescentes. En dirección contraria a ellos, los niños regresaban con sus madres o sus amas y, delante, paseaban algunas parejas de novios. Isabel tenía sed.

— No piense así — ella le miró, porque su voz sonó distinta.

Encontraron una mesa libre en la terraza de un kiosco de bebidas. Después del primer sorbo del "gin-fizz", dijo:

— Váyase.

—Nunca en mi vida había encontrado una mujer que bebiese lo que usted. Pero, sobre todo, hacía raro que una mujer de su clase estuviese en el bar de Ventura, sola. A usted le pasa algo. He meditado estos días. En eso y en mi falta de educación — ella mantenía el vaso con ambas manos, como un cáliz, a la altura de los ojos. — Estaba usted tan cerca y su cara... Espero que me disculpe — dejó de rodar el anillo que llevaba en el índice de la mano izquierda. — No creí que la ofendería mi interés por usted.

Isabel resbaló la espalda y cruzó las piernas.

— Tiene una tienda, ¿no?

— Sí. Una perfumería-mercería.

— Y ¿le va bien?

— Sí, no va mal.

— Claro que ahora el comercio..., ¿verdad?

— No la comprendo.

— El pequeño comerciante, quiero decir. Ya sabe, los impuestos, los salarios, los seguros... Pensará usted ampliar el negocio.

— Sí.

— Y casarse, naturalmente. ¿Tiene ya novia?

— No.

— Bah, no corre prisa. Aún puede usted divertirse. Salir por las noches, buscar aventuras en la Gran Vía, pagarlas, ir al fútbol, hacer alguna que otra excursión los domingos de verano.

— Sí, eso digo yo —. Joaquín sonrió enfáticamente. — A mi edad...

— ¡La edad, es cierto! ¡Camarero!, ¿quiere traerme otro igual? La edad. ¿Qué años tiene usted?

— Treinta y siete.

— ¿Vive con su familia?

— Sí. Con mis — le encendió el cigarrillo con un inhábil apresuramiento — padres.

El humo ascendía veloz, enroscado. Los sillones de mimbre entrechocaban irregularmente, a causa del desnivel de la tierra sobre la que se asentaban.

— Mis intenciones...

— ¿Sospecha que puedan importarme sus intenciones?

— Mire, usted se figura que es algo grande y puede que sea sólo una muñeca, ¿me oye?

— Sí, le oigo.

— Disculpe. A veces, pienso que los hombres la han tratado mal.

Rapidísimamente le encaró los ojos. Los ojos de él se movieron inquietos.

— ¿Trata de llevarme a la cama a base de consuelos?

— Yo...

— ¿Por qué no confiesa que me ha supuesto un marido que me la pega con otra?

— No, no es eso. Usted...

— Estoy ya vieja, pero ofrézcame un billete de los grandes y, a lo mejor, acierta.

— Usted... — y dejó de hablar sin que ella le interrumpiese.

Los dedos de Isabel se distendieron sobre el vaso, como si fuese a dejarlo caer. Joaquín, que se había alejado unos pasos de la mesa, se detuvo y llamó con un gesto al camarero. Cuando Isabel volvió a mirar, cruzaba la calzada.

— Oiga.

— Diga, señorita.

— Retire todo esto, por favor. Y traiga otro "gin-fizz".

El traje azul era una mancha indistinta.

Un billete de los grandes. Así decían en las novelas policíacas. Tres, cuatro chupadas y una ligera sed. Un pequeño sorbo y una diminuta necesidad de nicotina en las encías. Tres, cuatro chupadas. Hubiera desatado su histeria de continuar con la relamida cortesía, el temor, el alfiler bajo el nudo de la corbata y la tenacidad sentimental. Insobornable a todo lo que le distrajese de su preconcebido sistema. Cualquier tarde, cualquier noche tendría un disgusto — de los grandes, también — en la taberna o en el bar más impensados.

Posiblemente Gregorio habría experimentado la misma curiosidad porque ella hablase de sí misma. De aquel novio, con el que estuvo a punto de casarse, tal como le había dicho Gregorio. Tal como a Gregorio había comunicado Leopoldo. Tal como a Leopoldo habrían comunicado Jacinto, quizá Meyes o Julia. Pedro, al fin, iba a casarse con Julia.

En la penumbra bajo los árboles, las parejas susurraban y se acariciaban. Detrás de Isabel resonaba de vez en cuando un tranvía. Se acurrucó en las nacientes y muelles sensaciones que la ginebra le regalaba. La buena ginebra — paloma blanca, nieve, paloma de la nieve — asesina del tedio, que sustituyó a la desesperación que llegó después de la angustia, de la amargura, de los sollozos, del grito aquel nunca emitido, en el preciso y único instante — Isabel había abierto la puerta y ellos estaban allí — en que ella, al abrir la puerta, descubrió a los dos, abrazados. Ni grito, ni estertor, ni sollozos, ni amargura, ni angustia, ni desesperación, sino un leve rastro de aburrimiento y la invasora modorra, a punto de ser remplazada por algo que, fatalmente, sería ya la felicidad. Isabel contempló la llama del mechero.

Las parejas abandonaban las mesas. El camarero, grueso y encorvado, sostenía bandejas llenas de vasos, copas y pequeños platos de loza blanca. Estarían ya en la cafetería. Jacinto tendría a su hija, fatigada y soñolienta, contra su cuerpo. Isabel cesó de canturrear y vació el vaso. De soltera Neca, las dos habían pasado horas oyendo "jazz" y fumando incontables cigarrillos. Ahora Neca tenía una hija, derrumbada de cansancio en los brazos de Jacinto. Ni un soplo de aire, sólo las luces parpadeantes y el continuo zumbido de los vehículos.

Subió a un taxi, abrió la ventanilla y cerró los ojos. En la cafetería, no estaba ninguno de ellos. Unos metros más allá encontró a Leopoldo, que andaba con una rebuscada e insegura lentitud.

— Ah, ¿eres tú?

— Sólo yo.

— Isabel. Me alegro verte, Isabel. Se han ido. Incluso Pedro y Julia. Estaban también reventados. Yo voy a dar un paseo, ¿sabes?

— Una excelente decisión — le cogió del brazo. — ¿Y Gregorio?

— Gregorio estará ya en la cama. ¡A las once!

— ¿Únicamente son las once?

— ¡Puedo jurártelo!

Al regresar de la cabina del teléfono, Isabel percibió la herida en la palma de la mano derecha de Leopoldo.

— ¿Qué es eso?

— Llevo varios días sin dormir — eludió.

Sentada en el taburete, su rostro quedaba al nivel del de Leopoldo. El muchacho tenía la frente sudorosa y las mejillas enrojecidas.

— Llevas bebido lo tuyo, eh.

— Te cuelas.

— ¿Con qué te lo has hecho?

— ¿Qué?

Como si fuera un niño resistiéndose a enseñar sus manos sucias, le obligó a detener la mirada.

— Esa cortadura.

Se percató de su teatral indiferencia.

— Con una cuchilla de afeitar.

— ¿Sacándole punta a un lápiz?

— No. Adrede. Estaba aburrido.

— Leopoldo — intentó disfrazar de ternura el momentáneo mal humor —, harás una idiotez definitiva.

Una ira relampagueante alteró sus facciones.

— ¡Tenía que probarlo!

Isabel consideró la comodidad de la cafetería, su acogedora disposición, su conocido aroma. Leopoldo recuperaba el gesto desdeñoso.

Trazaron un confuso itinerario. Y discutieron la conveniencia de realizarlo a pie o en automóvil. Al fin, prevaleció la opinión de Isabel de limitarse a los bares cercanos.

— He pasado una tarde de pesadilla — le confesó, apretándose contra él. — ¿Te gustaría verme casada con un tendero?

— ¿Un tendero?

— O algo de ese estilo. Un hombre que sujeta el nudo de la corbata con un alfiler de fantasía, usa camisas de tela a rayas y ropa interior de felpa durante los inviernos. Los domingos se pone un traje azul marino y, cuando una noche alquila a una chica, se siente una mezcla de marqués de Sade y duque de Windsor. Una vez casados, viviremos con sus padres. ¿Te gustaría?

Leopoldo gruñó algo, bebiendo con un frenesí cerril.

— Creo que he nacido para despachar lacas de uñas. Un mostrador, los clientes, los representantes, mi obesidad, mi marido y sus impertinencias, una vez que nuestras noches le hayan borrado la diferencia que entre su mujer y las chicas alquiladas creía haber. ¿Te lo imaginas? Neca y Jacinto saltarán de gozo, cuando lo anuncie. Compromiso matrimonial con distinguido hortera. Muchacha de torneadas piernas, breves pechos, recias caderas, algo fofa por el continuo alcohol y parcialmente avejentada por los continuos sufrimientos de su inquieta nostalgia, se casa, ¡¡por fin!! La temida menopausia la cogerá confortablemente instalada en un seguro, aunque para entonces algo marchito, lecho nupcial.

— ¿Qué te ocurre? — dijo Leopoldo.

— Vamos, hombre, anímate.

Estaban otra vez al aire libre y Leopoldo pasaba un brazo por sus hombros. Aquello era ya la felicidad. Largas calles conocidas, luces, reflejos, perspectivas inestables. Hasta el calor había dejado de ser penoso. Isabel reía, alegre, y, con los brazos caídos a lo largo del cuerpo, Leopoldo luchaba contra las náuseas.

Al comienzo de la cuesta, se asió al árbol, el cuerpo sacudido por los espasmos del vómito. Isabel le tranquilizaba, con una mano sobre la nuca.

— Anda, apártate — susurró. — Es repugnante.

— ¿Crees que a mí no me ha sucedido nunca?

— Yo tengo uno — dijo Leopoldo, al limpiarle Isabel los labios con un pequeño pañuelo perfumado. — En algún bolsillo.

— Ya ha pasado lo peor.

— ¿Estoy pálido?

Se sentaron en un banco. Isabel cogió entre las suyas las manos de Leopoldo, contraídas en un temblor continuo.

— Dentro de unos minutos te encontrarás mejor — bajo las yemas de sus dedos estaba el trazo rojizo de la cicatriz. — ¿Qué te proponías? —. Leopoldo no entendió. — ¿Por qué te heriste con la cuchilla? ¿Qué tenías que probar?

— El miedo.

— ¿Miedo? ¿A qué?

— Al dolor. Ahora lo he sentido, ¿sabes, Isabel? Ahí, junto al árbol.

En la voz, en la reciente inmovilidad, adivinó que era sincero y que ella debería de aprovechar aquella paz.

— ¿No tienes que decirme alguna cosa, Leopoldo?

— Era eso, el miedo al dolor.

— Pero ¿qué dolor?

— El de Julia, cuando se lo hagan, y el nuestro, si llegan a...

— ¿Julia?

De nuevo, al interrumpirle Isabel, estaba ebrio.

— ¿Julia, qué?

— Anda, Leopoldo.

Se desviaron por una calle lateral. En el semisótano, unas cuantas pequeñas bombillas difumaban luces verdes y rojas. Las paredes estaban cubiertas por cajoncitos, donde los clientes habituales guardaban sus botellas. Isabel entregó su llave al camarero y le encargó un zumo muy frío de limón para Leopoldo. Unos hombres jugaban a los dados. Leopoldo, con la cabeza en el respaldo del sillón, dormía.

Continuó bebiendo. En una de las mujeres del grupo, que acababa de entrar, Isabel pensó reconocer a una famosa actriz. Desde el techo llegaba un murmullo de música. Miró el reloj; a aquella hora ya habrían terminado los teatros.

Esperaba a que Leopoldo despertase. Le tomó la mano y contempló la cicatriz. Casi imperceptible. Como los susurros, el repiqueteo de los dados contra el cuero del cubilete, el hielo contra el vidrio, la melodía, aquello que seguramente era una risa de mujer. En la botella, lejana sobre la mesa, la ginebra decrecía.

Luego, en la calle, miró hacia arriba. El cielo tenía un azuloso tono y había algunas estrellas. Leopoldo y ella caminaban sustentándose mutuamente y sus pasos resonaban en el silencio.

— Lástima que no haya venido Gregorio, ¿verdad? —, pero Leopoldo no contestó y ella cerró los ojos y rezó: — Que mañana no se me olvide.

12

Juan bajó el pie del bordillo de piedra de la baranda del "Metro", al ver a Gregorio. Gregorio, cuando estuvo frente a Juan, le estrechó la mano. Juan llevaba una camisa de punto, verde y de mangas cortas, y un traje marrón.

— ¿Traes eso?

— Sí — dijo Gregorio.

— Espera. Aquí, no. Podemos dar una vuelta.

Caminaron por calles desconocidas para Gregorio. Juan se detuvo al final de una de ellas, en un descampado.

— ¿Qué es esto?

— Allí — la mano indicó unos desmontes parduscos, más allá de unas casuchas, y un edificio de ladrillo rojo — están las vías del ferrocarril. Dámelo ahora.

Gregorio le entregó el frasco. Llegaron hasta unos muros derruídos, por la tierra salpicada de inmundicias, y Juan se sentó en unos cascotes a la sombra.

— No sé si será suficiente.

— Supongo que sí.

— Ni si eso vendrá en condiciones. Es de anteayer.

— ¿Qué?

— La orina. Luego recordé que no me habías dado instrucciones.

— ¿Lo recordaste tú o Leopoldo? — estuvo unos momentos sonriendo. — Dará lo mismo, digo yo. A mí tampoco se me dijo nada.

— No, no creo que sea lo mismo.

Juan apoyó los antebrazos en los muslos y movió las piedrecitas que había entre sus pies. Gregorio rencendió el cigarrillo. Contra el horizonte permanecían unas nubes grises y, a lo lejos, detrás de lo que Juan había señalado como el ferrocarril, giraban unos torbellinos de polvo.

— ¿Has esperado mucho? —. Juan denegó con la cabeza. — Una tarde de estas deberías acercarte por la cafetería.

— ¿Por qué dices eso?

— Es tonto que hayáis roto la amistad.

— Tengo amigos aquí.

— Pero esa gente no te va.

— ¿Por qué no tienen dinero?

Estaban uno al lado del otro, cara al paisaje y al lento sol de la tarde. Gregorio oblicuó la mirada.

— Sí. El dinero nos permite tener hijos o no tenerlos, poseer cuadros, educación e inteligencia.

— Oye, me escapé de las gentes que hablan como tú, porque me enseñaron que sin dinero un hombre de sesenta años ha vivido sólo veinte. Y viceversa.

— Naturalmente.

127

— Pero no es cierto. O, al menos, no es totalmente cierto. La pobreza te da soledad y la soledad te haçe vivir también tres veces más.

— ¿Hacia dentro?

— Sí — murmuró Juan.

Gregorio descendió unos metros por el desnivel, que comenzaba en las ruinas, y contempló los alrededores.

— ¿Tienes prisa? — gritó Juan.

Botes herrumbrosos, alambres de espino, maderas podridas, pedazos de pizarra, trapos, indefinibles manchas, alternaban sobre la tierra con las piedras. Gregorio, como el primer día que vio a Juan, imaginaba aquellos terrenos en una tarde invernal, inundados de lluvia y de viento. En las chabolas, la lluvia levantaría, además, el raspante hedor de los hombres y las mujeres hacinados. Volvió la cabeza y no vio a Juan. Mientras subía la cuesta, trató de pensar un lugar de la chabola de Juan, donde éste pudiera guardar limpio su traje marrón. Juan continuaba sentado en los cascotes. Gregorio apiló unos ladrillos y unas piedras y se acomodó, con la espalda en la pared ruinosa.

— ¿Quieres fumar?

— Gracias.

— ¿Cuántos años tienes?

— Diecinueve. Ya te lo dije el otro día.

— Es cierto. El otro día estaba yo de mala uva.

— Todos tenemos días así. Me alegro que haya pasado.

— Sí, ya ha pasado. Gané algo de dinero y además... ¿Me traes las tres mil?

— Desde luego —. Juan se guardó los billetes. — ¿Y además?

— Es casi seguro que me proporcionen unos transportes en Andalucía. Estaré fuera hasta octubre, llevando refrescos por la región. Eso me hace estar contento.

— ¿Por qué quieres conducir un camión?

— Estoy harto de esta ciudad y necesito moverme.

Fumaron en silencio, hasta que Gregorio preguntó:

— ¿Le arreglaste la moto al padre?

— Ya está rodando con ella. ¿Nadie más que nosotros lo sabe?

— ¿Qué? ¡Ah! — se sintió el rubor. — No, nadie más. ¿Cuándo estará el resultado del análisis?

— Pasado mañana. Dime un sitio donde se la pueda reconocer, si da positivo. La familia de Julia se va de Madrid, ¿no?

— Pero hay un sitio mejor. Un piso vacío. En Rosales. Se va a verme a mí, si pregunta el portero.

Arrancó una hoja de la agenda y escribió la dirección. Juan guardó el papel, después de doblarlo, y dijo:

— Yo iré con ella.

— ¿Ella? ¿Es una mujer? Tú dijiste que poseía un título facultativo.

— Acabó Medicina después de la guerra. Sabe lo que se hace.

— Pero...

— ¿Qué?

— ¿Ejerce?

— No la dejan. Cuestiones políticas.

— ¿Seguro?

Juan se puso en pie y, cuando Gregorio comprendió que regresaba, le siguió.

— Tenéis tres soluciones: confiar en ella, desistir o tomar vuestras seguridades, pidiendo informes al Colegio, a un detective privado o a la propia policía. Que decida Leopoldo.

En las calles había ahora más gente. Gregorio observó el bulto del frasco en la americana de Juan, que caminaba de prisa.

— Entonces, el miércoles.

— Dile a Julia que lo lamento. Puede que sea la única de todas ellas que no se lo mereciese. Y procura que no esté aquello lleno. Tú y Julia.

— Y Pedro, naturalmente.

— Naturalmente. Si da negativo, iré yo solo.

— Y si es positivo, con esa mujer. Conforme. Que ella se entienda conmigo.

— Pensaba advertirte lo mismo. Hasta el miércoles, Gregorio.

Gregorio se apresuró, después de consultar el reloj, en llegar al "Metro". Tenía la garganta reseca y el cuerpo sudado. En el andén y para entrar en el vagón hubo de forcejear entre la masa impaciente de viajeros. Se apeó en la estación siguiente y, una vez en la calle y después de orientarse, se encaminó hacia la Glorieta de Atocha. Halló pronto la blanca torre de la iglesia y, en seguida, el automóvil de Pedro. Leopoldo mantenía abierta la portezuela.

— ¿Cómo ha ido eso?

— Dejad respirar a Gregorio — dijo Julia.

— Bien.

Pedro puso el automóvil en el centro de la calzada, al tiempo que Gregorio comenzaba a detallar la entrevista con Juan.

— Entonces, el muy cornudo ¿cogió las tres mil?

— Claro — dijo Gregorio. — ¿Qué esperabas que hiciese?

— Maldito hijo de perra, toda su miserable vida ha estado lampando.

— Deja de hablar como un carretero, Leopoldo.

Gregorio apoyó violentamente su hombro izquierdo contra el respaldo del asiento. Era Jovita, entre Julia y Leopoldo. Ninguno de los cuatro atendió a su asombro. Recuperó la posición frontal al parabrisas y miró a Pedro, atento al tráfico.

— Pero... — balbució.

— Fue inevitable que se enterase —. Pedro frenó en el paso de peatones. — Estaba con Julia cuando fuimos Leopoldo y yo a recogerla.

— ¡No era inevitable!

— ¿Qué? — dijo Julia.

— ¿Estáis hablando de mí? — por el aroma y un turbado desplazamiento del aire percibió a Jovita en el respaldo del asiento; el automóvil se puso en marcha. — Gregorio, yo no diré nada, ¿sabes? Ya les he jurado a éstos que no soltaré una palabra. No te enfades, Gregorio. Además, una mujer puede ayudarle mucho a la pobre Julia.

— ¡La pobre Julia! —. Julia y Pedro rieron. — Jovita, maja, muchas gracias por tu compasión.

— Y el muy gorrino inclusero te ha cogido las tres mil.

— No era inevitable — repitió e, inmediatamente, olvidó a Juan.

Julia encendió un cigarrillo. Gregorio, de soslayo, veía parte de las mejillas y de la frente de Jovita.

— Pero no lo entiendo — dijo Julia, al concluir Gregorio el relato. — Esperaba que con el análisis sería suficiente. No me hace ninguna gracia ponerme antes de tiempo en manos de esa señora, o lo que sea.

— Julia.

— Sí, Pedro. No he dicho que vaya a negarme, pero no me hace ninguna gracia.

— Es necesario que sea así, Julia — dijo Gregorio.

— Pero ¿por qué?

— ¡Oh, Julia!

— Además, cabe la posibilidad — Gregorio abandonó la mano fuera de la ventanilla a la golpeante tibieza del viento — de que no te suceda nada.

El silencio les inmovilizó, excepto las manos de Pedro sobre el volante. Abandonaban Madrid, por la Moncloa, y una acritud repentina endureció las respiraciones contenidas, las miradas fijas y fingidamente vacías.

— Gregorio tiene razón, Julia — dijo Pedro.

— ¡Yo estoy segura! — chilló Julia.

— Sí, cariño. No volvamos a hablar de ello. Pero razona tú. No hay ningún peligro en ese probable reconocimiento.

O sea, que era temor lo que Pedro les había supuesto. Pedro, crispadas las facciones, gesticuló una sonrisa.

—Juan ha dado toda clase de seguridades — mintió deliberadamente. — Y, sobre todo, que a ella acude gente de lo mejor.

Julia suspiró y él cerró los ojos. Subían la Cuesta de las Perdices a buena velocidad. Una refrescante sombra crecía en los campos muy verdes y casi ajardinados.

— Escuchadme las dos — ordenó, de improviso, Leopoldo. — Bastante nos la estamos jugando, para que vengáis con histerias propias de vuestro sexo.

— ¿Yo? — protestó Jovita.

— Tú cállate. ¡¡Tú te callas para siempre!!

Mientras Pedro aparcaba el coche en el jardín del bar y Leopoldo se dirigía a los lavabos, Gregorio aprovechó la oportunidad y transmitió a Julia el encargo de Juan.

— ¿Es cierto? —. Julia sonrió complacida, casi coqueta. — Pobre Juan, es un cielo. Lo ha sido siempre, digan ellos lo que digan.

Gregorio se peinó después de Leopoldo y, cuando regresó

131

junto a ellos en la mesa al aire libre, manifestaba un jocundo optimismo.

— Tú eres tonta, Jovita — reía Leopoldo, palmeándose los muslos. — No puedes dejar de ser tonta, pero tienes gracia.

— ¿Qué ha dicho? — se interesó Gregorio.

— ¿Te parece una tontería preguntar cuántos años de cárcel nos pueden caer?

Las carcajadas se redoblaron. Rodaba un pequeño viento sosegador y, en la lejanía, comenzaban a encenderse las luces.

— Jovita, animal de bellota, esto no es una película de miedo.

— Pues parecíamos "gangsters" esperando a Gregorio dentro del automóvil y dando vueltas por ese barrio absurdo.

— Estuviste genial — dijo Pedro — con lo de tu piso de Rosales. Yo me siento incapaz de improvisar en un segundo un detalle de esa importancia.

Gracias a ellos, el mundo recobraba su ritmo habitual. Ya habían dejado de moverse los flecos del toldo amarillo. El aire ahogaba como en las noches ardientes de agosto.

— ¿Qué hacemos? — preguntó Julia. — ¿Se sale después de cenar o no se va a cenar a casa?

— Yo...

— Tú — le interrumpió Jovita — intentarás irte en busca de alguna de tus camareras sacadineros.

— Bueno, vosotros, preparemos lo de pasado mañana y dejad las gracias para luego. Si no fuese por mí, habría que improvisar, no uno, sino todos los detalles. —Leopoldo habló más despacio. — Tú, Gregorio...

— Sí — dijo Gregorio.

13

A Isabel le abrió la puerta una muchacha desconocida, la recibió en el mismo vestíbulo Felicidad y, a los pocos momentos, entró Gregorio en la sala, en batín y ofreciéndole un cigarrillo. Adela llegó a saludar a Isabel y los tres estuvieron charlando, hasta que Felicidad trajo las tazas de café. Se sentaron, al quedarse de nuevo solos.

— Puede que estuvieses ocupado.

— En absoluto —. Gregorio asentó el cenicero sobre uno de sus muslos. — Me alegra que hayas venido.

— Anda, cuéntame vuestro viaje a Segovia.

Por las persianas de las contraventanas penetraban unos residuos de luz, blanquecinos. El café se enfriaba en las tazas e Isabel observaba la penumbra del fondo de la habitación.

— Nos divertimos en grande. Con Jovita, ya sabes que resulta difícil aburrirse.

— Supongo que Leopoldo te ha dicho que estuvimos juntos anteayer.

— Sí; por lo visto, se cogió una epopéyica.

— Lo pasamos bien, Leopoldo y yo. Excepto cuando a él le vino la vomitona, claro está.

— Fue espantosa, ¿no?

— Yo creo que, además, no se encontraba bien —. Gregorio, aún con la mirada atenta, no varió de expresión; Isabel entrecerró los ojos y continuó: — Le molestaba la herida, antes de salir de casa.

— ¿Qué herida?

Abrió los ojos y depositó la ceniza, inclinándose hacia Gregorio.

— La de la mano — explicó.

— Ah, ¿se hirió una mano? ¿Cómo?

— Me dijo que se había cortado con una cuchilla de afeitar. Debió de ser aquí — e inmediatamente: — Oye, el domingo te eché de menos.

Gregorio continuó sonriéndole. Sostuvo el cenicero en una mano y cruzó las piernas. Isabel confesó, casi en voz baja:

— Un mal día el domingo. Recordaba muchas cosas, me molestaron demasiado y me aburrí, hasta que encontré a Leopoldo. O, quizá, no me aburriese. ¿Tu sabes diferenciar el aburrimiento de la tristeza?

— De la melancolía — puntualizó él.

— Sí. En resumen, una tarde fatal.

— En Segovia, te habrías librado de tu aburrimiento.

Isabel arrastró la silla y le buscó una mano. Únicamente

oían el mecanismo de un reloj. Volvió rápidamente el dorso y entrelazó sus dedos con los de Gregorio.

— Se había quedado en no tener secretos.

— Se había quedado. ¿Por qué?

— Mírame.

Gregorio deseó que ella no preguntase nada, mientras las palmas de sus manos estuvieran juntas. Avanzó el rostro. Las pupilas de Isabel se movieron inquietas. Luego, ella rio y la opresión de sus dedos fue más enérgica.

— ¿Qué te ocurre con Jovita? — los dedos se soltaron.

Gregorio sacó un pañuelo del bolsillo superior del batín y se lo tendió a Isabel. Ambos secaron en él el sudor de sus manos.

— Un simple coqueteo. ¿Se nota mucho?

— Lo noto yo, porque soy una chismosa perfecta. No te inquietes.

Gregorio perdió su gesto risueño.

— Sinceramente, temo que Jovita pueda pensar... Tú, que la conoces mejor, ¿crees posible que llegue a imaginarse que somos novios?

— Ella, como todas, está ansiando casarse. A pesar de sus pocos años. Pero tú sabes cuidarte. A ti no va a cazarte una niñita de esas, ¿verdad?

— No, madre — rio Gregorio.

— Haces bien en burlarte de mí. Es extraño.

— ¿Qué?

— Verás, estoy convencida de tu inteligencia, de tu seguridad, de que sabes bien lo que quieres. Y, sin embargo, hay veces que siento una enorme compasión. Como piedad.

— ¿Como piedad? Estás guapa esta tarde; muy guapa para sentir piedad.

— Estoy tonta, que es distinto. Hazme el favor de olvidar lo que te he dicho de Jovita. No es ella, quien tiene pensamientos malévolos. He venido a veros, porque en casa no paraba de nervios. Va a suceder algo, no me lo niegues.

Se puso en pie, riendo.

— ¿Algo? Claro que no — apartó la mesita con el servicio de café y empujó las maderas del balcón. — Hay demasiada luz. ¿Es que tienes presentimientos?

Ahora, el rostro de ella quedaba en la sombra y más que

verlo lo adivinaba, antes de aproximarse. La falta de luz suprimía las pequeñas arrugas, la blandura de las mejillas, los ojos entristecidos. Allí, erguida en el sillón, con los brazos cruzados y sin mirada, estaba deseable. Gregorio dejó el cenicero entre las tazas y se detuvo junto a Isabel.

— Hace tiempo que no tengo presentimientos. Mi corazón ya ha demostrado que es sordo, ciego y mudo. Nunca presagia nada. ¿Te avisa tu corazón a ti lo que va a ocurrir? Es molesto poseer un corazón tonto. Casi me convierte en una inválida. Por lo tanto, debo fiarme de mi inteligencia, exclusivamente.

— De tu enorme inteligencia.

— Que no existe tampoco. O sea, que me queda sólo el recelo. Que ése sí que es fenomenal.

— Tu sensibilidad excesiva.

Gregorio dio unos paseos por la habitación. Ella se encontró aliviada.

— Mi sensibilidad — ironizó.

Leopoldo dormía, mientras él dosificaba a Isabel aquella farsa contra sus probables sospechas. Resultaba claro que la borrachera del domingo le había puesto locuaz. Ella le miraba, cuando Gregorio alzó la cabeza.

— Tienes diecinueve años.

Juan le había preguntado la edad en sus dos encuentros. Dio un manotazo al aire, como desechando aquella fatalidad soportable de sus diecinueve años. Isabel sonrió y, sin que él lo esperase, le tomó la mano otra vez.

— Si es que ha pasado algo o va a pasar o está pasando, no me importa. Sé que lo mejor es no enterarse.

— Oye, ¿quieres ser más clara?

— Bien, te reirás de mí cuando sepas con quien estuve la tarde del domingo.

Acabaron de tomar el café y Gregorio propuso un trago de ginebra. Alrededor de las seis entró Leopoldo. Traía los cabellos revueltos, las facciones abotargadas y arrastraba los pies. Se derrumbó en una silla, junto a la puerta, bostezando.

— Si Felicidad no me despierta... Anoche apenas descansé. Llevo tres noches de insomnio total. No sabía que estuvieses aquí.

— Pues, aquí estoy con Gregorio.

— Muy bien. ¿Quieres beber algo?

— Ya le he ofrecido yo — dijo Gregorio.

— ¿Qué vais a hacer?

— Yo...

— Tú — le interrumpió Isabel — vas a casa de Julia, según me ha dicho ella.

Gregorio miró a Leopoldo.

— ¿Has hablado con Julia? — se frotó las manos.

— Quedé en acercarme por su casa. Su familia se marcha esta tarde. Me dijo que te esperaba a ti. Nos presentamos los tres, ¿eh?

Adela vino a ofrecerles la merienda.

— No, gracias — rehusó Isabel. — Con este calor...

— Algo espantoso el verano que se presenta, hija. Pero no tenéis vergüenza. Aquí Isabel y vosotros, con vuestros pijamas y vuestras pantuflas. Id inmediatamente a vestiros.

Leopoldo acechaba en la puerta del cuarto de baño.

— ¿Qué te ha dicho ésa?

— Sospecha, pero no sabe nada.

Se apartaron, al tiempo para dejar paso a Carmen.

— ¿Sospecha? ¿Qué es lo que se te ha escapado?

— ¿A mí, a mí? Más bien creo que fuiste tú, quien la otra noche...

— Bueno, bueno, ¿seguro que no sabe nada?

— Seguro.

— Pues ha venido a averiguarlo. No pierdas de vista que ha venido a eso. Dará la tabarra hasta que se entere. Estás advertido. Y ahora voy a acercarme a la oficina de Jacinto a pagarle una deuda. Nos veremos en casa de Julia. También Julia se las trae.

Leopoldo cerró la puerta y Gregorio quedó en el pasillo, los brazos semiextendidos en una indignación frustrada.

— ¿Me deja pasar otra vez?

Carmen le sonrió una breve mirada, derechamente a los ojos.

— Está guapa hoy, Carmen.

La muchacha emitió algo como una risa asombrada y dio una tonta carrera, levantando y separando exageradamente los pies.

Al otro lado de la puerta, sonó la caída del agua.

14

Pedro acabó de traer los vasos y dijo:

— ¿Se va a alguna parte o no?

Isabel buscó con la mirada la opinión de Gregorio. A Gregorio, de pie junto a los estantes de libros, no le llegaron la mirada de Isabel, ni la pregunta de Pedro.

— De todas formas — afirmó Isabel —, habrá que esperar a Leopoldo.

— ¿Cuándo viene Leopoldo? — interrogó Julia.

Pedro descorchó una botella y Julia se sentó en el corto diván de tela brocada, al lado de Isabel. Gregorio colocó el libro y se volvió.

— Está con Jacinto.

— Le hemos llevado a la oficina de Jacinto, antes de venir aquí.

— ¿Coñac, ginebra, ron o "whiskey", Gregorio?

— Coñac —. Gregorio se aproximó a Pedro. — ¿Vamos a salir?

— Eso decía yo. Podemos dar una vuelta por ahí.

— No hay donde ir — dijo Julia. — Quedémonos bailando. No tengo discos como los de Neca, pero... Ah, un Lionel Hampton que no habéis oído.

— No es gran cosa — opinó Pedro. — ¿Salimos de carreteras con los coches?

— ¿Se avisa a Neca? — sugirió Isabel.

Gregorio fue hasta el ventanal.

— Una idea estupenda —. Julia se puso en pie. — ¡Festejemos la libertad!

Pedro se dejó caer en uno de los butacones, sin sacar las manos de los bolsillos del pantalón; con la barbilla clavada en el pecho, comentó, al alejarse Julia:

— Le gusta quedarse sola en Madrid.

Gregorio pasó una mano por la jamba metálica del ventanal. Más allá de los edificios y de los chalets de la Colonia del Viso, ondulaban las estribaciones de un monte. Los rayos oblicuos del sol metamorfoseaban despaciosamente los límites del atardecer. En las sienes y en las muñecas, sintió el paso de la sangre. En las calles, en las fachadas — excepto en el rascacielos en construcción, a su izquierda — se encenderían las luces eléctricas y ellos estarían ya borrachos, o a punto de estar borrachos, o cansados. Quizá Lupe tuviese turno de noche. Isabel había cruzado las piernas y Julia, otra vez en la habitación, colocaba un disco. Se sentó frente a Pedro y cogió su vaso. Al tiempo, comenzó la música.

— Eres igual que una niña.

— Vete a la porra, ¿sabes? — replicó Julia.

Gregorio se puso en pie y curioseó la biblioteca.

— Es lógico, Pedro.

— Hija, son encantadores, los adoro y todo lo demás. Pero ¡qué pesados resultan!

— Careces por completo de espíritu familiar — bromeó Pedro. — Bonito panorama me espera.

Isabel tamborileaba el ritmo sobre una rodilla.

— Ya me encargaré — Julia lanzó su mano sobre la mesa — de hacerte bonito el panorama.

— Intentarás que te lleve al cine todas las noches.

— Hace años que no veo una película — dijo Isabel.

— Ni yo — dijo Pedro. — En realidad no estrenan nada que merezca la pena. En octubre...

— Tengo ganas de que llegue octubre.

— ¿Por qué? —. Isabel alcanzó el plato de las galletas saladas. — A ti siempre te gustó el verano.

Oyeron un timbrazo y, al momento, la voz de Leopoldo. Leopoldo entró, antes de que Julia se levantase.

— Magnífica reunión. ¿Improvisada? Voy a telefonear a Jovita.

— Neca está a punto de llegar — dijo Julia. — Llama también a Jacinto y a Meyes, a ver si los encuentras.

— Ayer tarde estuve con Meyes — aclaró Isabel — y me dijo que hoy pensaba quedarse en casa.

Gregorio orientó el libro a la luz del ventanal y leyó:

"Por eso ahora podemos
andar despacio por las calles
por donde todo el mundo corre,
sin que nadie se fije en que existimos"

Julia y Pedro bailaban.

— ¿Ves o quieres que encienda?

— No te molestes. Gracias, Julia.

> "Implacable, la tarde
> me estaba devolviendo
> lo que fingió quitarme
> antes: mi soledad" (1).

— Jacinto, que ya había hablado con Neca. Con Meyes ha quedado en que iremos a buscarla a las diez.

Cuando Neca llegó, Gregorio abandonó el rincón de los libros. La doncella encendió la luz indirecta y una lámpara de pantalla amarilla.

— Sois maravillosos, por haberos acordado de mí. ¿Qué tal, Leopoldo?

— ¿Oye, Neca, hay uno de Lionel Hampton nuevo.

— ¡¿Sí?! Isabel, ¿cómo consigues esos vestidos? ¿Cuándo te va a dar la realísima gana de ir a comer a casa? Hola, Gregorio. ¿Has descansado ya? Por mí, seguid bailando. Vieja solterona, te has olvidado de mi hija. Pedro, eso son más de dos dedos de ginebra. Busca tu Lionel Hampton, Julia.

— Hasta que llegue Jovita tienes que bailar conmigo, Neca — dijo Leopoldo.

— O hasta que llegue mi marido.

— Acabo de dejar a tu marido ganando billetes sin parar un momento.

— Es un sol de marido, no me digáis.

— Es el tipo de marido que ando yo buscando — rio Isabel.

— Y al que pertenecía Juan, a pesar de tus manías.

— ¿Juan? — dijo Gregorio.

— No es Juan, el que fue nuestro amigo — le aclaró apresuradamente Leopoldo.

Gregorio miró a Isabel. Recostada en el diván, con los brazos cruzados, su sonrisa la convertía en una extraña.

— Para tu suerte, Neca, Juan pertenecía a otro tipo que Jacinto. Muy diferente.

---

(1) De " Volverse sombra " de Pedro Salinas.

Mientras Leopoldo bailaba con Neca, Gregorio se sentó junto a Isabel.

— Aquí se está bien, ¿no?

— Sí — dijo Gregorio.

— Con gente, se está bien siempre. Promete no dejarme un solo día.

— Prometido. Ni un solo día de toda tu vida.

— Gracias. Tú morirás después, naturalmente.

— Si a tu racha de inquietud le añades tus cálculos sobre la edad, no te tranquilizas en un año. ¿Por qué no bebes un poco? Y no te dejes llamar vieja solterona por Neca.

— Ella sabe que eso me recuerda todos los pitillos que hemos fumado y todas las botellas que hemos bebido, mientras nos describíamos la una a la otra lo horriblemente complicada que era la vida. Y lo maravillosa.

— Me gustaría beber tantas y tantas botellas. Contigo.

— Puedes llamarme vieja solterona.

— No me apetece, vieja solterona. Ésos son los gritos de Jovita, ¿no?

Jovita saludó desde la puerta e inmediatamente bailó con Leopoldo. Neca volvió a sentarse junto a Isabel.

— Contadme algún chisme.

— Existe uno — dijo Isabel.

— ¿Cuál?

— Uno que debe ser bastante bueno. De los que hacen historia.

— Vamos, Isa, dilo de una vez.

— No puedo.

— ¿Muy secreto?

— Secretísimo. Sobre todo, para mí. No sé nada.

— No me quemes, mujer.

— Te aseguro que no sé nada. Intuyo.

Gregorio sonreía a las dos.

— No, a mí no me mires, Neca. Estoy en la misma ignorancia que tú. Quizá Isabel juega al espionaje.

Neca e Isabel hablaban de modas. En el ventanal, había un rectángulo de cielo azuloso, como desteñido. Pedro reía con Jovita.

— Oye — dijo Leopoldo.

Gregorio sacó el mechero; le prendió el cigarrillo y se

apartaron al ventanal. Leopoldo se acodó en el repecho y Gregorio permaneció erguido, ligeramente oblicuado para vigilar a los otros.

— Nos han jeringado con la fiestecita. Llegará mañana y todo sin preparar. Como siempre.

— Creo que será posible darle las señas a Pedro. Tú y yo llegamos primero y, luego, que lleguen ellos. Los cito media hora antes...

— Una hora antes.

— ... y así hay tiempo. Una hora antes, conforme. Y que pregunten al portero. Es mejor que pregunten el piso. Echarle naturalidad, ¿no?

— Sí. Pero habla con Julia. Pedro, dentro de media hora, está borracho. Pedro es un pelele. Habla con ella. Y cuidado con Jacinto.

— ¿Te ha dicho algo Jacinto?

— Que nos encuentra raros. ¡Raros! Hay que ser muy discretos. Ah, que yo a Isabel no le dije nada. Serán figuraciones suyas.

La doncella avisó a Isabel, que esperaban al teléfono. Isabel, en el despacho, se sentó en el brazo de un sillón y cogió el auricular.

— Dime.

— Buenas tardes, Isabel.

— Pero... ¿Quién es?

— Yo, Joaquín.

— ¿No va a dejarme en paz nunca?

— No se enfade. La llamé a su casa y allí me dieron ese teléfono. Dijeron que usted estaría ahí. Quiero pedirle que me disculpe por lo de la otra tarde.

— ¿Para eso vuelve a molestarme? Deje de investigar mis salidas.

— Espere, espere. Hoy he tenido un día de mucho trabajo. Me bebí tres copas y la he llamado. Era como si apostase conmigo mismo, a ver si era hombre.

— Y una vez que ha demostrado que es muy hombre, ¿qué espera?

— Nada.

— ¿Nada?

— Nada, no. Quería decirle eso y saber dónde estaba usted.

141

Por ir a acompañarla a la salida, si no es molestia. ¿Está con sus amigos? Se oye como la radio. ¿Está ese que no puede conducir porque ha atropellado a una vieja?

— ¿Quién?

— El que fue a buscarla al bar de Ventura.

— ¿Le dijo a usted que...? —. Isabel reprimió las carcajadas. — Oiga, dejémoslo, ¿quiere?

— Sí, Isabel. ¿Voy a esperarla?

Cortó la comunicación y se secó las lágrimas, que la risa le había producido.

— Isabel, ¿quieres bailar conmigo, mientras Julia me prepara un "sandwich"?

Jacinto acababa de llegar y la enlazó.

— ¿Te apetece también ensaladilla rusa? — propuso Julia.

— Bárbaro. Bien fría. Y con dos o tres rodajas de tomate. Y un poquito de pan.

— Oye, oye — protestó Neca. — Pero no des la lata a Julia.

— Vengo hambriento. Isabel, estás guapísima.

Gregorio alcanzó a Julia en la puerta.

— Julia — el tono de voz fue demasiado alto —, ¿dónde está el cuarto de baño, por favor?

— Yo te lo indico. Y me ayudas a preparar los "sandwichs".

— Encantado.

Julia era lista. En la sagacidad de Julia podía confiarse. Delante de él, por el pasillo cubierto de linóleo, sus anchas caderas se movían rítmicamente. La piel de la espalda, en el amplio escote de su vestido multicolor, era de un bronceado mate. Julia se detuvo y abrió una puerta. Mientras daba instrucciones a la doncella, Gregorio dejó de mirar las vértebras del cuello de Julia. Unos metros más adelante, colgaba un retrato al óleo de una mujer.

— Ven — dijo Julia.

Continuó detrás de ella. Antes de doblar el recodo, abrió otra puerta y encendió las luces. Las baldosas, que cubrían las paredes, llenaron de reflejos sus rostros.

— Ven — repitió.

Al doblar el pasillo, Gregorio apoyó una mano en la pared. En la obscuridad y durante unos metros, percibió el desplazamiento del aire que producían sus cuerpos. Un aroma a ropa lavada o a patio interior llegaba del fondo del pasillo.

— Espera.

La mano de Julia tropezó en su pecho y él la asió. Otra vez doblaba el pasillo e, inmediatamente, Julia se detuvo. Oyó abrir una puerta y una bombilla de escasa potencia se encendió.

Entró en un pequeño cuarto con baúles y algunos muebles viejos, ordenadamente arrinconados. El aroma a humedad era allí más penetrante.

— Me telefoneó Isabel — la puerta quedó entornada. — No tuve más remedio que decirle que viniese. Luego, todo se ha complicado, como ya has visto.

— Hiciste bien. Hay que fingir naturalidad.

— ¿Cómo iremos?

— Primero, Leopoldo y yo. Pedro y tú vais a las cuatro. Preguntáis el piso al portero — le tendió una tarjeta. — Ahí he apuntado la dirección y los apellidos de mi padre. Y subís —. Julia cogió la tarjeta. — Todo saldrá bien.

— Gregorio, ¿me lo va a hacer mañana? — avanzó dos pasos hacia él.

Tardó unos segundos en comprender.

— ¡Claro que no! Mañana, no. Únicamente te reconocerá. No tengas miedo.

— No tengo miedo — sonrió.

— Incluso puede que todo haya sido una alarma infundada.

La sonrisa de Julia se abatió en un rictus. Se contemplaron en silencio. Ella retiró la mirada y se guardó en el pecho la tarjeta. Gregorio estaba a unos centímetros de su cuerpo. Puso las manos en la cintura de él, al colocar él las suyas sobre sus hombros, y entreabrió la boca.

— Julia.

Mantuvo los ojos cerrados; los dedos de ella atenazaban sus flancos. Luego, vio la capa de polvo en la bombilla.

— Julia, tus brazos...

— Estás como loco.

Alzó un brazo hasta los labios de él. Había un cesto de mimbre, una ventana con los cristales empapelados, una cama de madera desarmada, un somier con los alambres retorcidos. Y el olor del cuerpo de ella.

— Muchacha...

— Gregorio, fíjate, ya no debo tener carmín.

Él rio tenuemente.

— No. Vamos, Julia.

Hasta el segundo recodo del pasillo, la llevó abrazada por los hombros. Fue a proseguir, pero ella le detuvo.

— Espera.

La luz del cuarto de baño continuaba encendida. Julia se dirigió a su dormitorio y Gregorio deslizó el pestillo. El agua no estaba fría, sino tibia. Apoyado en el lavabo, se asomó a su propia imagen en el espejo. Sus ojos brillaban y las mejillas se le desmandaron en un gesto de poderío y anhelo.

Entró rápidamente en la habitación. Antes de llegar al ventanal, cogió un vaso y se sirvió algo, que resultó ser "whiskey".

— Es excelente —. Jacinto levantó el vaso al nivel de la frente.

— Sí — dijo Gregorio y bebió.

Jacinto le hablaba de los problemas del comercio con Inglaterra. Alguien, dentro de él, sostenía su atención e, incluso, narró una historia divertida de contrabandistas del litoral cantábrico. Jacinto rio estentóreamente y Neca se les unió. Más tarde, Gregorio, bailando con Jovita, recordó su propósito de buscar a Lupe.

— Jovencitos, que Meyes estará esperando.

Desde el vestíbulo les instaban a marchar.

— Pero ¿a dónde se va? — preguntó Jovita.

— A cenar a cualquier parte.

— Debo avisar a casa.

— Telefoneó Leopoldo — le advirtió Pedro.

— ¿Sí? Eres una maravilla, Leopoldo.

Bajaron en el ascensor. El seto, que dividía la calzada, acumulaba las luces y las sombras de los tubos fluorescentes. Se encaminaron hacia los automóviles. De pronto, al oir a Julia, supo que caminaba separado de los otros.

— ¿Estás contenta? — murmuró Gregorio.

— Somos unos salvajes, ¿verdad? — insinuó un mohín con los labios.

Detrás de Gregorio, ella colgada del brazo de él y él inclinado hacia ella, venían Leopoldo e Isabel. Jacinto llamó a Gregorio. Entró, sentándose al lado de Neca, y cerró la portezuela.

— ¿Vais cómodos? — preguntó Neca.

Ellos dos pasaron hacia el coche de Isabel; los faros, que acababa de encender Jacinto, los iluminaron lateralmente. Leopoldo alzó los hombros. El automóvil se puso en marcha y Gregorio desfrució el ceño.

15

Retiró nuevamente el cajón a la sombra.

— Y Jovita ¿qué ha dicho?

Leopoldo, recostado en la pared y sentado en el "parquet" con las piernas cruzadas, miró a Pedro.

— ¿Jovita? — dijo Leopoldo.

Julia llegó desde el pasillo y Pedro le dejó libre un extremo del cajón.

— No viene nadie — comunicó Julia.

— No — dijo Gregorio.

— Jovita se ha callado, que es para lo que la tengo hecha. Naturalmente que ha querido acompañarnos. Pero se ha callado; con sólo mirarla.

Leopoldo bajó el rostro y sopló el montoncito de ceniza.

— No me refería a eso. Pregunto qué es lo que opina Jovita del asunto, en general.

— Ah, nada. Ya la has oído.

— Me refiero — insistió Pedro — a lo que te dice a ti, a solas.

— Nunca la dejo hablar, cuando estamos solos —. Julia le miró un instante. — Si eres tan extravagante como para interesarte por el juicio de Jovita sobre todo esto, te aseguro que Jovita no emite juicios. Privilegios de la majadería.

— Es ya tarde, ¿verdad, Gregorio?

Gregorio no se movió.

— No, Julia.

La persiana de madera alineaba listones de luz y sombra en el suelo. Los ojos permanecían bajos o fijos en alguna indeterminada parte de la habitación. Leopoldo se había desabrochado la camisa y tenía el nudo de la corbata a la mitad del pecho. Atisbando constantemente la calle, Gregorio susurraba un silbido, audible a veces. Julia encendió un cigarrillo y trató de subir las cortas mangas de su blusa color crema.

145

— Es posible que venga sola o que no venga ninguno.

— ¿Por qué? — dijo Leopoldo.

— Porque Juan se haya ido. Ya os dije que pensaba salir de viaje con un camión.

— Sí, sí — dijo Pedro.

Cuando Leopoldo, con un retráctil y violento salto, se puso en pie, Julia le miró inquieta.

— Hace un calor bestial.

— Id a otra habitación.

— Pero tú... — dijo Julia.

— Yo sigo aquí. Desde los otros cuartos, los balcones no dejan ver la acera.

Pedro se adormiló, la cabeza reclinada en los hombros de Julia. Lo rayos del sol avanzaban en las cortinas ondulantes del humo de los cigarrillos.

Leopoldo regresó, con las mejillas, el cuello y las manos húmedos de agua. Levantó el brazo izquierdo en ángulo recto y dijo:

— Me estoy temiendo una traición de Juan.

— ¿Qué? — murmuró Julia.

— No le hagas caso.

— Le conozco mejor que tú, ¿sabes? No es más que un derrotado, que necesita cometer alguna guarrada de vez en cuando para no hundirse. Una bazofia piojosa.

— ¿Quieres decir que puede habernos mentido? — preguntó Julia.

Pedro alzó los ojos, entrecerrados.

— Sí — respondió Leopoldo. — Nunca debimos darle las tres mil pesetas por adelantado. Eso no lo hubiera hecho Jacinto. Jacinto hubiera exigido alguna garantía.

— No estábamos — objetó precipitadamente Gregorio — en condiciones de exigir.

— Lo peor será volver a buscar a alguien — dijo Pedro.

— ¡Pues se busca! Nosotros no estamos derrotados, ni dispuestos a ceder a la estúpida sociedad en que vivimos.

— Darío... — comenzó Julia.

Con un enérgico manoteo, Leopoldo se dirigió a ella, interrumpiéndola. La camisa se escurría fuera del pantalón y la corbata oscilaba irregularmente.

— Darío es un memo satisfecho de sus propias convicciones.

146

Un intolerante — aspiró el aire con fuerza. — Y Juan un resentido.

Gregorio atravesó la habitación y se detuvo junto a ellos.

— Tonterías. En plena digestión y con este calor, los nervios os pueden.

—Tú no te inquietes, Julia.

— ¿Le crees capaz — Pedro hablaba a Leopoldo — de denunciarnos?

— ¿A la policía?

— Naturalmente que a la policía. Que les telefonee y nos cojan aquí.

— ¡¡Maldito hijo de perra!! Voy a buscarle y a hacer lo que debíamos haber hecho desde un principio. ¡Le voy a patear la boca, hasta que le salten los dientes!

— No te inquietes — repitió Gregorio. — Y vosotros dejad de atemorizar a Julia.

Después de un largo silencio, Pedro, aliviado, descubrió:

— La policía no nos podría detener. No estamos haciendo nada. Aún no. Y más tarde, ellos estarán también complicados. Tiene razón, Leopoldo; Gregorio tiene razón.

En el gran declive que formaba el parque del Oeste, los colores de la hierba, de los bancos de piedra y de los árboles destacaban con nitidez, despeñados. A partir de la línea gris de contornos indefinidos, la otra ladera del valle ascendía en una borrosa y cambiante tonalidad. La amplia calzada y las aceras continuaban casi desiertas. La luz, espesa y crujiente, enceguecía o deslumbraba, según las distancias.

Gregorio escuchaba a Pedro y las interjecciones de Leopoldo. La casa vacía olía a barniz y pintura, a madera asoleada. Cuando se separó de la ventana, Julia salía de la habitación.

— No os torturéis con bobas suposiciones — les aconsejó.

— Y ¿qué quieres que hagamos ahora?

— Esperar.

Volvía el silencio. Los árboles, muy frondosos, invisibilizaban algunos trozos de acera. Oyó que Julia abría y cerraba puertas. Distribuía mentalmente muebles imaginarios, esperando, al tiempo, que una desconocida llegase a investigar su cuerpo. También era posible que no esperase, o que no lo hiciese de una manera constante, tensa, anhelante, como ellos.

Cada vez que alguno miraba el reloj, celebraba más haber

convencido a Leopoldo de no traer unas botellas. Dentro de unos meses, la habitación estaría amueblada, con los radiadores calientes y la lluvia en los vidrios de la ventana, y él habría olvidado aquella espera o la recordaría simplemente. A su espalda, persistía el desasosiego.

— Un simple retraso no significa nada — estaban mirándole.
— Nada —. Sin alterar la postura, ordenó: — Pedro, busca a Julia.

Primero, había visto la cabeza de Juan, después le reconoció por la forma de andar. Simultáneamente, había percibido el vestido amarillo, los brazos desnudos y algo insólito, que en aquellos fugaces instantes no supo definir.

En el vestíbulo, Pedro y Leopoldo aguardaban indecisos.
— No encuentro a Julia — dijo Pedro.

Se dirigió al pasillo y gritó:
— ¡Julia!

El taconeo de Julia, al correr, retumbó en la casa vacía. Cuando Julia llegó, el ascensor subía ya.

— Viene ella también. Tú, Pedro, métete donde sea. Tú, Julia, ahí enfrente. Hay una bombilla puesta. Y no tengas miedo.

Julia entró en la habitación, cerrando la puerta
— Yo — dijo Leopoldo — no quiero verlos.

Sonó el chasquido del ascensor. Gregorio dejó de mirar a Leopoldo.
— Vete con Pedro. De prisa.

Desaparecieron por el pasillo de la izquierda y Gregorio esperó, una vez que el timbre hubo sonado, con la mirada fija en la puerta de la habitación de Julia. Abrió. Al instante, observó que ella, a pesar de que parecía joven, tenía los cabellos blancos.

— Buenas tardes — dijo la mujer.
— Buenas tardes —. Gregorio cerró la puerta. — Hola, Juan.

Juan le estrechó la mano. El humo de los cigarrillos permanecía estancado y olía a la loción de afeitar de Leopoldo.
— Ha de perdonar el retraso.
— No tiene importancia.

De unos treinta y ocho años, calculó Gregorio. Sus cabellos canosos, peinados en un moño alto, contrastaban con la juventud de su piel y de su cuerpo, de una incipiente obesidad. Las piernas, sin medias, algo cortas, acababan en unos pies con las uñas pintadas de rojo y unos breves zapatos azules.

— Insinuamos al portero que veníamos de una casa de decoración — explicó.

La voz destruía el aspecto de ramera de su cuerpo y de su maquillaje. Gregorio la intuyó molesta por su observación insistente.

— Mejor así.

— ¿Es usted el novio de la señorita?

— No.

— No — dijo Juan a la vez. — Es un amigo. Con el que debemos entendernos.

— Ya — parpadeó. — El análisis ha dado un resultado positivo.

— Comprendo. Ella la espera. Por aquí, haga el favor — la mujer le precedió. — Esto, sin un mueble, queda incómodo.

— No importa.

Golpeó con los nudillos en la puerta y apareció la raya de luz eléctrica en el umbral. Julia se apartó para dejarlos pasar. Gregorio comprobó que el balcón estaba cerrado.

— Traeré el cajón — regresó con él y lo dejó en un rincón. — Si necesitan algo, llamen. Estoy al lado.

— Gracias.

— Verá usted, yo... — la voz de Julia sonó agudísima, falsa.

Juan se había sentado en el suelo y le tendía un cigarrillo. Gregorio se acomodó junto a él.

— Pensé que, a lo mejor, te habías ido de viaje.

— Hasta dentro de diez o doce días, no creo que salga. ¿Estás solo?

Gregorio dudó unos segundos.

— No.

— ¿Leopoldo también?

— Sí.

— Hace calor aquí.

— Mucho. No tengo nada para beber.

— No te preocupes.

— ¿De verdad es médico?

— Sí. Te aseguro que es competente.

— No parece tonta. Y es atractiva.

— ¿Te ha gustado?

— Quizá no le interesan mucho los hombres.

— Normalmente —. Juan sonrió. — Lamento que no puedas dedicarte a ella.

— Claro. Además, parece mayor.

— La edad justa en que la tuya las enloquece.

— Puede ser. ¿Cuándo volverás?

— Lo ignoro.

Las listas de luz formaban ángulo con una de las paredes.

— Anoche vino a decírmelo y me impresionó.

— Julia es fuerte.

— No, no me impresionó eso.

— ¿Cómo se llama?

— Emilia. Te dejará la dirección.

— ¿Trabaja en algo fijo?

— No puede ejercer. Ya te lo dije.

— ¿Es seguro el lugar y la gente que la ayuda?

— Vive de ello.

— Ya.

— A ti te van a estropear ésos, Gregorio.

— No sé qué pueden estropearme.

— Te van a estropear, porque tú no eres como ellos.

— A lo mejor — bromeó — dentro de unos años, me voy donde tú estás.

— A lo mejor — sonrió Juan.

— Aprendería mecánica y podríamos formar sociedad.

— Eso sería bueno — aspiró hondamente del cigarrillo. — Allí también estropean.

Apretando las manos contra la pared, se levantó, al oir la llamada de Julia. Atravesó el vestíbulo, atisbó por el pasillo de la izquierda y empujó la puerta entornada. Julia, el torso en escorzo, abrochaba unos corchetes de su falda.

— Ya hemos terminado — dijo Emilia y, al erguirse Julia, se aproximó a ella y le puso una mano en la cintura. — Créame que será muy diferente de lo que usted imagina. Infinitamente menos doloroso. Y sin peligro. No hay peligro de ningún género. Hoy día con los antibióticos, hasta las complicaciones posteriores carecen de importancia. ¿Me promete estar tranquila?

— Sí.

— Vamos, si usted quiere — propuso Gregorio.

— Bien. Le anotaré unas instrucciones.

Descubrió a Leopoldo y a Pedro; Juan, a juzgar por las posiciones de ellos dos, debía de continuar sentado. Decidió no detenerse. Emilia le seguía, a pasos rápidos y cortos.

— En la cocina — sostuvo la puerta batiente — nos podremos sentar, al menos. ¿Quiere lavarse? — le indicó un cuarto contiguo. — Hay jabón y una toalla limpia.

— Gracias.

Gregorio, sobre una de las mesas fijas, esperó. Oyó sonar el agua y, cuando Emilia volvió, fue a saltar al suelo.

— Siga, por favor — con un suave impulso, ella quedó sentada; arregló el borde de la falda sobre sus rodillas.

— ¿Qué impresión ha sacado?

— Es una muchacha muy sana. De todos modos, como puede usted suponer, resultará más doloroso de lo que a ella le he dicho. Los dolores no importan. Le indicaré algunos calmantes.

— ¿Reposo?

— Tres, cuatro días. A ella ya le he hablado de la alimentación. Si sobreviniese alguna complicación...

— ¿Hemorragia?

— Sí. O fiebre. Avísenme, siempre que sean frecuentes o las temperaturas elevadas persistan. Sólo en ese caso, porque lo demás, incluídos fuertes dolores, no indicará peligro.

Gregorio dejó de observarla. La mujer escribió en un bloc, apoyado en sus piernas, durante un largo tiempo. Gregorio fingió ensimismamiento; contenía, segundo a segundo, el sobresalto que le producía saber a Leopoldo y Pedro con Juan. Emilia arrancó la hoja de papel.

— Aquí tiene. ¿Cuándo desean ustedes que se realice la intervención?

— ¿Cuándo? Cuanto antes, ¿no?

— Entonces, ¿mañana?

— Mañana es jueves — dijo tontamente. — Sí, mañana — la mujer saltó de la mesa. — Alguien tiene que decidirlo.

— No sucederá nada desagradable. A los muchachos de su edad les enseñan en la Facultad de Medicina que, al año, se efectúan en el país unas cincuenta mil operaciones de esta clase. Y reconocen que sus estadísticas se quedan cortas. Olvide todo lo que haya podido leer. Ni las Facultades de Medicina ni los periódicos son partidarios, ¿comprende?

— Sí — resbaló los dedos por la frente. — ¿A qué hora?

— A las nueve de la mañana.

— De acuerdo — leyó, antes de guardársela, la hoja de las indicaciones. — ¿Es preciso que no suba nadie con ella?

Muy conveniente. Por favor, no tome iniciativas por su cuenta.

— Acepte esto — acabó de sacar los billetes del bolsillo.

— Ya le dije a Juan, que cobraría después.

— No es un anticipo —. La mujer se turbó. — Por el reconocimiento de esta tarde.

— Gracias.

Mientras Emilia esperaba en el vestíbulo, Gregorio fue a avisar a Juan. Leopoldo paseaba de un extremo a otro y Juan salió, en silencio. Volvió a estrecharle la mano a Gregorio, antes de que éste abriese la puerta a la escalera.

— Hasta mañana — se despidió Emilia.

— ¿Qué?

— Bien, hombre. Todo bien. Mañana.

— ¿Mañana?

— Sí, a las nueve —. Llamó en la puerta. — ¿Qué os habéis dicho Juan y tú?

— Me he visto obligado a la mayor contención de nervios de toda mi vida — casi gritó. — Su nuevo aire ascético le hace más estúpido de lo que es —. Pedro abrió la puerta y entraron los dos. — No le he dirigido la palabra, como es natural. Me he limitado a enunciar de la manera más impersonal posible, que un tipo que se viste de marrón, según he leído en alguna parte, no puede volver a ser elegante en su vida.

Julia, que estaba sentada en el cajón, rio.

— Y ¿qué ha replicado él?

— ¡¿Él?! Ha sonreído con la misma displicencia con que lo hubiese hecho un santón de la India al que se acabase de preguntar por qué, siendo un hombre del siglo veinte, no se lavaba. Bueno, vámonos.

— Es mejor esperar unos minutos — advirtió Gregorio.

— Además, tengo que borrar las huellas.

Pedro le abrazó por los hombros.

— Te estás portando, Gregorio.

Abrió la ventana, envolvió la toalla y el jabón y cerró la llave reguladora del agua. La mujer llevaba en el bolso unos guantes de goma, según vislumbró al guardar ella los billetes. Ahora, en el extremo de la longitud desolada del pasillo, ni los guantes, ni el dinero, ni sus cabellos blancos o las rojas uñas de sus pies, tenían realidad. Mientras cerraba la ventana — continuaban el humo y los aromas — rememoró el rostro de Meyes.

Le esperaban en el rellano de la escalera.

— A las nueve, ¿no, Gregorio?

— Sí. Creo que hemos tenido suerte. La mujer vale.

— O sea — Pedro besó la boca de Julia — que era verdad.

— ¿Habéis pensado ya cómo iremos? — preguntó Julia.

— Yo he planeado hasta el detalle más imprevisto — dijo Leopoldo.

En Rosales el aire era denso, caliente. Subieron al automóvil de Pedro y Gregorio descansó la cabeza contra el respaldo del asiento. Se secó el sudor y cerró los ojos. Ellos tres, en el asiento delantero, discutían algo. Por la ventanilla abierta penetraba un viento pegajoso. Una curva pronunciada. Un descenso muy largo. Otra curva. Entonces, suavemente, el automóvil se detuvo.

El sol iluminaba los prados y los caminos de arena. Entre los árboles vio el agua, en sombra, de un gran estanque. Numerosos niños gritaban jugando. Las mesas blancas y verdes formaban unas rectas a uno y otro lado del tenderete, flanqueado de llamativos anuncios de bebidas refrescantes.

— Cincuenta mil — murmuró, al abrir la portezuela, y, luego, en voz alta: — ¿Esto qué es?

Por el sendero, donde se alineaban las mesas, caminaban, uno detrás de otro, ellos tres. Pedro, que era el último, giró el cuello y dijo:

— La Casa de Campo.

Vio a Jovita y, de nuevo, retrocedió la mirada a Pedro. Sobre un hombro, la espalda de Julia avanzaba rápidamente hacia Isabel. Se abrazaron y se besaron en las mejillas. Leopoldo se unió a ellas y Jovita interrogaba a Julia. Pedro arrastró una silla, hollando unas líneas en la arena.

153

Cuando llegó, ellos ya estaban sentados. Ninguno cesó de hablar y él dijo:

— Hola.

— Isabel es de confianza — le secreteó Leopoldo — y, por otra parte, casi lo sabía ya. Oye, Isa, si hubieses visto a Juan con un traje...

Le dominó un repentino deseo de transmitirles el miedo, que se le apretaba en el estómago a bocanadas asfixiantes.

— ¿Quién va a acompañarte? — preguntaba Isabel a Julia.

La tarde estaba madura, crujiente en sus descarnados perfiles. Cincuenta mil. El miedo se regularizó. Cincuenta mil. El miedo, ahora, le razonaba la conveniencia de no dilapidarlo.

—Yo — dijo Leopoldo.

16

Gregorio volvió la página del diario. Isabel no había sido muy explícita la noche anterior. Se prometió averiguar a cambio de qué secreto de Leopoldo, ella supo lo de Julia. Después de comer, se iría al dormitorio de Leopoldo y establecería claridad en tanta y tanta vaguedad como estaban creando unos y otros. Gregorio rompió unos milímetros de la hoja. Siete personas, sin contar a Julia y las que ayudasen a Emilia, sabían. Gregorio volvió la página. La ira le hizo temblar, reconstruyendo las incidencias de aquella difusión. Retiró el pie, que inútilmente apretaba el pedal del freno, dejó el periódico sobre el asiento y encendió un cigarrillo.

La casa contigua estaba en construcción y algunos albañiles trabajaban en los andamios. Los tranvías, al pasar en ambas direcciones, ocultaban el portal. A unos metros y en la misma acera — por tanto, en la de enfrente — empezaban los puestos del mercado. Allí se espesaba en una compacta coloración la individualidad de los transeúntes. En la calle era continuo el ruido de los vehículos, principalmente el chirrido de los tranvías.

Aseguró el freno de mano. El cigarrillo le resecaba el paladar. Gregorio sonrió y volvió a coger el diario, abriéndolo sobre el volante.

Pequeñas nubes, redondas y muy blancas, moteaban el cielo. La pendiente de la calle, llena de movimiento, descendía en ángulo con la alta luz del horizonte. Una cabria elevaba un serón de tierra; el hombre avanzó un pie fuera del andamio y atrajo la carga. Los gritos del mercado, a veces, se distinguían nítidos, agrios. Los dos policías armados caminaban cuesta arriba, como hacia el automóvil. Instintivamente miró la casa. En el centro de la fachada y de arriba abajo, brillaban los cristales de los miradores; a ambos lados de cada mirador, la escayola, que orlaba las ventanas, se indistinguía a trechos con el ocre de los ladrillos. Una de las ventanas del piso tercero estaba cerrada. Antes de media hora el sol alcanzaría aquella parte de la fachada.

Todo le pareció grotesco. El continuo juego cauteloso, la febril astucia de los últimos días se tiñeron de un sentido ridículo e impersonalizado. A Julia — trató de disipar aquella sensación de abandono — le producían en aquellos momentos dolor físico. Los albañiles se movían en la casa en construcción. Del portal de enfrente, bajo la línea de los miradores, Julia saldría y podría caer muerta o desangrada o desvanecida, cuando él estuviese a su lado, o desvanecerse, desangrarse o morir en el automóvil. Él tendría que actuar entonces. En sus presagios perseveraba la apasionada vaciedad de un sueño mal recordado. Gregorio, con las manos agarrotadas al volante, el cuerpo laxo y resbalando por el asiento, bostezó.

Dio unos pasos por la acera y entró en un bar, que estaba solitario y del que salió al instante, reafirmando su propósito de no abandonar el coche. No obstante, continuó paseando. Resultaba excitante, en cierto sentido, aquella rebelión contra sí mismo. Un hombre es un ser libre en cualquier circunstancia. En un andamio, dentro de un uniforme gris y unas polainas negras, sobre una cama de operaciones, siempre libre, esclavizado siempre a su libertad. Cuando, de nuevo, se sentó en el automóvil de Isabel, se hallaba fatigado.

La ventana cerrada del piso tercero recibía ya el sol. Sonrió. Era verano en la luz fuerte, en los olores, en el aire espeso, en la promesa del tiempo incierto, en la tensa actividad de la esperanza. Cogió el periódico y, silbando, leyó algunos artículos.

El humo del cigarrillo contra el parabrisas iniciaba su perspectiva. Luego, el espejeante capó y, a su final, el gris de los adoquines. O la casa en construcción, el mercado, los tranvías y, al fondo, las nubes pequeñas en lo azul; entre una y otra ojeada, el portal, por el que no entraban ni salían muchas personas. Gregorio acariciaba las palancas de los mandos, el siento, las manijas de las portezuelas, balanceaba las llaves de contacto, fumaba. También ellos aguardaban en una soledad semejante a la suya. Isabel y Jovita estarían ya transformándose mutuamente la impaciencia en inquietud. Faltaban unos minutos para el mediodía. A Gregorio le miraron, sonrientes y cuchicheando, dos muchachas; les gesticuló y ellas mantuvieron sus sonrisas incitantes.

El juego de las suposiciones y la inacabable ensoñación giraban sobre sí mismos, tornillos sin fin, atosigantes, monótonos. Los albañiles, con los pies en el vacío, comían de sus tarteras. Gregorio descruzó las piernas en un trabajoso cambio de postura.

Julia y la mujer debían de haber permanecido algo de tiempo en el portal, esperando que él las descubriese. Gregorio oteó a uno y otro lado y, hacia la mitad de la calzada, serenó sus pasos.

La mujer, inmóvil junto a Julia, era vieja y llevaba un largo mandil grasiento sobre un vestido negro. Alzó los ojos del suelo unos metros antes de que él llegase. Julia consiguió sonreír.

— Buenos días — dijo la mujer.

— ¿Bien?

— Entre conmigo — y añadió: — Es un momento y la señorita puede quedarse sola.

Julia osciló la cabeza y Gregorio penetró en la penumbra.

— Aquí — al fondo, brillaba una puerta de cristales. — Cinco mil, ya sabe.

Las manos de la vieja tropezaron con las suyas. Gregorio desanduvo velozmente el portal y tomó a Julia del brazo. Los dientes de Julia resbalaban casi constantemente por su labio inferior.

— ¿Qué tal vas?

Julia replicó con un frucimiento de la frente. Caminaban despacio y esperaron a que la calle estuviera libre de tráfico, para cruzar.

— Entonces, ¿no ha habido complicaciones?

— Ha tardado mucho.

Gregorio, sin soltar a Julia, abrió una de las portezuelas traseras.

— Mejor, delante.

— Podrás tenderte atrás.

— No. Delante.

— ¿Duele?

— Ya ni lo siento.

Estúpidamente había dejado puestas las llaves en el contacto.

— Iré despacio. Dentro de unos minutos estarás cómodamente en tu cama.

Cambió la dirección de la marcha y aceleró cuesta arriba. Los pequeños saltos de las ruedas sobre el pavimento le hicieron disminuir la velocidad. Julia se mantenía erguida, sin descansar en el respaldo, con los ojos semicerrados. Se mordía, ya sin contención, el labio inferior, grueso, brillante de saliva y pintura. Sus manos, sobre el halda, estaban muy blancas.

— ¿Quieres que vaya más despacio?

Ella no contestó. Las luces rojas les paraban desesperantes minutos, durante los cuales Gregorio observaba a los ocupantes de los otros vehículos. Le ofreció un cigarrillo, que ella rechazó con un aleteo de la mano.

La calzada amplia y sin baches le permitió aumentar la velocidad, al atravesar el Retiro.

— Gregorio...

— ¿Qué es ello?

— He pasado un rato malísimo.

— Bien; ahora ya puedes olvidarlo. Un calmante y a dormir. Cuando te despiertes, estarás nueva.

— Estarías inquieto, tardando tanto.

— ¿No te encontrarías mejor apoyada? Échate sobre mí.

— No sé, no sé.

Julia tardó en moverse. Marchaban otra vez por las calles, cuando su hombro le transmitió el peso del cuerpo. Gregorio le acarició una mano.

— Eres valiente.

Nuevamente, la sensación de irrealidad que le poseyó durante la espera le hundía en una confusión anonadante.

— Dobla por la primera a la derecha — dijo Julia.

— Ah.

— Todo seguido.

Condujo desorientado, hasta que reconoció las calles.

— Ella ¿te ha dicho que todo ha salido bien?

— Sí.

— Para decírselo a Pedro.

— No olvides telefonear a Pedro.

— Descuida.

Isabel y Jovita estaban sentadas a una de las mesas del bar Gregorio esperó frente al portal de Julia; ésta parecía dormitar. Al llegar Jovita e Isabel, abrió la portezuela y ayudaron a descender a Julia. En el ascensor aspiró ansiosamente los perfumes de ellas. Sostuvo a Julia por la cintura.

— Un esfuerzo, Julia. Y vosotras, tranquilas, que no se alarme la chica — ellas asintieron y él pulsó el timbre.

La criada corrió a preparar el dormitorio. Luego, Julia la mandó a la farmacia y Jovita e Isabel acompañaron a Julia a su habitación. Gregorio, con el rostro vuelto al ventanal, se sentó junto al teléfono.

— Sin complicaciones. Perfectamente.

— ¿Seguro? ¿Cómo se encuentra?

— Con unos ligeros dolores. Nada de importancia. Ya puedes venir. ¿Tardarás mucho?

— ¿Desde dónde me llamas?

— Desde aquí, hombre, desde casa de Julia.

— Ya, ya. Dila que se ponga.

— Verás, Julia no se encontraba bien levantada y se ha metido en la cama.

— Pero ¿qué pasa?

— Nada.

— Gregorio, la línea no va a estar vigilada, ni tonterías de esas. Dímelo claro, ¿está mal?

— No, no lo está —. Isabel entró y se quedó quieta, mirándole; Gregorio procuró disimular la fatiga. — Si te digo que vengas rápido, es porque imagino que querrás verla cuanto antes.

158

— Ahora mismo voy. No la dejéis sola.

— No, claro.

Isabel, en silencio, anduvo por la habitación, colocando una mano sobre algún mueble, moviendo un cenicero, perdiendo la mirada en el vacío. Jovita salió a abrir a la criada, al mismo tiempo que Isabel. Oyó hablar a las mujeres. Isabel regresó y él le preguntó si Julia se había acostado ya.

— Sí. Parece que le duele menos.

— Voy a verla.

Julia vestía un pijama blanco de raso. Jovita le recogía el pelo y ella abrió los ojos.

— Ya va pasando — dijo. — Tengo como sueño.

Gregorio inspeccionó las medicinas que Emilia había recetado. Junto a los frascos y a los analgésicos, estaba el pañuelo que Julia había traído al cuello. Cuchicheaban. Julia, con una voz repentinamente normal, tranquilizó a la criada.

— Pedro viene en seguida.

— Yo también me voy contigo, Gregorio. Como y me vuelvo aquí, para que Jovita — Jovita entornaba el balcón — pueda ir a su casa. A Julia le conviene dormir.

Dejó de deslizar entre sus dedos la seda del pañuelo de Julia y se aproximó a la cama. Julia retuvo su mano, sin mirarle, mientras hablaba con Jovita y se despedía de Isabel. Cuando giró los ojos hacia él, dijo:

— Descansa tú también, Gregorio — las manos unidas se humedecían con el sudor.

La criada les acompañó a la puerta. Al subir al automóvil, Gregorio comprobó que, otra vez, había olvidado las llaves en el contacto.

— Conseguiré que te roben el automóvil. Estoy idiota.

Isabel sonrió, distraída. Se detuvieron en un bar. Isabel parecía complacerse en su mutismo. Ella condujo hasta casa de Leopoldo. Después de frenar, apagó el motor; Gregorio le ofreció un cigarrillo.

Las nubes de la mañana habían desaparecido. En el vaho caluroso, el humo del tabaco se estancaba en guedejas. Gregorio apretó las piernas y ladeó la cabeza contra la ventanilla.

— Tengo miedo — dijo Isabel.

—No tienes por qué.

— Cuando he visto a Julia, me he dado cuenta que esto es terrible.

— ¿Ahora?

— Sí. Tú también tienes miedo. Pero tú te lo aguantas. Tú estás pendiente de lo que suceda. Así estaba yo esta mañana, hasta que habéis llegado. Pero... Si se descubre, ¿qué puede pasar?

— Nadie descubrirá nada.

— ¿Y si a ella le sucede algo? Es espantoso.

Se retrepó en el asiento, dobló una mano sobre la mandíbula inferior de Isabel y oprimió sus mejillas con las puntas de los dedos. Isabel amansó la expresión en una sumisión acobardada.

— Todos los días se hacen cosas así. Cientos de cosas así. Piensa luego en ello, si quieres. Cuando lo de Julia haya pasado. Más tarde. Pero ahora no. Ahora, vete a casa, come, miente continuamente, vuelve con Julia y no olvides que todos nosotros estamos unidos. Piensa en lo otro después y pártele la cara a Leopoldo por habértelo dicho.

Retiró su mano con brusquedad y abrió la portezuela. Con un pie en el bordillo se detuvo, al oír a Isabel.

— No regañes con Leopoldo. Es mejor que me lo dijese.

— ¿Por qué?

— Podré hacer algo útil. Además, le obligué. Un chantage casi. Yo no difundía por ahí una historia suya y él... No peleéis, por favor.

— Anda, Isabel, maja, no te preocupes.

El aire del portal estaba frío, pero, a medida que ascendía, Gregorio rencontraba la opresión cálida y pegajosa. Felicidad le comunicó que Adela no comía en casa. Despertó a Leopoldo.

— Son ya las dos.

Leopoldo saltó de la cama y Gregorio le siguió al cuarto de baño. Le acosó a preguntas, obligándole a un minucioso relato, con frecuentes interrupciones para precisar. Mientras Leopoldo se afeitaba, Gregorio tomó una ducha. El agua, tibia, tras un momentáneo alivio, le produjo embotamiento y sueño. Vestidos únicamente con los albornoces, se sentaron a la mesa. Felicidad protestó, augurándoles un corte de digestión o un enfriamiento. Salvo los momentos en que Carmen les servía, Leopoldo prosiguió con sus preguntas.

— ¿Nadie os vio?

— Bueno, vernos... —. Gregorio se sirvió un vaso de vino. — No tuvimos ningún tropiezo. La mujeruca la acompañó hasta abajo y yo la llevé al coche. Le dolía fuerte, pero aguantaba que daba gusto. La acostaron entre Isabel y Jovita.

— ¿Y la criada?

— La mandó a comprar aspirina. Dijo que tenía un cólico. Se sobrentendía que eran sus cosas.

— ¿No sugirió llamar al médico?

— ¿Quién?

— La criada.

— No.

— ¿Te dio detalles Julia?

— No.

— ¿Por qué no esperasteis a Pedro?

— Se quedaba Jovita. Julia iba a dormirse. No es ya sólo el dolor, compréndelo, es el "shock". Estaba derrengada.

— Pues en buenas manos la dejasteis.

— Jovita vale. Ha comprendido mejor que Isabel. Actúa sin titubeos.

— ¿Qué le pasa a Isabel?

— Nervios.

— ¡Coño, nervios! Vamos a tener que estar uno de nosotros allí, permanentemente. No se puede confiar en mujeres. Nervios.

— Pedro pasará la tarde con Julia.

— Y le da sensiblera y se aturulla.

— ¿Vas a ir?

— ¡Naturalmente, que voy a ir! Ahora mismo. Tú, a dormir. Ya advertiré que no te molesten.

— Luego, me acercaré por allí.

— No comes nada. ¿No te gusta la comida? Que te hagan otra cosa.

— No tengo apetito — volvió a servirse vino.

— ¿Ha aparecido Juan?

— ¿Juan? ¿Por qué iba a aparecer?

— Qué sé yo. Para husmear el asunto, para jeringar.

— No, no. Juan me dijo que ya no quería saber nada de lo de Julia.

— Tiene mala uva y ahora que vive entre económicamente

débiles de ésos, puede ocurrírsele sacarnos más dinero. Cuando era un intelectual con sus posibilidades financieras y todo, la mala uva se le transformaba en sarcasmo —. Gregorio sonrió.

— Ha cambiado mucho Juan.

— ¿En qué sentido?

— Nunca fue un reconcentrado.

— No te entiendo.

Leopoldo desprendía lentamente la cáscara de la naranja.

— Uno de esos tipos silenciosos, como derrotados, de los que te puedes esperar cualquier cosa. Que quemen iglesias o se echen a llorar. Además, parece un pobre. Se lo noté en los gestos. Estuvo a punto de levantarse del suelo, cuando entré. Estaba sentado en el suelo y me di cuenta de que se contuvo para no levantarse. Me miraba como a un señorito. Y avergonzado, porque él también ha sido un señorito. Venía aquí casi todos los días. Por su casa íbamos poco; últimamente, sólo yo. Un ambiente siniestro. Ya sabes, muebles viejos, silencio, limpieza. Venía por aquí y se ponía a hablar de lo que acababa de leer o de lo que pensaba hacer. Nunca le gustaron mucho las mujeres. Tenía vida, energía y fuerza. Y mala uva. Para que digan, que no es importante el dinero. Ahí tienes, un tío al que la falta de dinero ha anulado para siempre.

— Quizá nosotros — dijo Gregorio —, sin dinero, también habríamos sido así.

— ¿Nosotros?

Leopoldo empujó la silla hacia atrás, separándose de la mesa, y permaneció perplejo.

— Nosotros, no — afirmó en voz muy baja. — Esas cosas vienen de lejos, se heredan. Son necesarias unas cuantas generaciones de miserables y, luego, sale uno como Juan, a punto de arrancarse la miseria, pero sin todas las condiciones precisas. Está en el borde durante un cierto tiempo y vuelve a caer del lado desde donde subió — se puso en pie. — Bueno, dedícate a dormir. Hace tiempo que no me hablas de Lupe.

— Hace tiempo que no la veo.

— A ésas hay que dedicarse intensivamente, al principio. Pero hay miles de ellas.

Gregorio vació el vaso. El mantel, las migas, los platos, los cubiertos sucios. Alcanzó la botella de cristal labrado y se sirvió más vino. Leopoldo pidió una camisa. Carmen corrió por el pasillo, al tiempo que respondía algo a Felicidad. Gregorio apoyó los antebrazos en el borde de la mesa, la mirada perdida en la pared, los puños semicerrados.

En su dormitorio cambió el albornoz por un batín. Se acomodó en la sala y Felicidad le trajo café y coñac. Bebía lentamente, adormecido, cuando Leopoldo entró a despedirse; con un traje nuevo, irradiaba una elástica alegría.

— Estarías mejor acostado. Te vas a quedar dormido en el butacón.

— En cuanto tome un poco de coñac... — levantó la copa ventruda, el corto tallo entre el anular y el corazón, como si brindase. — No dejes de telefonear, si hago falta o sucede cualquier cosa.

— Está bien.

— Oye, ese Juan, el que fue novio de Isabel, ¿a qué se dedicaba?

— A nada. Niño aristócrata. Además de las fincas, la boba de Isabel dejó escapar un título. Él valía mucho. Parecido a Jacinto, diga ella ahora lo que quiera. ¿Por qué me lo preguntas?

— Estaba pensando en Julia, en Pedro, en Isabel... No sé por qué. Imaginaba a Isabel casada y a Neca soltera. Tonterías. Anda, vete.

— Siento no poderme quedar charlando. A ver si esta noche nos dejan tranquilos. Te digo que estoy hasta aquí — apuntó un dedo sobre su cabeza — de tanto zascandileo. Adiós.

— Hasta luego.

Oyó a Felicidad, una risa de Carmen, cerrarse la puerta de la escalera, un crujido. El coñac le proporcionó una inesperada lucidez. Por el cuello, la frente y la espalda se le escurría el sudor. Gregorio, quieto en la penumbra, apenas si parpadeaba.

17

Abrió los ojos. En el fondo de la copa quedaban unas gotas de coñac. Gregorio proyectó beber un sorbo. El silencio era absoluto. Extendió un brazo. Tenía el cuerpo empapado de sudor. Olvidó el coñac y, unos segundos después, volvía a dormirse.

Al despertar por segunda vez, sostenía un fino edredón sobre las piernas. En la habitación había oscurecido. Atisbó la calle, en sombra, y el cielo, fuertemente azul como por la mañana y sin nubes.

En la cocina canturreaba Carmen. Telefoneó a casa de Julia y aclaró la voz, al oír la de Pedro.

— ¿Cómo va?

— Bien, bien — parecía apremiado. — Despertó hace un rato.

— ¿No tiene dolores?

— No.

— Me alegro. Oye, ahora iré por ahí.

— Cuando quieras. Hasta ahora.

— Adiós.

Gregorio se entretuvo bajo la ducha. Estaba ya anudándose el batín, cuando Carmen golpeó la puerta del cuarto de baño.

— Un momento.

Carmen le esperaba en el pasillo.

— ¿Quiere usted merendar?

Gregorio denegó con la cabeza y vio que no llevaba el uniforme.

— ¿No está Felicidad?

El vestido, de colores rotundos, la rejuvenecía. Gregorio sonrió.

— Ha salido.

— Y usted, Carmen, va a salir.

— Sí, pero puedo prepararle algo.

— No, no.

— Hasta las siete no me voy.

— Además, sólo tomo pan y chocolate a estas horas.

— La señora vino, pero salió otra vez. No quiso que le despertase Felicidad.

— Dése prisa a acabar de ponerse guapa, si no quiere hacer esperar a su novio.

— ¡Que espere! Y, sobre todo, que a él le gusto de todas maneras.

— Es que de todas maneras está usted bien.

Carmen se alejó, riendo. Gregorio, después de buscar un

164

paquete de cigarrillos, abrió unos centímetros las maderas de los balcones del despacho. Eran las seis y media. Carmen, que había cambiado sus zapatillas por unos zapatos, taconeaba desde su cuarto a la cocina y de allí al lavabo del servicio. Gregorio aguardó. Carmen se detuvo, al encontrarle en la puerta.

— ¿Quiere algo?

— Sí.

Carmen se aproximó. La sonrisa de Gregorio metamorfoseó la expresión de la muchacha. Junto a la boca, unos finísimos haces de arrugas destacaban más el rojo de los labios.

— Es feo preguntar la edad a una mujer, pero, ¿cuántos años tiene usted, Carmen?

— ¿Para eso me llamaba?

Gregorio cerró su mano derecha sobre el brazo izquierdo de Carmen.

— ¿No quieres decírmelo?

— Uy, ¿por qué no? Veintiséis.

— ¿Tantos? — enarcó las cejas y su mano ascendió hasta el hombro. — ¿Y desde cuándo sois novios?

En el largo silencio, la mirada de ella adquirió un excitante brillo. Gregorio acabó de rodearle la espalda y la atrajo contra el pecho.

— Cinco años — dijo con voz distinta.

— Me alegro de que estemos solos, Carmen.

— Para aprovecharse.

— No. Para poderte ver de cerca.

Carmen rio y él, con los labios entreabiertos, inclinó el rostro.

— Pero — susurró — si yo no le gusto.

Gregorio se detuvo, sorprendido. Ella repitió su sonrisa.

— Me gustas. ¿Por qué no ibas a gustarme?

— Usted es muy joven y no le puede gustar una mujer como yo.

— Calla, bonita.

Carmen tensó los músculos, para disimular su temblor. La obligó a sentarse sobre sus rodillas, en el diván del despacho.

— Esto no está bien, señorito.

— ¿Por qué?

— Por mi novio.

— ¿Nunca le has engañado?

El rostro que estaba junto al suyo, se abatió contra su cuello. Gregorio le acariciaba la espalda, las piernas, le besó en los cabellos, en las mejillas y en la nuca, buscándole la boca.

— Déjeme.

— Tienes tiempo. ¿No podemos hablar un poco?

— Bueno, un poco sí.

— Me gustaste desde el primer día.

— Y usted a mí.

— ¿Sí?

— Gustarme, gustarme, no sé. Me pareció simpático y así. Sí, me gustó. Mucho más que el señorito Leopoldo.

— ¿No te gusta Leopoldo?

— Me gusta usted.

— Pero él es más alto.

— Y usted tiene ojos de buena persona.

Consiguió un desmayado y breve beso. Ella, en un instante, se escapó de sus brazos.

— Me voy. Es tardísimo.

Gregorio la persiguió hasta el dormitorio.

Mientras rehacía el maquillaje, Gregorio, también frente al espejo, le sopló su aliento en un oído. Carmen rio y volvieron a besarse. Gregorio la acompañó hasta el rellano de la escalera.

— Déjame, cariño. De verdad te lo digo. No me hagas llegar tarde.

Eran las siete y unos minutos. Se vistió precipitadamente y llamó a casa de Julia.

— Oye, Isabel, ¿cómo se encuentra?

— Bien. Amodorrada. ¿Vas a venir?

— Dentro de una hora, aproximadamente. Hasta luego.

— Hasta luego, Gregorio.

— Ah, oye — fingió recordar —, ¿está Jovita por ahí?

— Sí, espera.

Jovita llegó en seguida al teléfono.

— He pensado que estarás aburrida.

— ¿Aburrida?

— Cállate. ¿Te están oyendo?

— No. Pero ¿qué es lo que quieres?

— Podíamos salir tú y yo. Dar una vuelta. En todo caso,

acercarnos donde mis tíos. Me apetece estar contigo, ¿comprendes?

— Sí, claro que sí.

— Bueno, pues entonces... Un momento solo. Luego, volvemos a casa de Julia.

— Verás, también me apetece, pero esta tarde prefiero quedarme aquí. No te enfadas, ¿verdad? Estaría intranquila. La pobre Julia... ¿No te enfadas?

— No, de ninguna manera. Ahora nos veremos.

— Pedro quiere organizar un mus.

— En cuanto me duche y me vista, voy. Adiós, Jovita.

— Eres un sol, Gregorio. No tardes.

Indeciso, con los dedos abiertos sobre el teléfono, estuvo pendiente de los ruidos de la calle. Al fin, se decidió a salir.

La noche cercana no refrescaba la atmósfera. Tardó en encontrar un taxi que le llevase a la cafetería de Lupe. Gregorio se situó al final de la barra y se decidió a preguntar. A las ocho y media Lupe empezaría su turno. Pidió un "sandwich" y una botella de "coca-cola".

Aplazaba la decisión de esperar a Lupe, mientras comía. Luego, fumó lentamente, distraído por las conversaciones o en alguna mujer. Hasta una hora después de la llegada de Lupe, continuaría aquel público de parejas de novios humildes y viejas señoras. A la salida de los cines, estarían ya encendidos los anuncios luminosos, las conversaciones serían más vivaces y sonaría la coctelera. Ahora olía a café con leche, a serrín mojado, casi a saliva.

Pero si se bajaba del taburete, irremediablemente habría de ir a casa de Julia y empezar de nuevo. Golpeó la brasa del cigarrillo contra la loza blanca del plato. Carmen, un día u otro, acabaría por tutearle delante de Adela o de Felicidad. La mujer encargada de los lavabos le saludó sonriente, con su limpio delantal y su joroba.

— Buenas tardes, señorito.

— Hola, buenas tardes.

Encendió otro cigarrillo y pagó la cuenta. Julia y los demás continuaban. Se puso en pie, retocó el nudo de la corbata, hizo un gesto de despedida a la jorobada y salió a la calle.

El sol aún se agarraba a las últimas líneas de los edificios.

Gregorio se demoró ante el escaparate de una librería. En octubre empezaría el curso. Isabel posiblemente no saldría durante el verano de Madrid. Como si aplastase su propia pereza, remprendió el camino a paso rápido.

Un trolebús le dejó en las cercanías de casa de Julia. El automóvil de Pedro estaba aparcado detrás del de Isabel, en una calle próxima. No esperó el ascensor y subió los escalones de dos en dos. La doncella le abrió la puerta.

— ¿Cómo está la señorita?

— Mejor. No parece nada de cuidado.

— Me alegro.

— No ha querido que avise a sus padres.

— ¿Para qué? No tiene importancia y se alarmarían.

— Eso también he pensado yo. En la sala están los señoritos.

Pedro dormitaba y se levantó para abrazarle. Leopoldo comía un bocadillo de chorizo.

— El problema consiste en quién se va a quedar con Julia esta noche. Será mejor una de las chicas — Leopoldo, en mangas de camisa, se sentó cerca de ellos sin dejar de hablar, ni comer —, Isabel. Pero ¿cómo se justifica Isabel?

— Neca — respondió Gregorio.

— Hombre, pueden sospechar en su casa.

— Mira — explicó Gregorio, como si expusiera algo muy meditado —, Isabel y nosotros quedamos en pasar este fin de semana en la Sierra. Se iba a salir el sábado por la noche, o al mediodía. Pues bien, que Isabel diga que se marcha hoy.

— ¿Y si llaman de su casa a casa de Neca? Hasta pasado mañana queda mucho tiempo — objetó Pedro.

— No es probable. Lo peligroso es que Neca telefonee a Isabel. Pero puede adelantarse Isabel y llamarla con frecuencia. Existe un riesgo; ahora bien, en el peor de los casos, todo podría parecer una borrachera de Isabel. Así ella puede quedarse con Julia hasta el sábado.

— De acuerdo — dijo Pedro. — Voy a ver qué le parece.

— Y el sábado — dijo Leopoldo — tenemos que salir todos para la Sierra.

— Sí — dijo Gregorio. — Pero Julia no podrá.

— Exacto. Alguien tiene que acompañarla.

— Pedro, naturalmente.

— Puede resultar sospechoso.

— ¿Sospechoso? Es su novio.

— Por eso mismo. Sería preferible que nos quedásemos tú o yo.

— ¿Y cómo se disculpa la ausencia de Julia? — dijo Gregorio.

Discutieron las posibles soluciones y, por fin, decidieron que Gregorio permaneciese en Madrid, al cuidado de Julia, y que de ésta se diría que se hallaba indispuesta y que, además, necesitaba recoger la casa antes del veraneo. La presencia de Pedro privaría a la indisposición de Julia de toda importancia, delante de Jacinto y su mujer.

— También va Meyes — recordó Gregorio.

— Pues que Isabel y Jovita también estén en contacto con ella hasta pasado mañana. Todo se reduce a que no comuniquen con casa de Isabel.

— Hay que considerar el problema otra vez.

Leopoldo rio estentóreamente y le palmeó la nuca.

— Eres genial. Lo de Julia nos ha salido redondo, no le des más vueltas. Tal como se esperaba. Estos líos, llevándolos con energía, sin precipitaciones y no dejando intervenir a las mujeres, no tienen más que fachada. Y lo de Julia se ha complicado por el bocazas de Pedro. Cuando yo me vi metido en lo de Encarna... ¿Te lo he contado? Aquella tarde... Nunca la olvidaré. Se me presenta, como si nada, y a las dos horas de estar juntos, va y me suelta el notición. Y yo, solo, sin ayuda y sin confiárselo a nadie.

La entrada de Jovita en la habitación interrumpió a Leopoldo. Julia dormía e Isabel velaba su sueño. Jovita puso la radio a bajo volumen y bailó con Gregorio. Leopoldo buscó a Pedro y éste propuso una partida de mus. La doncella les proporcionó una baraja y se instalaron cerca del balcón, en la esperanza de una brisa que no llegaba. Leopoldo y Jovita formaron pareja contra Pedro y Gregorio. De vez en vez, Pedro o Jovita iban al dormitorio de Julia. La luz de la lámpara, alejada de la mesa, penumbreaba los antebrazos, sus manos sudadas, los naipes, las monedas, los ceniceros y los vasos.

Cerca de las diez y media dejaron de jugar. Julia continuaba dormida, aunque algo inquieta. Pedro esperaría unos minutos aún y llevaría a Jovita a su casa.

— Insisto en que debería quedarme.

— Pedro, no seas terco, ni compliques las cosas.

— Está bien, está bien.

Isabel, con un vaso de "whiskey" casi vacío en la mano, quedó sola en el vestíbulo con Gregorio. La flojedad de sus mejillas y su sonrisa denotaban fatiga.

— ¿Qué hay, Gregorio? — dijo quedamente.

— Estás hecha puré. No bebas demasiado.

— Hoy no me hace efecto.

— Procura dormir, Isa.

— Mañana temprano vendremos a relevarte. ¿Tienes tabaco? — preguntó Leopoldo.

— Sí. Gracias.

— Vamos, Gregorio. Adiós, Jovita.

El bochorno coloreaba la noche. Caminaban despaciosamente, con una pereza cansada.

— Estoy pensando en acercarme a ver a Lupe.

— Haz lo que quieras.

— Me sentaría bien. Pero, quizá, sea mejor que vaya a cenar.

— Por mí no lo hagas —. Gregorio denegó con la cabeza.

— Ni por Julia, ¿eh? Yo me quedo en casa, por si nos necesitase.

— No, tampoco — levantó los ojos del pavimento.

La portera cerraba el portal, al llegar ellos. Felicidad les recibió con una sonrisa deliberadamente misteriosa.

— ¿Que no viene a cenar mi madre?

— Ya lo has oído.

— Ni a comer, ni a cenar. ¿Qué le ocurre?

— No lo sé, hijo. Llamó, que se quedaba con los de Alonso. La cena ya está. Y usted, señorito, tiene una carta.

Mientras Leopoldo se duchaba, Gregorio, con la carta de sus padres en la mano, vagabundeó por las habitaciones en busca de Carmen, a quien encontró en el cuarto de la plancha.

— Buenas noches.

La muchacha se sobresaltó y, sin que él se hubiera movido, rodeó la tabla, que dividía gran parte de la habitación.

— Pero ¿me tienes miedo?

— Precaución — rio, provocativa.

— ¿Qué te ha dicho tu novio?

— ¡Ay!, muchas cosas preciosas.

— ¿Como cuáles?

— A usted se las voy a decir.

Esperó que ella se aproximase y la atenazó entre sus brazos, con una violenta fogosidad. Carmen de desasió y huyó por el pasillo.

Se lavó las manos y se sentó en el comedor.

— Pero ¿qué te sucede a ti esta noche? — preguntó Leopoldo a Felicidad.

Felicidad, que permanecía junto al aparador, observando a Carmen servir la sopa, no contestó. Hacia el final de la cena, no pudo contenerse más.

— El señor Alonso os ha conseguido el automóvil.

— ¿Del Ministerio?

— Ay, eso no sé. El automóvil que tenías pedido.

— El "Alfa", entonces.

— Yo no entiendo.

— ¿Un "Alfa-Romeo"? — exclamó Gregorio. — Es fenomenal.

— Por eso fue a cenar con ellos.

Sentado en su cama, Gregorio leía la carta de sus padres. Leopoldo llegó con el atlas debajo del brazo.

— Vamos a hacer un itinerario por Italia. Ahora con el coche, no resisto más de quince días en esta aldea medieval.

— Me gustaría ir contigo.

— ¿Qué te dicen los viejos?

— Nada de particular.

— Te vienes conmigo.

— Tendré que quedarme. Por la casa. Querrán que esté con ellos, mientras se pone la casa.

— Te vienes. Y nos llevamos a Jovita, a Isabel y a Meyes.

— ¿Quiénes son los de Alonso?

Estuvieron proyectando un viaje por toda Europa, hasta que regresó Adela. Ella les confirmó la noticia. El automóvil habría que recogerlo en un plazo de ocho días.

— La semana que viene — dijo Leopoldo — me encargaré de ello. Mañana o pasado nos vamos a la Sierra con Jacinto.

— He recibido carta de casa. También es para usted, Adela.

— Ah, gracias, hijo.

Tomaron café en el despacho. El calor persistía, aplanante.

Adela les detallaba cómo se había logrado la concesión, cuando sonó el teléfono. Gregorio se puso en pie.

— Quizá las chicas ya estén acostadas.

Antes de alcanzar el fondo del pasillo su presentimiento era una certidumbre. Levantó el auricular con una decisión rabiosa.

— Diga.

— ¿Gregorio? — preguntó anhelante.

— Sí, Isa.

— Gregorio, se está muriendo. Una hemorragia.

— Pero... Tranquilízate.

— No resiste. Ven pronto, Gregorio.

— Sí, Isabel.

Leopoldo se hallaba a su lado, lejos ambos del rectángulo luminoso de la puerta del despacho.

— De prisa.

— ¿Dónde decimos que vamos a estas horas? — levantó la chaqueta del pijama con las dos manos.

Gregorio compuso una sonrisa, al enfrentarse con Adela.

— Era Jacinto. Han adelantado el viaje, porque el coche va mejor a la madrugada. Por la falta de calor — explicó concienzudamente. — Allí están los demás.

— ¿En casa de Jacinto? — preguntó Adela.

— Han organizado una partida de "poker" y algo de baile. No tienen sueño, claro. Se saldrá a las cinco.

— ¿Y tenéis ganas de volveros a vestir, de preparar los maletines?

Gregorio sonrió:

— Si a usted no le importa...

— Yo, por mí... Lo que son los pocos años.

Sintió moverse a Leopoldo y la mirada de Adela. Leopoldo gargarizó antes de pronunciar la primera palabra inteligible.

— No sé qué hacer — dijo.

Adela, a requerimientos de Gregorio, se despidió de ellos para acostarse. Carmen le trajo, con una silenciosa premura, la ropa y los útiles de aseo. Diez minutos más tarde de la llamada de Isabel, estaba dispuesto. Leopoldo le gritó que esperase; se vistió la americana en la escalera.

— Están ustedes locos — protestó Felicidad. — Locos de remate. Pero ¿no duermen?

— Mañana en la Sierra — dijo Gregorio y devolvió su maletín a Leopoldo.

— Ay, qué vida llevan. ¿No se olvida nada?

— Es verano, Felicidad — la mujer sonrió — y estamos en vacaciones.

Carmen, reclinada en la baranda de la escalera, les oyó bajar. La llave se le atascó en la cerradura a Leopoldo y fue Gregorio quien abrió el portal. La calle, muy iluminada, estaba solitaria.

— ¿Qué te ha dicho?

— Julia ha empeorado. Isabel está aterrorizada —. Dejó que sus pulmones recuperasen aire. — Y, seguramente, borracha.

— Malditas zorras — masculló.

Gregorio comenzó a correr. Tardó un tiempo en oír que Leopoldo le seguía.

18

El rostro de Isabel brillaba de sudor y los restos del maquillaje desfiguraban sus facciones. Balbució unas explicaciones a las preguntas de Leopoldo.

En la habitación de Julia olía el aire estancado. La criada sujetaba a Julia, que, gimiendo, bandeaba el cuerpo. Bajo las sábanas retorcidas, aparecía el colchón. Los gemidos de Julia crecieron y la muchacha aumentó sus lamentaciones y sus asustadas palabras de consuelo. Gregorio preparó un analgésico y obligó a Julia a beberlo. La criada, que no había percibido su entrada, suspiró al verle. Julia crispaba los labios y la frente.

— Prepare agua caliente — ordenó Gregorio.

— Avise al médico, señorito. Está muy mal.

— Naturalmente que no lo está. Usted traiga el agua y unas toallas.

Julia abandonó su última contención delante de Gregorio. Hubo que luchar con ella, sujetándola, apaciguando sus gritos.

Le abrazó la nuca y Gregorio sintió la fuerza de sus dedos resbaladizos.

En el suelo estaba el pijama blanco de raso. Ahora Julia llevaba un camisón azul, de franela. Su aliento maloliente le llegaba en bocanadas. Le limpió el sudor y la saliva y aquello serenó los nervios de Julia. Tendida, mientras Gregorio estiraba las sábanas, apagaba la lámpara del techo y dejaba encendida la de la mesilla de noche, Julia continuó quejándose. La muchacha avisó su presencia y Gregorio salió al pasillo con ella. Descubrió que la chica vestía una bata.

— No se asuste. Ahora vendrá el médico.

— La señorita Isabel no...

— Sí, ya lo sé. No quería avisarle, para no intranquilizarla aún más. No es nada. Nervios, un ataque de nervios, usted ya comprende — ella asintió. — Acuéstese. Si la necesitamos, cuando llegue el médico, ya la avisaremos. Es mejor que esté descansada.

— Llámeme, señorito, no deje de llamarme.

— Pues claro que sí, mujer.

Julia deliraba, con los ojos cerrados. Gregorio verificó su pulso y el calor de su cuerpo. Se arrodilló junto a la cama.

— Julia. Soy yo; Gregorio.

La mano de Julia se cerró en la suya.

— Me duele a morir, Gregorio.

— Ya lo sé. Pero no es nada.

— Señorito.

La criada se alejó unos metros de la puerta del dormitorio.

— ¿Qué sucede?

— Ha tenido una hemorragia.

— Bien, bien, ya dirá el médico. Usted vuelva a la cama.

Desde el umbral, vigiló el soterrado dolor de Julia. Junto al ventanal, Isabel escuchaba ansiosamente la discusión de Leopoldo y de Pedro, que acababa de llegar. Ambos callaron y Gregorio les miró.

— Ya lo previno Emilia.

— ¡¿Lo oyes?! — gritó Pedro. — No es nada. Quería avisar a Darío.

— ¡No seas animal, ni me atribuyas animaladas!

— Por lo menos, lo estabas insinuando.

— ¡¡No!!

174

— Gregorio — llamó Isabel.

Pedro gesticulaba su furor, a la vez que Leopoldo golpeaba un puño contra la palma abierta de la otra mano. Gregorio dejó su brazo sobre los hombros de Isabel y sonrió.

— Le duele mucho. Muchísimo. Pero es natural. Se mueve constantemente y con ello perjudica la herida. Además, la fiebre la altera. Voy a ponerle una inyección de morfina.

Julia, más calmada, acabó por descansar con la morfina. Los tres volvieron con Isabel.

— De todas formas — la voz de Pedro había perdido ya su agudizada tonalidad — estoy de acuerdo con éste en que es preciso determinar algo.

Leopoldo sirvió unos vasos de "whiskey".

— Isa.

Isabel no comprendía. Gregorio repitió:

— Vamos, Isa; es un momento y luego descansas.

— No estoy cansada.

— Apago la luz — anunció Gregorio. — No conviene que os vean desde fuera.

— Sí, sí — dijo Pedro.

Antes de entrar en el dormitorio, Isabel le detuvo.

— Gregorio, creí que se moría. Y yo, sin saber qué hacer. ¿Crees que no tiene importancia? No mientas. ¿Cómo puedes saber que no le sucede nada grave?

— Porque es lo más lógico. No miento. Pero no hay tiempo para las suposiciones. Aguanta los nervios.

— Pero si es un médico...

— Calla. Y no olvides a la criada. Hasta la misma Julia se contiene delante de ella.

— Sí.

— Ha preparado unas toallas y agua caliente. Lamento que tengas de hacerlo tú, pero ha de ser una mujer.

— No me importa.

Julia no opuso resistencia a que la variasen de postura. Gregorio había cerrado la puerta y el balcón y un acre olor se adensaba entre las paredes. Extendieron unas toallas bajo el cuerpo de Julia. Llenó una jofaina de agua caliente y se la entregó a Isabel.

— Procura no derramar agua en la cama.

— Si tuviera una esponja...

— Espera.

Cuando trajo la esponja, vislumbró las piernas desnudas de Julia y el camisón arrollado sobre el vientre.

Puso orden en la habitación, siempre cuidando de no enfrentar la cama. A los suspiros silbantes y a la respiración sofocada de Isabel se unían intermitentemente algunos somnolientos quejidos de Julia. El pijama, de un tacto resbaladizo, tenía manchas de sangre. Buscó en el lavadero el cesto de la ropa sucia. Andaba a tientas, guiándose por la luminosidad de las ventanas. Desde el vestíbulo, atisbó las brasas de los cigarrillos de Leopoldo y Pedro, y oyó el murmullo continuo de su conversación. Isabel no había terminado.

— En la mesita de noche hay algodón — rogó.

Gregorio, en el tiempo de un aliento contenido, contempló la herida que le mostraba Isabel. Julia abrió los ojos.

— Duerme — musitó Gregorio.

Vació la palangana tres veces y calentó más agua. Encerrado en el lavabo, quemó la esponja, que ardió en chisporroteos, con un hedor y un humo insoportables. Arrojó los restos y las cenizas por el evacuatorio. Se lavó las manos y, cuando se secaba, Isabel giró, infructuosamente, el picaporte.

Gregorio abrió al balcón del dormitorio. La noche negriazul, la soledad de la calle, las cargadas ramas de las acacias, los indescifrables ruidos le produjeron una paz momentánea y, súbitamente, la carga de la fatiga y la tensión de la última hora. Oyó entrar a Isabel y le pidió un vaso de "whiskey". Isabel se sentó a su lado y bebieron, casi abrazados.

— ¿Tiemblas?

— He vomitado.

— ¿Ahora?

— Sí. El "wiskey" me estaba cayendo mal. No debí cenar.

— Cálmate.

El sudor fluía otra vez por las mejillas, desde el nacimiento del cabello. Un sopor tenaz le alejaba penosamente de la realidad. Isabel se separó de él y, al cabo de unos minutos, le entregó el termómetro. Gregorio guareció la llama del mechero, haciendo cuenco con una mano. La temperatura de Julia era de 37° y 8 décimas.

— Tardará en cicatrizar. Pero es raro.

— ¿Qué?

176

— Tiene una herida casi externa.

— ¿No es normal?

— Lo ignoro. Quizá se la haya causado por torpeza.

Isabel, sentada en el suelo, descansó la cabeza en el sillón donde él forcejeaba contra el sueño. El rostro de Isabel era una pequeña mancha sin cortornos, blanquísima.

— ¿A qué hora hay que ponerle otra vez la "aqucilina"? — preguntó Isabel.

— A las ocho.

Después de un silencio, dijo:

— Pienso que habría sido preferible el escándalo. ¿Qué podría haber pasado?

— Sus familias, el dinero, la gente...

— Ya, pero...

— No.

Isabel se reclinó en sus piernas y él le acarició las sienes. Luego, Pedro e Isabel se acercaban a la cama. Venció aquella frondosa torpeza y murmuró:

— No la despiertes, Pedro.

El calor, con el transcurso de la noche, se toleraba mejor. Crecían el silencio y una expectante calma, que Gregorio percibía en sus sobresaltadas tomas de conciencia. Pedro encendió un cigarrillo. De repente, despertó y vio a Isabel.

— ¿Qué ha sido eso?

Julia dormía. Fuera, la obscuridad estaba lisa.

— Me ha parecido la puerta de la calle.

Gregorio apagó la luz de la sala, que Isabel acababa de encender, y se unió a ésta en el balcón. Leopoldo y Pedro aparecieron en la acera y Gregorio les llamó. Pedro levantó la cabeza. El sereno dobló la esquina, golpeando el zócalo de la fachada con el chuzo.

— Ya telefonearé — dijo Leopoldo y agitó una mano.

El sereno les saludó. Después, dejaron de verles.

— ¿Qué se les habrá ocurrido? — dijo Isabel.

Siguió a Gregorio al interior de la habitación y, más sorprendida que disgustada, contuvo la repentina cólera de él.

— No son tontos.

— Pero ¿por qué se van así, sin avisarnos?

Isabel no supo responder. Regresaron junto a Julia.

— Está tranquila. Vamos a tomar un trago.

Cerró el ventanal.

— Cometerán cualquier estupidez. Están descentrados. Sobre todo, Leopoldo. Les oí que andaban conspirando, pero no hice caso.

— Una de sus genialidades — trató de pacificar Isabel.

— Si cada uno empieza a actuar por su cuenta... —se interrumpió. — Más valdría que estuvieses en tu casa, Isa.

— Si nos cogen, nos cogen a todos. Alguien lo contaría por completo y nadie se libraba. Ya es tarde; en casa creen que estoy con Neca y Jacinto.

— También lo cree Adela — estiró los brazos en cruz.

— Bien. Éste es nuestro domicilio por ahora.

— Y sin saber hasta cuándo — sonrió.

— ¿Te trajiste el cepillo de dientes, Isabel?

— Y un pijama. Espero que me los dejen en la cárcel. Oh, Dios, lo principal es que Julia no sufra.

Gregorio rio y se sentó frente a ella. La palidez la aviejaba, así como sus hombros curvados hacia delante, angostándole el pecho.

— Eres valiente.

— No se necesita valor para esto.

— ¿No?

— Creo — parpadeó — que es más necesario cuando una ha de estarse quieta, esperando.

— Esperando ¿qué?

— Nada.

— Cada día sé menos de ti.

— Llega a ser ahogante que toda la vida se reduzca a un matrimonio frustrado. Pero yo misma he hecho girar mi vida alrededor de eso. Cuando estás enamorada, ya sabes, todo lo relacionas con tu amor.

— ¿Y aún estás enamorada?

— ¡No! Sin duda ninguna. Continúo relacionándolo todo, simplemente, como si estuviese enamorada — enmudeció durante unos segundos. — Hubo una época en que yo deseaba que él hubiera. hecho conmigo lo que Pedro con Julia.

— ¿Quisiste tener un hijo con él, para no perderle?

— Ya le había perdido. Es más, le había rechazado para siempre. Me encontraba ya colmada de asco, desesperanza y hastío. Nadie en el mundo, ni nada, podrían no sólo hacernos convivir más de media hora seguida, sino darnos la suficiente capacidad para mirarnos sin odio, miedo, desprecio y humillación. Pero añoraba la imposible tontería de que él hubiese hecho conmigo, él precisamente, no otro, lo que Pedro y Julia han hecho. Un sentimiento semejante al que lleva a los niños a patear los charcos o a los hombres a suicidarse.

El "whiskey" la había exaltado. Gregorio le quitó el vaso y cogió sus manos.

— No hables de ello. Tengo yo la culpa por mi boba curiosidad. No te tortures por encontrar explicación a ciertas cosas.

— Pero alguna tendrán.

— Quizá. Pero no debe buscarse. Un día cualquiera encontrarás un hombre...

— No me dejó ni esa posibilidad. Me asquean los hombres.

— Encontrarás a un hombre que no te asquee. Lo pasado será una pesadilla o una farsa — le sostuvo la mirada. — Ahora voy a abrir el ventanal, a apagarte la luz, a llevarme la botella, y tú te tumbas en el diván y duermes.

Su rendido aspecto minimizaba sus movimientos, sus miradas inconstantes, sus descontrolados anhelos.

— Oye — dijo desde la penumbra — acércate.

— Dime.

— ¿Crees que algún día me acostaré con un hombre?

— Con un hombre que no se lo merezca — bromeó Gregorio.

— Pero me estoy haciendo vieja — carraspeó una raspante y breve risa. — Si tú quisieras, me librabas de la virginidad.

Gregorio oprimió su rostro, el índice y el pulgar en cada mejilla, y sintió los labios secos y gruesos de Isabel rozar su mano.

— Te obligaría a que te casases conmigo — y, en un tono imperioso, añadió: — Descansa.

Ni la normalizada respiración de Julia, ni la paz y el silencio de la noche le libraban de aquella destructora inquietud. El timbre del teléfono le asustó.

— ¿Quién es?

— ¿Cómo está Julia?

Julia le llamó en aquel momento. El temor de que todos

aquellos súbitos ruidos despertasen a la criada o, en el mejor de los casos, a Isabel, enfureció a Gregorio.

— ¿Qué estáis haciendo?

— ¿Sigue durmiendo Julia?

La voz de Pedro, cansada, monótona, resultaba exasperante. Julia repitió su llamada en un tono más alto.

— Se encuentra bien — concedió Gregorio. — Duerme. Pero ¿vais a volver?

— Sí, hombre, sí.

— Suelta de una vez lo que...

Leopoldo gritaba o reía.

— Ya te explicaremos. No la dejes, Gregorio, no la dejes sola.

Julia, sentada en la cama, se negó a tenderse. Antes de colocarle el termómetro, Gregorio temió un considerable aumento de la fiebre.

— No me duele nada.

— Pero puede dolerte, si no estás quieta.

— Dame agua. ¿Qué hora es?

El termómetro marcaba 38° y 9 décimas. Gregorio acercó la butaca a la cama.

— Procura dormir.

— ¿Y los demás?

— Están por ahí.

— Tú no duermes. La mujer me advirtió que a la madrugada sería lo peor. ¿Falta mucho?

— No, no falta mucho. Pero no tengas miedo.

— Me quema. No es dolor; es como si me fuesen dando golpecitos con un hierro ardiente.

— No hables.

— Un poco más de agua —. Después de beber, sonrió. — Todo sale bien, ¿verdad? Si mi familia llega a estar aquí... Isabel es magnífica. ¿Hace mucho calor?

— Sí, mucho.

— ¿Qué hora es?

— Escucha, Julia, no te muevas. Es fatal que andes moviéndote, sin parar un momento. Tienes que guardar un reposo absoluto.

— Eso dicen siempre los médicos. Pero la mujer me aconsejó que anduviese por la habitación, si el dolor era muy fuerte.

— ¿Es cierto que dijo eso? — en los ojos de Julia ondulaba una alucinada distracción.

— ¿Queda mucho para que amanezca?

Persistía en el balcón el muro débilmente coloreado de la noche. Los intestinos de Julia produjeron una despeñada sucesión de ruidos.

— ¿Te molesta el estómago? —. Julia no entendió la pregunta. — No retires la sábana.

— La vieja buscaba una propina. Olía a repollo cocido en la escalera; me dio una náusea. Luego, me reproché haberle regalado tanto dinero. La escalera era de madera, con los escalones desgastados; había también una mesa camilla en un rincón, para dejar sitio a la cama de hierros blancos. Me aterrorizó aquella náusea y le entregué los billetes. Si hubiese recordado que tú esperabas... Una tarde, Pedro y yo fuimos a una casa donde tenían una camilla igual. Me hacía gracia pensar que recordaba la otra mesa.

Julia movía las piernas a un ritmo creciente, como pedaleando. Al acabar de cerrar el balcón Gregorio, se revolcaba ya en el borde de la cama. Bajó el conmutador de la luz y el dormitorio, súbitamente iluminado, adquirió unos mezquinos límites, en el centro de los cuales Julia gemía sin pausa.

Gregorio dobló la dosis de analgésico. Totalmente transfigurada, salivosa, pálida, tensaba los miembros en ángulos violentísimos. Gregorio preparó la jeringuilla, que quedó sobre la mesa. Inclinado sobre la cama, apoyándose en ella, impedía a Julia arrojarse al suelo. Llegó a estar casi tumbado, con calambres en los brazos y en las rodillas. Había renunciado ya a las palabras. Sobre las sábanas, según comprobaba a cada segundo con una desesperada ansiedad, no aparecían manchas de sangre.

Gregorio oyó pasos apresurados. El sudor convertía sus manos en dos resbaladizas tenazas, a punto de quebrarse. Isabel cerró la puerta y vino en su ayuda.

Julia, debilitada, sacudía menos su cuerpo. Cuando Isabel pudo sujetarla por sí misma, Gregorio terminó de preparar la inyección. Al fin, Julia se inmovilizó, doblada, con las rodillas a la altura del pecho, y Gregorio hundió la aguja en la carne abundante y floja del brazo.

— ¿Qué haces? — preguntó Julia.

— Nada, nada. Sosiégate, pequeña. Esto ya ha pasado.

— Ahora le duele más — dijo Gregorio.

— Me desperté asustada. ¿Hace mucho que le empezó?

— Alrededor de una hora.

Los quejidos de Julia fueron espaciándose: se convirtieron en un murmullo y se destrenzaron los dedos de sus manos. Isabel arregló la cama. Por el balcón penetró un hálito de aire de agradable olor. Gregorio aplastaba el rostro contra el tabique del pasillo.

— Nos volveremos locos, si esto sigue así.

— Llamaron ellos, ¿sabes?

Gregorio trató de sonreír y manoteó.

— ¿Qué te sucede?

Otra vez, se hallaba en la penumbra. Isabel le colocó el cigarrillo entre los labios y Gregorio aspiró con alivio el sabor de la nicotina. La tela del diván tenía un tacto refrescante. Alguien habló en la calle. Era noche cerrada y, sin embargo, sólo poseía un pequeño tiempo para su dilatado sueño.

El sol calentaba sus párpados. Las sillas habían sido movidas. Gregorio sacó las manos de debajo de la mejilla y se estiró. En el vestíbulo, Leopoldo descansó una maleta frente a la consola.

— ¿Ya te has despertado? —. Jacinto se acercaba hacia él. — Creí que tendríamos que zarandearte.

Gregorio se apoyó sobre un codo. Jacinto, que continuaba avanzando, dejó de ocultar a su vista el vano de la puerta. Detrás de Julia, Isabel hablaba con la criada y Leopoldo asía nuevamente la maleta. Julia, con una mano en la jamba de la puerta, vestida con una blusa amarilla y una falda azul, le sonrió. No llevaba medias y calzaba unos zapatos planos, que agrandaban sus pies.

— Vamos, hombre, vamos —. Jacinto le enmarañó los cabellos.

Entonces, se sintió despertar.

Neca, nada más sentarse Isabel, se interesó por su empleo del tiempo aquella tarde. En la terraza de la cafetería, a la luz plana de los tubos fluorescentes, Isabel tenía una brillante serenidad.

— Te encuentro guapísima —. Neca cruzó las piernas.

— Bueno, dime qué es lo que has hecho hoy.

— Dormir en casa de Jovita, hasta hace un rato.

— Jovita se acercará por aquí, ¿no?

— Supongo. ¿Han telefoneado ellos?

— Sí. Julia continúa bien.

— ¿Ha sido Jacinto, quien te lo ha dicho?

— Parecía contento. Mañana, a primera hora, volverá. Y ya se verá si vamos alguna de nosotras.

— Es ridículo que estén allí solos.

Neca rio en silencio. Un airecillo breve movió los colgantes de los toldos.

— ¿Cómo se las arreglarán?

— Te lo puedes imaginar — dijo Isabel. — Amontonarán la vajilla sucia en la cocina y empujarán las colillas debajo de los muebles.

— No creo que mañana sea difícil convencer a Jacinto. En el fondo, prefiere que estemos alguna allí.

— Y Leopoldo y Pedro — afirmó Isabel.

— Seguro que es Gregorio quien se opone.

— Él nunca ha querido gente a su alrededor. Porque no necesita a nadie, quizá. Estuvo una hora sujetando a Julia y sin avisarme. De pronto, sin saber por qué, me desperté. Pero él no me avisó. Y esta mañana, si no es por él, nos vamos con Julia. Hay algo que me da miedo —. Isabel hizo una pausa. — La morfina.

— ¿Te parece peligroso?

Isabel se recostó en el sillón metálico y entrelazó las manos.

— No sé — dijo. — Pero mientras la mantenga a base de morfina, durmiéndola cada vez que sienta dolores, será imposible saber si a Julia le sucede algo grave. Además, me temo que aumenta las dosis.

— Mujer, él no es un... —. Neca rio de sí misma. — Sí, él es un chiquillo. Pero con mucha personalidad. Uno de estos raros de la nueva generación.

— Explícamelo a mí. Estamos juntos día y noche, desde hace una semana, y he empezado a decirle tonterías. Tu marido me ha presagiado mil veces una gran pasión por un adolescente.

Neca reía con fuerza. Isabel aplastó el cigarrillo contra el plato y miró a Neca. En los cabellos rubios de Neca, en sus brazos desnudos, en su boca algo grande cabrilleaban unos reflejos.

— Eres genial, Isa. Y él, coqueteando con Jovita.

— Después de la comida, Jovita y yo estuvimos hablando.

— Oye, antes de que se me olvide; esta noche te vienes a casa.

— En casa de Jovita estamos solas con su abuela. Y la pobre señora no se entera de nada.

— La niña está con sus padres. Tú te vienes y, si mañana nos deja ir Jacinto, ya salimos juntas. ¿Tienes el coche en el garage?

— No. Si me encuentro con alguien de la familia, espero inventarme una buena en el momento. Estoy cansada, harta, de tanta mentira, de ignorar dónde voy a dormir o a comer, de ocultarme. Si ésos mañana se oponen...

Mientras el camarero servía, Isabel y Neca callaron. Más tarde estuvieron distraídas con el paso de la gente, que transitaba por el espacio de acera libre de mesas. Detrás de las plantas en los tiestos de madera, tenían la calzada. Isabel bebió más de medio vaso de un solo trago y, en pocos segundos, se sintió libre de su malhumorada apatía. Los roces de las ruedas sobre el pavimento se unificaban en un deslizante chirrido.

— ¿Qué me decías de Jovita? — recordó Neca.

— Ah, sí. Estuvimos charlando después de comer. De nada importante, quizá. Pero en un tono que no es habitual en ella. Como solemne. Hacía rarísimo en Jovita.

— En cierto modo, Gregorio y ella se parecen. Isabel, ¿tú no sabías nada de lo de Julia y Pedro?

— Nada. Absolutamente nada. Tú ¿sí?

— No, tampoco. Pero... Este último invierno, una tarde que estuvimos en casa de Julia... No te acordarás, claro —. Isabel denegó con una sonrisa interesada. — Fui a arreglarme al tocador de la madre de Julia. Hay una puerta de cristales esmerilados. Di la luz en seguida, te lo aseguro, pero les vi, a través de los cristales, abrazados. Al oirme, se separaron.

— ¿Abrazados?

— Sí. Eso no era lo extraño. Ellos siempre han estado besuqueándose por los rincones. Pero esa tarde me parecieron muy distintos. Desde entonces tuve una sospecha. Desde luego, lo que no comprendo bien es la actitud de Julia.

— No te entiendo.

— Que Julia haya accedido —. Neca empujó con un movimiento del cuerpo el sillón, hasta chocar el de Isabel. — El escándalo hubiese sido mayúsculo, si se descubre que ella va a tener una criatura. Aunque Julia no es tonta, desde luego, todas sabemos cómo son los hombres. Yo no me hubiera fiado. Ahora Pedro la deja sin chico y sin boda, y ¿qué? Ella no puede hacer nada.

Isabel meditó unos instantes.

— Ella tiene bien agarrado a Pedro. Con la misma Julia lo hemos comentado; es uno de esos hombres a los que no les resulta difícil encontrar la mujer de su vida. Y, una vez que la encuentran, no pueden prescindir de ella. Julia le vuelve loco.

— La pobre Julia no se merece una jugada de esa clase. Se le ha entregado y ahora, fíjate, todo lo que está pasando. Ojalá no se le ocurra hacerle una cerdada así.

— Ocurrírsele es posible que se le ocurra, pero no la llevará adelante. Y si no se le ocurre a él, ya se encargarán de sugerírsela Leopoldo o Gregorio. Leopoldo lo haría. No creo que haya mujer capaz de retener a Leopoldo.

— Lo principal es — Neca se alisó la falda — que no suceda una catástrofe. ¿Qué haríamos, Isa?

— Dios no lo quiera. Llevo dándole vueltas a eso, desde ayer por la mañana. Quizá desde antes. Desde el momento en que Leopoldo me lo dijo. Y no lo sé.

— Julia es fuerte.

— Sí.

— ¿Crees que Jacinto tiene miedo?

— Neca — le cogió una mano —, tu marido también tiene miedo. Pero, cuando esta madrugada Pedro y Leopoldo llegaron con tu marido, me alegré. Era como un juego de niños, que se estuviese poniendo muy peligroso. Y, de repente, aparece una persona mayor. Me dio seguridad, que Jacinto lo supiese.

Las mesas de la terraza se desocupaban. Isabel bebió lentamente y dejó el vaso vacío junto al plato de los cigarrillos retorcidos, con los cercos de carmín en sus extremos. La brisa chasqueó otra vez la lona de los toldos. Más arriba de la frondosidad penumbrosa de las acacias, el cielo estaba blanquecino, sin nubes y sin estrellas.

— Jacinto es también como un niño — dijo Neca, pensativa; luego, movió los hombros y cambió de postura. — Pedro y Leopoldo llegaron por la noche. No oí a Jacinto salir del dormitorio. Cuando a las ocho me los encontré fumando y bebiendo, me dio el presentimiento de que algo malo había ocurrido. Durante el desayuno, me lo fueron contando. Me hubiera gustado ver a Julia. ¿Cómo estaba?

— Esta mañana, guapísima. Llevaba la blusa amarilla nueva y una falda azul, preciosa. Pero, por la noche, con el dolor sin dejarla un segundo... Tuve que lavarla. Y continuamente temiendo a la criada. Gracias a que Gregorio estaba allí. Casi no habla. Está tranquilo, dispuesto a hacer algo en todo momento, y, al tiempo, como vigilando a los demás. Es una maravilla de muchacho.

A Jovita le venían siguiendo dos tipos bien vestidos. Cuando se sentó, ellos apoyaron las manos en unas sillas, y gesticulando sin tregua, estuvieron con sus proposiciones, sus gracias rebuscadas y su contumacia, hasta que, desanimados, decidieron marcharse. Jovita rio, complacida.

— Me vienen dando la lata desde Alcalá.

— Pues ya has podido coger un taxi. Son cerca de las diez y media. ¿Dónde has estado? — preguntó Neca.

— En el cine.

— ¿En el cine? ¿Tú sola?

— Sí, claro. No, no voy a tomar nada — dijo Jovita al camarero.

— Muy bien, señorita. ¿Recojo el servicio?

— Sí — dijo Isabel.

— Ya veo que los señoritos no vienen esta noche.

— No —. Neca le entregó un billete. — Ponga las consumiciones en la cuenta de mi marido.

— Sí, señora. Muchas gracias.

— ¿Vamos? — propuso Isabel.

— A ti te van a ver — dijo Jovita. — Neca, ¿no te parece que no debía haber salido? Estabas durmiendo y no quise despertarte. Te llamé por teléfono — se dirigía a Neca de nuevo — y no estabas. Por eso me fui al cine. El cine es algo fenomenal para cuando tienes una preocupación. Te metes en él, te sientas y, a los diez minutos, lo has olvidado todo —. Isabel abrió las portezuelas del automóvil. — Mejor las tres delante, ¿no? ¿Hay noticias de Julia?

Isabel conducía rápidamente por las calles casi desiertas. En pocos minutos, frenó ante el portal de Neca. Le ahogaba ya una desesperada sed, cuando Neca le propuso quedarse.

— De ninguna manera — protestó Jovita. — En mi casa es menos comprometido.

— Pero si yo estoy completamente sola.

— Pues, vente a dormir con nosotras.

Isabel intervino:

— La verdad es que no tengo ganas de encerrarme. Me doy una vuelta por ahí y, luego, me voy a casa de una o de otra. A cara o cruz. Me dejáis el llavín debajo del felpudo y asunto acabado. ¿De acuerdo?

— Isa, no bebas mucho — dijo Neca.

Neca regresó desde el portal e Isabel volvió a asegurar el freno de mano.

— ¿Recordáis — Neca se apoyó en la ventanilla — que se quedó en llamar a Meyes para este fin de semana?

— Meyes es de confianza — dijo Jovita.

— Pero Gregorio...

— Bueno, ¿qué hago? ¿No me dais alguna idea?

— ¿Tienes que llamarla esta noche?

— Puedo esperar a mañana al mediodía.

— Pues espera. Tu marido dirá. Lo más probable es que ni Meyes ni nosotras salgamos de Madrid mañana.

— ¡Lo veremos! — gritó Jovita. — Me cojo el tren y me planto con Julia, que ni me mueven ésos.

— La fuerza de la juventud — bromeó Neca. — Yo me voy a la cama. No olvidaré el llavín, Isabel.

Puso el automóvil en marcha. Jovita afirmó que nadie sería capaz de llevarla a casa a aquellas horas. A aquellas horas los bares estaban vacíos. Isabel obligó a Jovita a comer unos "sandwichs".

— Y ¿tú?

— No tengo apetito.

— Comeré, pero si me dejas beber un "cuba-libre". Lo pasaremos en grande — Jovita palmoteó. — Una noche nuestra. Sin esos pesados, que siempre terminan llevándote a bailar, para dedicarse ellos a ver fulanas. Estarán solos y aburridos. Me alegro — encadenó precipitadamente. — Esta noche no podemos hacer nada por la pobre Julia.

— ¡Claro que no! Esta noche nuestra obligación es olvidar —. Isabel chocó su vaso con el de Jovita. — Ahora, eso sí, a las doce, en casa.

Una violenta alegría las puso locuaces y se sintieron felices durante un largo tiempo. Al salir de una cafetería, Jovita se tendió en el asiento posterior.

— Vamos a dar una vuelta por esas carreteras y te despejas. Echamos gasolina en Puerta de Hierro y, si somos valientes, nos acercamos a verles.

— Despiértame, si me duermo — murmuró Jovita.

Isabel paladeó su soledad. La marcha del coche armonizaba con su bienestar. Por la amplia pista iluminada, aceleró. La noche era un túnel de luz, de viento, de entrañables sonidos. Bajo sus manos, el volante dirigía las mil direcciones del mundo. Al Norte, a cien kilómetros por hora, encontraría estrellas en un cielo de verano, prieto, musical. El alcohol, suave y enternecedor, acariciaba el cerebro y besaba el otro lado de la piel. A la derecha, podría buscar el sol, y a su izquierda, siempre en dirección Oeste, terminaría por llegar a un bosque de pinos o a un gran río, sombreado y transparente. Las luces de la estación de servicio alejaron sus ensueños.

Ya con el depósito lleno, se desvió por una carretera local. Aparcó el automóvil fuera de la calzada. La obscuridad, las presentidas formas de los árboles cercanos y los aromas le atraían. Se sentó en la tierra, con el mentón sobre las rodillas abrazadas. A unos metros, lucían las lucecitas rojas de los pilotos. Dejó de sudar. El aire era fresco y limpiaba la garganta y los bronquios, al beberlo.

Perezosamente llegó hasta el automóvil. Jovita continuaba durmiendo. La llevaría a su casa, tomaría otro trago e iría a acostarse al piso de Neca. Puso el motor en marcha y emprendió el regreso.

Al llegar a las primeras calles, aminoró la velocidad. Sin un propósito expreso, se encontró frente a la barra del bar donde Leopoldo y ella habían estado el último domingo. Buscó la llave y, cuando sacaron su botella, se acomodó en una mesa. La verde y roja penumbra sostenía el humo y las huellas de las voces. Bebía de una manera decidida, premiosa, dispuesta a no dejarse atrapar por el insomnio.

Fragmentos de actitudes, gestos, recuerdos de olores, perspectivas irreales, dominaban a Isabel. Oprimió el vaso y cerró los ojos. Entonces, la saludó el muchacho.

Isabel, que no recordaba su nombre, reconoció el recortado bigotito del muchacho. Era simpático, conocía a todo el mundo y conversaba bien. De repente, el muchacho mencionó a Leopoldo y ella calló bruscamente. Un súbito terror le hizo dudar de si había hablado sin control, como Leopoldo en su borrachera. Acumuló clarividencia, ahuecó la voz, estrechó la mano del muchacho, impuso lentitud a sus movimientos y salió a la calle, con una fingida indiferencia.

Entre los automóviles aparcados en ambas aceras no se encontraba el suyo. Durante los primeros minutos, le divirtió imaginar a Jovita dormida en el asiento posterior, en una calle cualquiera que no podía recordar.

Las luces de los faroles se confundían. Experimentó una acongojante desolación. Caminaba apresuradamente y deteniéndose con frecuencia. Su voluntad le obedecía de una forma ineficaz. El tiempo perdió su medida y sintió los primeros vahidos.

Apoyada en una fachada, las manos caídas sobre el bajo vientre, trataba de descifrar unos signos grabados en una pequeña compuerta de cemento, empotrada en la acera. C.Y.II.

— Estoy borracha — silabeó.

Ya no recordaba la calle donde había dejado el coche solamente, sino que, además, no conocía aquélla en que se encontraba. Extraviada, la hipnotizaban aquellas letras estúpidas, chapuceras, de un exasperante aire familiar y un sentido arcano. C.Y.II C.Y.II. Con un pequeño esfuerzo, las descifraría. C.Y.II. Volvió a la puerta del bar y, cuando se dirigía en dirección contraria a la que hasta entonces había llevado, encontró el automóvil. Las lágrimas le resbalaban por las mejillas.

Nerviosamente condujo hasta casa de Jovita; la despertó y se dejó caer sobre el volante.

— Pero ¿qué hora es? — se asombró Jovita.

Atravesaba estructuras de luz y sombra, carentes de sonido. Vio la lámpara aplastada contra el techo. Jovita la desnudaba.

— Un día me moriré. Me reventarán las venas o el estómago...

— Calla, Isa, calla.

— ... se me subirá hasta los pulmones y acabaré estallando.

Jovita la obligó a beber algo ácido y burbujeante, con sabor a limón, que detuvo sus náuseas. Respirando anhelante, oía moverse a Jovita. Jovita le recomendaba silencio y calma. La luz parpadeó en sus ojos y los contornos vacilaron.

— Julia — murmuró Isabel.

20

Por la dirección que traía, podía ser el automóvil de Jacinto. La mano derecha de Gregorio siguió todavía unos segundos extendida sobre las cejas. Al terminar la bajada de la loma, comenzaba la subida de la carretera forestal, blanca y sinuosa. Gregorio encendió un cigarrillo y se recostó en la tumbona extensible. El automóvil se desvió de la carretera principal.

El día anterior, con Julia acostada en el asiento posterior, habían tardado cerca de una media hora en recorrer la carretera forestal. Había frenado instintivamente en la entrada. Después continuó, mientras Pedro y Leopoldo sujetaban la puerta de madera verde, hasta la curva del camino de grava, frente al porche. Jacinto y él habían descendido a la vez y ya estaban ayudando a Julia, cuando Pedro y Leopoldo llegaron corriendo por el sendero. Julia, con su blusa amarilla y su falda azul, aparentaba una perfecta salud, pero, al llenársele el rostro de la luz de la mañana, los cuatro se asombraron de su palidez.

Gregorio dejó de ver el supuesto automóvil de Jacinto. A su izquierda, por uno de los ventanales abiertos, le llegó el ruido de la radio que Pedro (o Leopoldo) sintonizaba. Gregorio resbaló el cuerpo en la tumbona y un rayo de sol alcanzó sus pies desnudos.

Al comienzo del viaje había conducido Jacinto y Julia se había mantenido sentada. Marchaban a poca velocidad y, de vez en vez, Leopoldo asomaba la cabeza por la ventanilla del automóvil de Pedro, que rodaba delante de ellos, y él les tranquilizaba con un gesto. Luego, Julia decidió tenderse en el asiento y Gregorio sustituyó a Jacinto en el volante. El peor trozo fue la subida de la forestal. Cuando Julia, algo temblona por la fiebre, pisó la grava y enfrentó el porche, los cuatro se asustaron de su palidez. Pedro había abrazado a Julia y, al entrar en el chalet, la besó en una sien.

Los ruidos de la radio cesaron e irrumpió la voz familiar de un locutor. Allí, a la sombra de los árboles, veía casi toda la finca, rodeada por una valla de madera pintada de verde, a uno y otro lado de la puerta y durante ocho o diez metros, y por una cerca de piedras en el resto de su perímetro. Los caminos del parque finalizaban todos en la casa, excepto el que llevaba a la piscina. La piscina estaba enteramente construida, pero a falta de instalar la conducción de agua. Las losas de piedra berroqueña, igual que la de las fachadas, con hierba en las junturas, y los cuadros de césped resaltaban al sol. El locutor informaba del resultado de las elecciones presidenciales en Colombia. Gregorio giró la cabeza hacia la casa. Las ventanas de aquella fachada estaban abiertas a la sombra, Julia continuaría durmiendo en el piso de arriba. La voz tremoló unas cifras.

Habían sido Leopoldo y Pedro los más inquietos por el estado de las carreteras. Gregorio condujo despacio y eludiendo al máximo las maniobras. Había mantenido la segunda toda la carretera forestal. Antes de entrar en la casa, había paseado por el parque, descubriendo la topografía de la finca. Encerró los dos coches en el garaje, situado en un semisótano, al que se accedía por el patio trasero. Cuando atravesó el porche y pisó el umbral del pequeño vestíbulo, vio a Julia sentada en uno de los butacones, las manos sobre la falda azul, los pies, calzados con sus zapatos sin tacón, muy juntos, y la palidez ahondándole las facciones. Entre él y Pedro la sujetaron para subir por la escalera, que partía del mismo "living" al otro piso. Pedro la ayudó a acostarse en el dormitorio, que acababa de preparar Jacinto y él bajó de nuevo al "living", se sentó en el butacón de donde Julia se había levantado y cogió la botella de "coca-cola", que Leopoldo le tendía. En aquel momento le llamó el grito de Pedro y, unos minutos después, inyectaba a Julia la morfina.

En el trozo visible de carretera apareció el automóvil. Corrió entre las manchas de los jardines, de los tejados de pizarra y los muros de piedra y desapareció en el pinar. La montaña, frente al cerro en que se escalonaban los hotelitos, estaba cubierta por el bosque. Más allá zigzagueaban las últimas cimas, como clavadas en el azul del cielo. Gregorio acechó la salida de la confluencia de los caminos. Si se trataba de Jacinto, el automóvil habría de aparecer por allí. En el cruce, oculto desde el chalet por los árboles, se dividía la carretera forestal; a la izquierda, penetraba en la montaña hacia el sanatorio antituberculoso, en una dirección y, en la contraria, descendía hasta el pueblo; a la derecha, subía a los hotelitos. Una intrincada estructuración de senderos relacionaba las edificaciones entre sí, a partir de media ladera del cerro. Gregorio detuvo su mirada en la achatada torre de la capilla. Luego, volvió a atisbar la salida del cruce. La voz relataba las conclusiones de la conferencia de países árabes.

Toda la tarde del día anterior Julia había dormido. Al anochecer, vomitó. La fiebre le había desaparecido. Ellos se instalaron en el dormitorio contiguo al de Julia y jugaron al "poker" hasta las once. Se encontraban fatigados. Pedro tendió un colchón en el suelo, junto a la cama de Julia.

Jacinto partió hacia Madrid temprano y Pedro y Leopoldo habían bajado al pueblo en busca de leche, fruta y pan. Las conservas y las botellas que compraron en el viaje estaban a punto de terminarse. Cuando regresaron, y ayudados por Gregorio, prepararon la comida. Ahora, Leopoldo (o Pedro) acababa de conectar la radio y Gregorio supuso que Julia debía de haber despertado.

El locutor dijo que los príncipes de Mónaco, tan felices en su afortunado matrimonio, proyectaban pasar una temporada en Estados Unidos, antigua patria, como ya se sabía, de la encantadora princesa Grace. Gregorio continuó con la mirada fija en la carretera. La tumbona crujió. De un momento a otro, tendría que aparecer, si se trataba del automóvil de Jacinto.

— ¡¿Os molesta la radio?!

La voz de Julia sonó transparente, como fuera de la casa:

— No, no, al contrario, Leopoldo.

El automóvil salió de los árboles. Gregorio retuvo la respiración, se sentó con los pies cruzados sobre la lona y se alisó el pelo con ambas manos. En cinco o seis minutos estaría allí. El sol puso un diminuto rebrillo en la carrocería. Gregorio cerró los ojos.

La criada había bajado la maleta y Julia se disponía ya a salir, cuando él y Jacinto comenzaron a discutir. Gregorio adivinó que Leopoldo y Pedro habían pasado la noche en casa de Jacinto. Éste, que le había enmarañado los cabellos, cuando él aún estaba sentado en el diván donde había dormido, se lo confirmó.

— ¿Habéis decidido llevarla a la Sierra? — preguntó.

— Sí.

Gregorio había atravesado la habitación para cerrar la puerta.

— El viaje la mata — había dicho y Jacinto dejó de sonreír.

— Son sesenta y cinco kilómetros y por buenas carreteras. Yendo despacio, no hay peligro. Además, Julia se encuentra bien.

— Aun suponiendo que no haya peligro, me parece un riesgo tonto.

Jacinto se había acercado, hasta casi tocarle.

— No lo es. Ella está en condiciones de hacer el viaje. Lo hemos estado discutiendo muchas horas. Escucha — y disminuyó el tono de voz.

Gregorio perseguía con la mirada la marcha del automóvil. Alternándose, dos veces lanzaban las últimas noticias. Desde el segundo piso y por la fachada principal, se distinguiría mejor aquel trozo de la carretera. Leopoldo apareció unos instantes en la esquina del poche, que circundaba dos lados del edificio. Cerró los ojos de nuevo y calculó en tres minutos el tiempo que tardaría en llegar Jacinto.

Jacinto, a unos centímetros de su cuerpo, había bajado el tono de la voz.

— Escucha — y añadió: — La criada, por mucho cuidado que se tenga, lo descubrirá. Además, poniéndonos en lo peor, imagina que a Julia le sucede algo grave.

— ¿Algo grave?

— Sí.

— ¿Que muera, quieres decir?

— Hombre... En Madrid nos sería más difícil tomar medidas y, en cambio, en la Sierra tendremos más libertad de acción, más medios.

— Comprendo — y había añadido, sin malignidad, aunque sabía ya la respuesta. — Pero, sin ponernos en lo peor, ¿no habéis comprendido que la dejamos sin médico?

— ¿Qué médico? ¿La que se lo ha hecho? A ésa en tres cuartos de hora la tenemos en la Sierra. Y, si ni siquiera puede esperarse tres cuartos de hora, se avisa al médico del pueblo. Puede resultarnos tan molesto como Darío, pero más no; y en Madrid, en un caso así, de urgente necesidad, sólo podríamos recurrir a Darío.

Gregorio había dicho precipitadamente:

— Está bien pensado. Lo comprendo. Quería más que nada

asegurarme que estaba bien pensado. No existe más riesgo que el viaje.

— Y Julia está inmejorablemente.

— No. Es una locura mover a una mujer en su situación —. Jacinto había rehuído su mirada. — Pero será lo mejor para todos. Incluida ella.

— Pues, anda.

— Espera que me chapuce un poco. ¿Qué coche llevamos?

— El de Pedro y el mío.

Pedro, mientras él se lavaba, había entrado en el cuarto de baño.

— ¿Qué te parece el plan?

— Bien.

— Más que nada por la criada — había dicho Pedro. — De seguir aquí, esta tarde lo sabe ya la portera y mañana el barrio entero.

En las Canarias, Baleares y Península el tiempo había sido bueno; se pronosticaba continuidad del buen tiempo, con algunas acumulaciones de nubes en las cordilleras. Gregorio bajó los pies de la tumbona. La voz leía el aviso especial para navegantes. Gregorio entró en la zona sin sombra. El aire estaba cálido y denso y el sol parecía ascender. Gregorio dobló la esquina. El ruido del motor se hizo perceptible. Gregorio continuó avanzando. En la casa también habían oído. La despedida ritual fue gritada e, inmediatamente, comenzaron los himnos. Vio a Pedro dirigirse a la verja de madera y se detuvo.

— ¿Es Jacinto? — preguntó Julia desde su dormitorio.

Leopoldo estaba en el porche. El automóvil rodaba sobre el paseo y Leopoldo bajó los escalones.

— Menos mal — dijo Leopoldo, pasando junto a él — que tenemos ya quien friegue los platos.

Percibió en las ventanillas los brazos de ellas. Jacinto, al otro lado del parabrisas, le sonrió. Los neumáticos chirriaron sobre la grava.

— ¿Quién es? — repitió la voz de Julia.

21

Después de la comida, Neca, Jovita y Meyes se dedicaron a la limpieza de las habitaciones. Leopoldo, tendido en uno de los "morris", dormía en el porche y Jacinto, a su lado, leía atentamente los diarios. Gregorio deambuló de un lado para otro. Zumbaba el aspirador. Gregorio sintió secas las mandíbulas y un sopor fatigoso.

— Tengo algo de jaqueca — dijo.

Jacinto elevó su mirada por la rampa del periódico desplegado y la fijó, distraída, en Gregorio.

— Túmbate un rato — volvió a la letra impresa. — Si es que ésas te dejan libre algún cuarto.

— No sé — murmuró Gregorio.

La luz se agolpaba y, aun en la sombra, dejaba una calurosa huella. A Jacinto le escurrían gotas de sudor por la nuca. Gregorio cruzó los brazos y apoyó un hombro en la pared de piedra. Con las manos sobre el pecho, Leopoldo tenía un sueño reconcentrado. Los ruidos del interior de la casa destacaban el silencio absoluto de la tarde.

— Meyes — llamó la voz de Neca.

Con una perezosa lentitud separó el hombro de la pared y permaneció embotado, la verde extensión del bosque en la montaña picoteándole de reflejos las pupilas. Dio unos pasos por el porche y, sin premeditación, entró en el "living". Jovita, con unos pantalones ajustados hasta media pierna, fregaba el suelo. Gregorio anduvo por entre los muebles descolocados y se detuvo junto a la chimenea.

La escalera, que comunicaba con el piso superior, doblaba en un rellano sobre el "living"; la baranda era de una madera obscura y encerada. Meyes salió de una de las puertas y comenzó a subir. Meyes llevaba unas sábanas dobladas.

— ¿Y Neca? — dijo Gregorio.

— Está arriba. ¿Qué quieres?

— No, nada.

Gregorio siguió a Meyes. El pasillo formaba numerosos recodos. Las puertas de los dormitorios y de los dos cuartos de baño estaban pintadas en un color crema, casi blanco. El ruido del aspirador era allí más fuerte. Gregorio entró en la habitación de Julia.

— ¿Cómo va eso?

— Duerme — contestó Pedro.

En la penumbra, le distinguió en una butaca cerca de la cama. Un aire caliente y oloroso se comprimía en la habitación.

— Si quieres, me quedo yo un rato.

— Gracias. Parece que todo va mejor.

— Sí.

A través de la puerta abierta y de la ventana vio un cuadrado del valle, cargado de sol, el pueblo y las praderas y una sábana que ondeó sobre la cama; los brazos alisaron la tela blanca y Meyes apareció en el campo visual de Gregorio.

— Estarás cansada, cuando terminéis con todo este jaleo.

— ¿Es que quieres ayudarnos? —. Meyes movía las sábanas con unos tajantes movimientos. — Luego podemos dar un paseo, ¿no? Al anochecer, que hará menos calor.

— De acuerdo. Gregorio fue a seguir por el pasillo, pero añadió: — ¿Cuándo te lo dijeron?

Meyes se irguió, con un resto de sonrisa en los labios contraídos. Antes de hablar, colocó un mechón desmandado de su pelo.

— Cuando veníamos hacia aquí.

Ella permaneció con la funda de la almohada en las manos. Gregorio parpadeó.

— ¿Estás asustada? —. Meyes denegó con la cabeza. — Mejor. No te asustes.

— No acabo de comprender que no existiese otra solución.

— No la había. Esto era repugnante, pero también lo menos perjudicial que se podía hacer. Oye, tú no te asustes.

— Descuida. Comprendo que no te haya gustado verme llegar. Pero puedes estar tranquilo — su voz se agrió — que nadie sabrá nada por mí.

— Claro, Meyes. En cuanto anochezca, daremos nuestro paseo.

Había sonreído y, por ello, su pregunta sorprendió más a Gregorio.

— ¿Podrá tener hijos después de esto?

— No lo sé — dijo Gregorio.

En el "living" — que ocupaba más de la mitad de la planta del edificio — Jovita sacaba vasos del aparador. Gregorio le acarició el cuello y ella rio.

— Éste sigue durmiendo.

— Sí — dijo Jacinto, que contemplaba la montaña.

El diario estaba caído en el suelo. A Leopoldo le sobrevolaban unas moscas.

— Voy a dar una vuelta por ahí.

— Espera — dijo Jacinto, poniéndose en pie.

Caminaron en silencio por la carretera forestal. Derivaron por una senda y a los pocos metros apareció frente a ellos el sanatorio antituberculoso.

— ¿Estás preocupado? — preguntó Jacinto.

Dejaron de andar al tiempo.

— No. Creo que no, en todo caso.

— No habrá complicaciones.

El camino ondulaba, antes de oblicuarse hacia la cima de la colina. En el bosque rebrillaban unos cristales del sanatorio. Gregorio encendió un cigarrillo.

— Temo que haya que ponerle más morfina.

— ¿Por qué?

— No entiendo una palabra, pero me está pareciendo demasiada. Además, que con eso no sacamos nada en limpio.

Llegaron a un riachuelo, que bajaba burbujeante y espumoso sobre lisas piedras, cubiertas de un moho ocre y resbaladizo. Se sentaron bajo un abeto. Olía el agua y los aromas del monte eran más precisos. Al borde del riachuelo, la luz se empequeñecía en una acogedora frescura, como si estuviesen en un subterráneo. Gregorio lanzó, en parábola, la punta de su cigarrillo al agua despeñada.

— A mí no me inquieta el estado de Julia, porque a cada hora que pasa la encuentro mejor. Mañana estará bien. Lo que me preocupa es la posibilidad de que se descubra. Hoy habrá venido más gente a los chalets, pero no tenemos lo que se dice una amistad. Por lo tanto, no es fácil que se acerque nadie por casa. Pero no hay que descuidarse.

— No, no hay que descuidarse. A veces, parece como si se nos olvidase lo de Julia.

— A todo se habitúa uno — dijo Jacinto.

Gregorio descortezaba concienzudamente unas ramitas, que amontonaba entre sus pies. Sopesó en la palma de la mano los blancos palitos, húmedos, y volvió a dejarlos en el suelo. Se adormecía. Jacinto contemplaba el riachuelo con los ojos entrecerrados.

— Ayer por la mañana, ¿a qué te referías, cuando dijiste que aquí tendríamos más medios que en Madrid?

Jacinto reaccionó con viveza; tenso el cuerpo, giró su rostro hacia Gregorio. Aun así mantuvo un largo silencio. Gregorio persistió en el descortezamiento de las ramas.

— Se podría decir que había sufrido un ataque al corazón.

Gregorio suspiró, aliviado. Volvía a hacerse comprensible que ellos dos se encontrasen sentados junto al agua, dejando secarse el sudor de sus cuerpos y en lucha con el sopor de la siesta. Le tendió el paquete de cigarrillos y sonrió.

— Le harían la autopsia.

— ¿Quién iba a sospechar? El médico del pueblo certificaría ataque al corazón — dudó unos instantes. — Todo sería natural.

— Bueno, pero supongamos que no fuese así. Enjuicia el asunto como si lo acabásemos de leer en una novela policíaca o ayer mismo lo hubiésemos visto en el cine.

— Espera. ¿Es que crees...? No me gusta hablar de esto.

— Piensa que lo has leído en una novela. Tú y yo debemos tenerlo hablado, por si le sucede algo. Estamos improvisando desde el principio y yo, así, no quiero continuar. Sólo tú y yo podemos planearlo.

— ¿Por qué tú y yo? ¿Imaginas, que yo no tengo miedo?

— Sí, imagino que sí. Que, a veces, no sabrás si tienes miedo y, otras, lo sentirás de una manera rabiosa. Pero no se trata de valentía. Vamos a pensar qué haríamos, si Julia se nos quedase muerta en un momento cualquiera.

— ¿Por una hemorragia o por el corazón?

— Por lo que sea. Haz un esfuerzo — esperó unos segundos. — Julia se ha muerto y, antes de avisar a su familia, es preciso modificar los hechos. ¿Cómo? — el ruido del agua crecía en las pausas. — Quemando el cuerpo. Nadie puede averiguar si a una mujer se la ha intervenido, cuando únicamente quedan de ella unos restos carbonizados.

— Oye, Gregorio...

— A Julia le gusta conducir. Julia conduce mal. Coge el coche y el coche se le desmanda en una curva y se estrella. El automóvil, naturalmente, arde. Cuando nosotros llegamos, la están destruyendo las llamas. Si antes acude alguien, mejor. ¿Objeciones?

— Ninguna. Pero me niego a hablar de ello. A Julia no le sucederá nada grave.

— Ahora se trata de suponer que, en un momento cualquiera, muere. Primero es necesario hallar un lugar adecuado. Empujar el coche, con el cadáver dentro...

— Cállate. Cállate. Resulta morboso tratar así el problema. Además, quedan los otros; alguno diría algo o haría algo, por lo que se descubriese. Deja de imaginar tonterías de mal gusto.

— Los otros no debían haber venido. Nadie debía saber nada.

Gregorio dejó caer el cuerpo hacia atrás y apoyó la cabeza en sus manos entrelazadas. Después, cerró los ojos. Un insecto tijereteó el aire. Jacinto continuaría en pie, contemplándole. La brusquedad reciente y su actual desolación no le apesadumbraban, sino que transmitían una extraña serenidad. A la sombra fresca, se podía descansar hasta de uno mismo.

Oyó a Jacinto alejarse y cambió de postura, sin abrir los ojos. Los aromas de la tierra se agudizaron. Cuando terminase aquel largo verano caluroso, comenzarían las clases en la Universidad. Posiblemente a ninguno le agradaría recordar los presentes temores o, quizá, fuese difícil recordarlos. Gregorio tuvo un escalofrío.

Los rumores, las resonancias, los crujidos marcaban el paso del tiempo. La tarde avanzaba dentro de la tiniebla coloreada de sus párpados y él ajustaba detalles, objetaba, resolvía inconvenientes, intentaba un completo dominio de las posibilidades.

Fingió dormir, cuando oyó que Jacinto chapoteaba en el riachuelo. La sombra era muy profunda y, al restregar los ojos con los nudillos de sus dedos, descubrió que, efectivamente, había dormitado.

— Estuve dando una vuelta por ahí — dijo Jacinto. — Desde la época de los grandes negocios, me ha quedado la costumbre de considerar cualquier majadería que se me proponga. Por si acaso. Existen dos o tres barrancos que servirían para escenario de tu novela policíaca. ¿Por qué no la titulas "Incendio en la noche"?

Gregorio sacudió sus pantalones.

— Sería por el día. A pleno sol.

— ¿Por el día?—repentinamente serio, añadió:—Hay que hacer lo posible y lo imposible porque la muchacha se reponga.

Anduvieron con lentitud: conforme se alejaban del riachuelo, conseguían que sus palabras se aligerasen en paulatinas escapadas al humor.

Isabel acababa de llegar de Madrid. Leopoldo continuaba tendido en el "morris", pero ya despierto.

— Me levanté casi al mediodía y, para mayor quebranto de mis nervios — Gregorio y Jacinto se sentaron en los escalones del porche — tuve que almorzar con la abuela de Jovita. La pobre señora es de plomo.

— Como será Jovita — Leopoldo sonrió satisfecho — a los treinta y tantos años de haber superado la menopausia.

— ¿Qué habláis de mí? — gritó Jovita desde el interior.

Meyes sirvió bebidas, unas galletas y unos trozos de fiambres, que tomaron en el mismo porche. Leopoldo, presidiendo el círculo desde el "morris", pontificaba a costa de Jovita, con la suave acritud que le había dejado su bienhechora siesta. Las risas llegaban hasta el dormitorio de Julia, quien, de vez en cuando, gritaba preguntando la causa del alborozo.

Atardecía aún, cuando Julia comenzó a gemir. El grupo se disolvió y esperaron en silencio. Neca e Isabel subieron al dormitorio de Julia y, más tarde, Jacinto. En el "living", Meyes estaba muy pálida. El último sol triangulaba un extremo del parque. Jacinto, desde la escalera, se dirigió a Gregorio:

— No deja de dolerle. Y cada vez más.

— Con la morfina nos engañamos a nosotros mismos —. Meyes pareció sonreír. — Dile a Pedro que prepare uno de los automóviles. Voy a traer a esa mujer aquí inmediatamente.

Después de haber inyectado a Julia, Gregorio cambió de ropas. Los quejidos de Julia crecían. Alguien conectó la radio en el porche. El automóvil de Isabel estaba en el sendero de grava, cuando Gregorio bajó, anudándose la corbata. Neca abrió la portezuela.

— No corras — le advirtió Jacinto. — Sin nervios. Bueno, a ti no hay que decírtelo.

Gregorio sonrió. Curiosa manera de tranquilizarse estaba usando Jacinto.

— ¿Voy contigo? — propuso Jovita.

— ¿A estorbar? — dijo Leopoldo.

— No os preocupéis, si tardo.

Le sonrieron. Isabel corrió unos pasos junto al automóvil. Al comenzar la pendiente de la carretera forestal, encendió los faros. En la luz incierta de aquella hora, las paralelas luminosas irrealizaban los límites del crepúsculo.

22

Reconocía algunos tramos de carretera. Atravesó dos pueblos, vislumbrando paseantes y luces eléctricas en las puertas de los bares. Cuando fue de noche cerrada, aceleró y el viento aumentó su fuerza contra las ventanillas. Unos diez kilómetros antes de llegar a Madrid, el tráfico se hizo más numeroso. Gregorio disminuyó la velocidad.

El calor era muy fuerte y el bochorno pesaba en las primeras calles. Comenzó a rodar en la sistemática ordenación de los semáforos. Las aceras llenas de gentes y las innumerables luces le desconcertaron. Apenas tres horas antes habían hablado Jacinto y él, a la orilla del torrente en sombra. El sudor le pegaba la camisa al respaldo del asiento.

Empleó un largo tiempo en cruzar la ciudad. Una vez libre de los embotellamientos y las desesperantes paradas ante las luces rojas, volvió a acelerar. A uno y otro lado de la calzada lucían bombillas en postes de madera sin desbastar. Dejó el automóvil aparcado, después de cambiar la dirección de la marcha, en un ensanche de la cuneta. Con paso rápido recorrió los descampados y llegó a las callejas.

Un clarividente recuerdo le orientaba, a medida que penetraba en el poblado. Las luces, los sonidos, las figuras apenas percibidas, se hacían familiares por el olor picante de la miseria. En la plazuela el número de personas y de luces era mayor.

La puerta de la chabola de Juan estaba cerrada y, cuando

golpeó en ella, adivinó que su llamada no sería contestada. Permaneció en la obscuridad, con una mano en la madera, esperando.

Más allá de los tejados y las voces, sonaban los cánticos. Preguntó a unos hombres por Juan y, después, ya por Emilia. A ella la conocían, pero ignoraban dónde podría encontrarse. Bordeó la plazoleta y entró en la capilla.

De las más elevadas cabezas al techo de pizarra ondulada habría sólo medio metro de luz parpadeante, humo y hedor. En las paredes estaban pintadas escenas religiosas, muy esquematizadas y en enérgicos colores. Un grupo obstaculizaba la entrada; delante, los bancos de madera se hallaban casi vacíos. Le abrieron paso y se encontró en el centro de la capilla, asordado por la música del órgano y los cánticos. Arrodillado, el sacerdote vestía unos ajados ornamentos. Más que las lámparas, a ambos lados del altar, iluminaban las velas.

Escudriñaba despaciosamente a los fieles. Si Emilia no estaba allí, preguntaría al cura; lo que sería preferible a buscar su chabola, interrogando a unos y a otros. Los hombres eran escasos y jóvenes casi todos ellos; las mujeres, por el contrario, viejas y suspirantes.

Gregorio cerró los ojos. Los olores indeclinables y la pesantez del aire le marearon. Era inútil orientarse en aquella selva de ruidos, silencios como simas, temblorosas luces e indudables miradas de extrañeza, que él desconocía tercamente. Unas voces de niñas cantaban en castellano. El sacerdote, seguido de unos chiquillos también revestidos, evolucionaba por el altar. De improviso, todos se arrodillaron. El suelo era de tierra, muy pisoteada y gris, como ceniza. La capilla se agrandó y Gregorio distinguió al cura, que les bendecía con algo muy brillante.

Sujetó unos minutos su impaciencia y, por fin, se abalanzó a la salida. Allí continuaba el grupo, atento a la ceremonia, remiso a penetrar del todo en la capilla. Gregorio enquistó el suyo en los cuerpos, que cedían, y posó una mano, al tiempo que otras manos se posaban en él, sobre las telas ásperas. Nunca había percibido tan cerca el hedor, la humanísima costra de sus cuerpos sucios, cansados y tenaces.

Respiró con ansia el aire libre. La plazoleta estaba más animada. Restregó las manos y, al alzar la cabeza, vio a Emilia, que le observaba persistentemente. Antes de que hubiese iniciado un movimiento para acercársele, Emilia se volvió. Gregorio rodeó la plazoleta. Por una de las callejas, dejó de distinguir sus hombros. La obscuridad era casi total; de pronto, tropezó con Emilia.

— Ah, perdone.

— Le vi en la iglesia.

— La buscaba a usted. Estuve en casa de Juan.

— Juan ha salido de viaje. ¿Alguna complicación?

Gregorio buscó inútilmente los rasgos en aquella superficie gris.

— Unos dolores insoportables.

— ¿Sólo eso?

— Tuvo además una hemorragia. Y los dolores son constantes. Hay que inyectarla morfina cada menos tiempo.

— Siga haciéndolo. Y que tome los calmantes que receté. En unos días...

Tendió un brazo en la obscuridad y Emilia se apartó hacia el centro de la calle.

— ¡He venido a buscarla! No crea que me voy a ir sin usted, una vez que me he decidido a meterme en esta mugre — saltó y le asió de un brazo. — Puede que no la suceda nada, pero puede también que esté muriéndose. Usted lo hizo y nos va a sacar de dudas.

Aflojó la presión de su mano; ella le miraba inquieta.

— ¿La ha reconocido algún médico?

Gregorio soltó el brazo de Emilia.

— No, claro que no. No me suponga idiota.

— Escúcheme — su voz trataba de ser amable. — Me parece ineficaz... — inesperadamente su presencia muda cambió la actitud de Emilia. — De acuerdo. No crea que rehuyo mi obligación. Sé bien lo que he hecho y no hay peligro, pero si se empeña usted...

— Sí. Pagaré lo que sea.

— ¿Ha traído coche?

— Está en la carretera.

Ella le guiaba por las intrincadas callejuelas; se detuvo y acabó de ordenarse los blancos cabellos. A menos de cien metros, paralelo al descampado donde se encontraban, estaba el automóvil.

— Hay que salir fuera de Madrid.

— ¿La han trasladado ustedes? ¿Por qué?

— En la ciudad no había seguridades. En una hora llegaremos.

— Oiga — ahora fue ella quien le colocó una mano sobre el antebrazo, como deteniéndolo o suplicándole o negándose otra vez —, yo debo estar esta noche aquí.

— No le preocupe eso. Estará. Si quiere cobrar ahora, dígame cuánto es.

— No. Ni ahora, ni luego. Ya me pagó usted lo convenido.

— Pero se trata de una visita profesional.

— Va incluida en los gastos generales. Pero eso sí — insistió —, esta noche quiero estar de vuelta.

En las primeras calles de la ciudad observó que Emilia llevaba un vestido descolorido y estrecho, y una chaqueta de punto, que cruzaba sobre el vientre. Miraba derechamente, sin moverse. Las luces de la Gran Vía parecieron distender su rigidez. En la carretera, Gregorio aceleró al máximo. La proximidad de Emilia le enervaba, impulsándole a devorar distancias frenéticamente.

— Esperaba encontrarla antes. Me molestaba preguntar, ¿comprende? Por mí y por usted.

Ella rio brevemente.

— Este viaje es inútil. Pero está bien; no discutamos.

— ¿Quiere un cigarrillo?

— Sí, gracias.

El motor marchaba a una velocidad alarmante, sin fallos. Ella acabaría por hablar, si él persistía en su silencio. La calzada de asfalto se hizo adoquinada. Los últimos restaurantes y los últimos cruces habían quedado ya atrás.

— ¿No va muy de prisa?

— ¿Tiene miedo? — preguntó Gregorio, casi triunfal.

— No. Conduce usted bien. Me gusta la velocidad. Dicen que es una prueba de insatisfacción.

— Eso dicen. Pero usted no se encontrará insatisfecha.

— ¿Acaso por la vida que llevo? —. Gregorio asintió. — No me dedico con frecuencia a estas cosas.

— ¿Las teme o le asquean?

— Las temo y me asquean.

— ¿Cree que las mujeres deben tener el hijo que llevan dentro?

— Sí. O, quizá, no. No pienso mucho en ello.

— Donde usted vive no les será fácil mantenerlos.

— Por lo general, no. Pero allí, también por lo general, cuando una queda encinta, maldice, blasfema y termina por parirlo. Hay otras que no hacen así. Acuden a mí o ellas mismas se lo provocan. Cada persona es distinta y no se puede generalizar.

— Y en este caso...

— Ella tiene dinero, ¿no? Con dinero se arreglan las dificultades. Su hijo podría haber sido feliz o desgraciado. Nunca se sabe, claro está. Pero habría tenido seguridad y comodidades; y eso es algo al principio de una vida. Pero no deseo juzgar a nadie. A mí me han juzgado con exceso. Si usted ha preferido que no haya alumbramiento...

— ¿Yo?

— ... tendrá sus motivos. Que no me interesa conocer, ni siquiera preocuparme sobre si podría llegar a conocerlos. Por esto es bueno el dinero. No solamente porque calma el hambre y con él se compra el jabón y la ropa, sino, principalmente, porque simplifica las relaciones entre unos y otros.

— Si quiere beber algo, podemos detenernos un momento.

— Será mejor continuar.

— Ya falta poco.

— La muchacha es fuerte y joven. No se lo habría hecho, si yo hubiese creído que no iba a soportarlo.

— Alguien me ha preguntado si ella podrá tener hijos después de esto.

— Sí, podrá tenerlos. Si quiere — añadió.

El aire era más frío, cuando comenzaron a subir la colina. Emilia miraba a ambos lados. A Gregorio le divirtió su curiosidad, que contrastaba con su hasta entonces melancólica expresión. La valla de madera estaba abierta y Gregorio supuso que ellos se encontrarían por el parque. Frenó y vio a Pedro en los escalones de la entrada.

Julia estaba dormida, les comunicó. Isabel fingía leer, junto a la chimenea. Se puso en pie y subió detrás de Pedro y de Emilia. Gregorio bebió un trago de ginebra y salió al parque. Jovita siseó desde la oscuridad.

— ¿Qué? — preguntó Jacinto.

Estaban sentados — Meyes, Jovita, Leopoldo y Jacinto — en círculo y él se sentó en el centro, sobre la hierba.

— Puso algunas dificultades para venir.

— ¿Quieres tomar algo? — le preguntó Meyes.

— No, gracias.

— ¿Se va a quedar aquí? — se interesó Leopoldo.

— No; tengo que volverla a Madrid. Fue su única condición.

— Pero tú estás cansado.

— Yo la llevo —. Leopoldo se puso en pie.

— Es preferible que se luzca uno solo. Me encuentro bien. Si no tengo más ganas de volante, paso la noche en Madrid.

— ¿Qué vas a decir en casa?

— No, no; duermes en mi piso — ofreció Jacinto.

— Eso había pensado.

— Voy a buscarte las llaves.

— ¿Y Neca?

— En la cocina — dijo Meyes. — Entonces, ¿no regresarás ahora?

Gregorio se reclinó en el sillón que Jacinto había dejado.

— No; ¿por qué?

— Por nada.

En el valle lucían las casas y las calles del pueblo. A veces, la carretera se hacía visible por unos faros. Jacinto volvió con Neca. Le entregó las llaves y Neca explicó dónde estaba todo aquello que pudiese necesitar. Leopoldo y Jacinto fueron a revisar el coche de Isabel y Gregorio quedó solo con las mujeres.

— Se te echa de menos — dijo Jovita. — Ésos se ponen de mal humor o se enzarzan en un "poker".

— ¿Vas a comer algo? ¿Y esa mujer?

— Gracias, Neca — bajó los ojos a la esfera del reloj. — Antes de las doce la habré dejado y ceno unos "sandwichs".

— Mañana daremos nuestro paseo.

— Desde luego.

— Hace una noche genial, eh.

— Yo no siento nada de fresco.

— Porque has estado metida en la cocina.

— A ver qué dice.

— ¿Quién?

— Ésa.

— La pobre Julia no ha tenido nunca enfermedades.

— ¿Te parece competente, Gregorio?

— ¿Cómo?

— Que si te parece de confianza, como médico.

— Sí, naturalmente que sí.

Jacinto y Leopoldo volvieron junto a ellos. La boca de Jovita destelló en la penumbra.

— No se ha calentado mucho, pero llévate el mío si quieres.

— Me he habituado al de Isabel. El de Isabel marcha bien.

Oyeron las voces en la casa. Gregorio se despidió. En el "living", Emilia tranquilizaba a Pedro y a Isabel. Con su floja chaqueta de punto y sus zapatillas, semejaba una mujeruca que hubiera entrado a vender algo, minimizada en un desamparo grotesco.

— ¿Qué tal la ha encontrado? — preguntó Gregorio.

— Tiene los dolores normales, después de una intervención de esta clase. No deben alarmarse ustedes y, en ningún caso, recurrir a otra persona. Sigan con el mismo tratamiento y no teman ponerle morfina, si ella se agota demasiado. Dentro de dos días, estará completamente bien.

— ¿Es posible alguna complicación? El corazón, por ejemplo — dijo Pedro.

— Tiene una salud magnífica. Les repito que no se asusten, por mucho que ella se queje.

Isabel se movió, molesta. Pedro se despidió y subió las escaleras. Gregorio superó su ensimismamiento y miró a las dos mujeres.

— Si usted quiere tomar alguna cosa...

— Nada, muchas gracias.

Isabel quedó en el porche. Los otros se detuvieron, acechantes, en la obscuridad, pero Emilia no pareció oír.

Emilia había apoyado los antebrazos en las rodillas. La luz del cuadro indicador trazaba una divisoria sobre su frente. En uno de los pueblos, Gregorio compró tabaco y bebió una "coca-cola". Le trajo a Emilia otra botella y descansaron mientras ella bebía.

— La otra noche descubrí que tenía una herida.

— No entiendo a qué se refiere — sonrió Emilia.

— Una herida casi externa. Y bastante honda. De ella deben de proceder las hemorragias.

— Lógico. ¿Qué había pensado? Suelen ser frecuentes esas heridas.

— ¿Un descuido?

— Frecuentes — acabó la botella. — E inevitables. Pero sin importancia, gracias a los antibióticos — redobló su sonrisa. — No se inquiete.

Durante algunos kilómetros, se mantuvo erguida en el asiento y cambiaron unas frases. Al llegar a Madrid, dormía apoyada contra la portezuela, con el viento en pleno rostro. Las calles estaban más vacías.

— Emilia.

Detrás de la obscuridad estaba el poblado. Emilia abrió los ojos. El silencio era absoluto. Esperó que ella acabase de despertar.

— Ha venido usted volando — dijo Emilia.

Sin mirarla, la abrazó. El cuerpo de ella cedió sobre el asiento. Las manos de Gregorio se aplastaron contra sus pechos. En sus cabellos blancos encontró un sabor a tierra.

— Sigue — dijo Emilia.

Bruscamente la vio avejentada, alteradas las facciones, e insólita. Cruzó la chaqueta de ella sobre su cuerpo y se irguió.

Descendieron del automóvil.

— Perdone — susurró.

— Lo estuve pensando — tenía un lamentable aspecto. —¿Quiere pagarme algo?

— Es lo justo. ¿Cuánto?

Pareció a punto de reír o sollozar convulsivamente.

— Cien, doscientas, lo que usted crea conveniente. Tampoco tengo honorarios fijos.

— Tome doscientas.

— Gracias. Adiós.

Gregorio condujo hasta el centro de la ciudad. En la Gran Vía no encontró espacio para aparcar y tuvo que desviarse. Tenía las piernas entumecidas, cuando entró en la cafetería.

— Hace tiempo que no se le ve a usted por aquí — le saludó Lupe.

Bebió un vaso de leche fría y comió con desgana de un plato variado, preparado por Lupe.

— Pues, ha sido usted oportuno; esta noche no salgo.

— ¿A qué hora te largas?

— Dentro de cinco minutos.

— Y ¿vas a tu casa?

— Sí.

— Te llevo en el coche.

— Esta noche, no. De verdad. Viene a buscarme una prima mía. Y, además, le he prometido a mi madre que volvería pronto. Otro día. ¿Cuándo quedamos?

Gregorio fingió no haber oído la pregunta.

— Oye, Lupe, ¿cómo se llama?

— ¿Quién?

— El que te espera.

— Ay, que no, que te juro que me espera mi prima. ¿Quedamos para mañana? Mañana es domingo.

— Ya vendré por aquí.

— Sin avisar, claro. Luego, no te enfades, si no puedo.

— Yo no me enfado. Lupe.

Lupe le miró, extraviada, unos instantes.

— Bueno, pues mejor para usted — dijo en un tono alto. Después de haberse quitado el uniforme, atravesó el local correteando sobre sus altos tacones, envarada en su falda ceñida. Gregorio abonó la cuenta, terminó el cigarrillo y salió a la calle.

Las aceras se llenaron con los que salían de los cines. En la terraza de un bar encontró una mesa libre. Ni la multitud, ni los ruidos o los violentos anuncios luminosos le disipaban aquel sopor aplastante.

Las mujeres pasaban con sus vestidos de verano. Más tarde, cesaron los autobuses. Gregorio pidió un segundo "gin-fizz". Las prostitutas interrumpían su lentísimo caminar y bajaban a la calzada, cuando las llamaban desde algún automóvil. Gregorio decidió pasear, hasta que el cansancio le rindiese.

Se detuvo en dos o tres escaparates, presenció un conato de riña y sonrió de sus propias miradas hambrientas. Regresó en el automóvil a la Gran Vía y, en el primer trozo, donde los transeúntes eran menos numerosos, aparcó.

El bochorno, aceitoso y coloreado, pesaba sobre la calle. Sudaba, con los ojos muy abiertos.

La muchacha, exageradamente maquillada, con un tirante "sweater" rojo y una corta falda blanca, se aproximó. Gregorio abrió la portezuela y fumaron un cigarrillo juntos. A los pocos minutos, la chica le narraba su vida. Gregorio renunció y se despidió de ella.

Tardó en encontrar los conmutadores de la luz y, después, abrió los balcones. En el frigorífico, tal como Neca le había indicado, había unas bebidas no del todo calientes. Se instaló en el salón, desnudo de medio cuerpo, y colocó un disco elegido al azar.

Se secó con un pañuelo las axilas y el pecho. Bebió un largo trago. El "swing" lento, rotundo, era la música adecuada a su insomnio y a su malestar. La casa desprendía el aroma de Neca. Un aroma, en cierto extraño ahogo, semejante al de aquella habitación de casa de Julia, en la que había permanecido unos minutos y en la que probablemente nunca más volvería a entrar. Al final de los pasillos, entre los baúles, inverosímilmente sólo una semana antes, Julia — la pobre Julia, como se decía en los últimos días — y él se habían estrechado, uno contra otro.

En el rectángulo del balcón oscilaba la penumbra. El rítmico jadeo del contrabajo guiaba los alaridos del clarinete. Gregorio se levantó de un salto y encendió una lámpara.

23

Desde el porche oyeron los gritos de Leopoldo. Neca preguntó qué sucedía. Fue Jovita, quien respondió con un plañidero tono:

— Su atlas, mujer. ¡Su maravilloso y asqueroso atlas!

La cólera de Leopoldo culminó en una maraña de insultos.

— No llegaremos a misa — les advirtió Neca. — Avisad a Pedro y a Meyes. Y a mi marido.

Isabel sacudió su ensimismamiento.

— Jacinto salió hace unos minutos. Dijo que prefería dar un paseo.

Neca descruzó las piernas y avanzó el rostro.

— ¿En qué estabas pensando?

— ¿Quién? ¿Yo? No sé. En Gregorio. Es más de la una y aún no ha regresado.

— Estará durmiendo.

— Claro.

— Espero que se haya arreglado bien él solo en casa.

La verde línea de la montaña contenía unas nubes; sobre el valle el fuerte sol vibraba en los contornos. El viento de la madrugada hacía unas horas que había cesado. Isabel sonrió a Neca.

— Seguro.

— ¿Por qué te ríes? Ah, comprendido.

— No le levantemos calumnias al muchacho.

— Tú — dijo Neca — le conoces a fondo.

Jovita salió al porche, manoteando detrás de Leopoldo.

— No viajas más que sobre el papel. Un día se descubrirá que te gustan las revistas pornográficas. Viajes de papel, mujeres de papel... Aun admitiendo que tuviese el atlas mal abierto, ¿para qué quieres conservar tu asqueroso atlas? Según él — Jovita se dirigió a Isabel y a Neca — no sé tener ni un libro entre las manos. Descuida, que no volveré a tocar tu atlas — insólitamente tranquilo, Leopoldo se apoyó en la baranda y miró hacia el final del parque. — Tu marido no sé dónde está.

— No te sofoques — dijo Neca.

— Todo el santo día con el atlas a cuestas. Y sólo quiere ir a Italia. Pues anda, hijo, que si se te ocurre ir a la India o a América...

— ¿Les has dicho a Pedro y a Meyes, que no llegamos a misa? —. Pedro, las tres mujeres y Leopoldo parecían esperar la respuesta. — ¡Pedro!

— Ahora baja — gritó Julia.

Neca se puso en pie, al tiempo que Jovita se sentaba. Leopoldo saltó los escalones y dobló la esquina, en dirección al garage.

— Tendré la mesa puesta — dijo Isabel.

— ¿No te importa quedarte sola?

— No. Dentro de un cuarto de hora pongo la olla al fuego. No os retraséis mucho.

— ¿Qué tal darnos un chapuzón en alguna piscina del pueblo?

— Vendremos inmediatamente, Isa. No, Jovita. Cuanto menos permanezcamos fuera de casa, mejor. Ya oíste anoche a Jacinto.

— También podemos encontrarnos conocidos en misa.

— Espero que Gregorio llegue para la comida — dijo Isabel.

Meyes traía un devocionario forrado en piel y el velo sujeto a los cabellos. Jovita se levantó.

— Pedro ha ido a sacar el coche. ¿Y Jacinto? — preguntó Meyes.

— Va delante. Quería pasear — dijo Isabel.

Abierto sobre la mesa del "living", estaba el atlas de Leopoldo. Isabel encendió un cigarrillo. Sobre las voces sonaba el ruido del motor. El mar tenía un verde desvaído en las inmediaciones de la costa. Isabel resbaló la punta del índice por las cordilleras, puntiagudas y ocres, por las aspadas rayas de las fronteras. Se quitó el cigarrillo de los labios y subió las escaleras.

— ¿Qué tal va eso? — preguntó desde la puerta.

Julia abatió la revista gráfica que estaba viendo y sonrió. Sin maquillaje, tenía su rostro una extraña puerilidad. Isabel, a su vez, trató de sonreír.

— Muy bien. ¿Se han ido?

— Sí. Estamos solas. Voy a la cocina. El timbre suena en el "living", pero con este silencio te oiré.

— De acuerdo.

— ¿Quieres un cigarrillo?

— Acabo de fumar. Gracias, Isa — levantó la revista.

Bajo la sábana, se arqueó el cuerpo de Julia. Isabel se acarició la nuca.

— Bueno, llama, si quieres algo.

Antes de ir a la cocina, se sentó junto a la chimenea y bebió un vermut con ginebra. Cerró los ojos y desaparecieron los muebles, los dos cuadros, las reproducciones tras los cristales ligeramente destellantes, las sombras y las luces, las cortinas de las ventanas, la escalera. Al principio, una tiniebla absoluta aplastó sus párpados; más tarde, se deslizaron unos colores vivísimos y vertiginosos. Pensó que estaba durmiéndose y movió las manos. Unos pájaros piaron alborotadamente en el parque.

En el aluminio de las cacerolas unos reflejos de sol alegraban la cocina. Mientras fregaba, demoró sus muñecas bajo el agua. Por la puerta que daba al pequeño patio trasero, penetraba un caluroso aroma de savia y jara. Isabel oyó un crujido y enfrentó la puerta del patio. Unos segundos más tarde, entró Gregorio.

— Ah, ¿ya has vuelto? Hola.

— Hola. ¿Cómo se encuentra Julia?

— Bien. A la madrugada estuvo algo molesta, pero ahora no tiene fiebre. ¿Y tú?

— Harto de carretera. Encerré el coche; por eso he entrado por aquí. ¿Te he asustado?

Gregorio, con las piernas separadas y la americana doblada sobre el hombro, seguía con la mirada los movimientos de Isabel.

— No, no. Tenía la batidora funcionando y no te oí. ¿Has dormido en casa de Neca?

— Sí.

— Neca estaba preocupada por si no te arreglabas.

— Voy a ver a Julia.

— Los demás están en misa.

Julia, tendida de costado, se incorporó al verle entrar. Gregorio recogió la revista, caída junto a la cama, y la colocó sobre la consola.

— Tienes un gran aspecto.

Ella retiró el cuerpo, al tiempo que palmeaba un espacio libre, donde Gregorio se sentó. Le tomó la muñeca y sintió los latigazos de la sangre de Julia en las yemas de los dedos.

— Bah, ya estás bien.

— Completamente. A la tarde, pienso levantarme.

— ¿Te has aburrido?

— Mucho. Jacinto se negó a jugar al "poker" aquí, Neca se quedó dormida, Isabel se pasó la noche en el parque.

— ¿Quién ganó?

— Leopoldo y Pedro. Jovita perdió unas trescientas y Jacinto algo menos. Y tú ¿qué hiciste?

—Llevé a esa mujer a Madrid, cené en una cafetería, di una vuelta y me metí en la cama.

— Tampoco muy divertido.

— Tampoco.

La mirada persistente de Julia carecía de la movilidad enfermiza de los últimos días.

— Meyes te recordó mucho anoche.

— Y yo, a vosotros. Madrid estaba inaguantable.

— ¿Te gusta Meyes?

Gregorio se puso en pie. Inmediatamente, Julia ocupó bajo la sábana el hueco que él había dejado al sentarse.

— Es muy mona. Y tiene un gran tipo.

Se aproximó a la ventana y graduó las persianas.

— No me refiero a si te atrae físicamente. Leopoldo se va la próxima semana a Italia.

— Descansa un rato. Luego, te pondré la "aqucilina".

— De acuerdo, enfermero. Te estás portando.

— ¿Cómo?

— Cuando las pasabas moradas y te veía a mi lado, deseaba decirte cuánto me ayudabas.

— Te subirá la fiebre, si te pones sentimental.

Isabel acababa de distribuir los cubiertos en la mesa. Desde el rellano, Gregorio contempló el pelo pajizo de Isabel, sus largos brazos desnudos; de arriba llegaba la melodía que silbaba Julia. Hubo un tintineo de loza y cristal. Gregorio contuvo un escalofrío.

— ¿A qué misa han ido?

— A la de una y media. ¿Quieres tomar algo?

— Gracias.

Llenó dos grandes vasos lisos de "coca-cola" y añadió un poco de ron.

— Leopoldo dice que se va a Italia.

— Eso me ha contado Julia.

— Quizá haga menos calor fuera. Tiene los nervios rotos.

Se instalaron en los "morris" del porche.

— ¿Leopoldo?

Isabel bebió un sorbo, que le dejó húmedos los labios, apenas enrojecidos de pintura. Cerró los ojos y estiró el cuerpo.

— Estuve pensando anoche.

— ¿En qué pensaste?

— En que todo acabará un día.

— Todo ¿qué?

— Todo esto de Julia.

— Ya puede decirse que ha acabado.

— Estoy deseando volver a coger el ritmo de antes. Aunque me aburra. Pensé muchas tonterías. Hasta en ese pobre tonto, que se dedica a perseguirme últimamente.

— A ver si ese tonto termina por gustarte —. Gregorio rio del gesto de Isabel. — Tú no te fíes nunca de ti misma. Por eso insistimos los hombres. Y piensa que todo esto se olvidará.

— Sí, tienes razón. Pero se te hace habitual un poso de desasosiego o de tristeza. Es todo lo que has olvidado, ¿comprendes?

— No. Creo que, con el tiempo, no sentiremos nada de estas cosas que hoy constituyen nuestra vida.

— Cuando tengas más años, comprenderás.

— ¡Más años, más años...! ¿Qué es lo que dan los años?

— Una especie de memoria, a cambio de lo que te quitan.

— Parece mentira que, estando tan guapa, tengas un día tan fúnebre.

Gregorio acabó el vaso de un trago. Las uñas de los pies de Isabel estaban pintadas de un rojo anaranjado. Sus planas sandalias de tiras doradas engrosaban sus tobillos. Gregorio siguió con los ojos la piel de las piernas extendidas de Isabel, hasta el límite de la falda.

— Esa mujer no te diría, luego, que Julia está peor.

— Naturalmente que no.

— No lo tengo fúnebre; lo tengo inaguantable. Un día de presentimientos.

El automóvil frenó en el sendero. Regresaban únicamente las mujeres. Julia llamó desde su habitación. Neca pasó un brazo por los hombros de Gregorio y éste tuvo que tranquilizarla respecto a la comodidad de su última noche.

— Se han quedado en la bolera — explicó Jovita. — Ellos no importa, porque, como son tan listos, no pueden meter la pata. En cambio, nosotras a casa en seguidita, no vaya a ser que demostremos lo bárbaramente idiotas que somos.

— Hola, Meyes.

— Hola, Gregorio.

— Todo bien, ¿verdad?

216

—Sí, muy bien.

—Pero entonces, ¿a qué hora se come?

—Jacinto ha prometido que subirían antes de las tres.

—Si encuentran un taxi.

—Dijeron que si estabas aquí y te apetecía, que fueses a buscarlos.

Neca e Isabel entraron por el patio trasero. Jovita se quitó sus zapatos de tacón alto y fue a conectar la radio.

—Esta noche, sin falta...

—Gregorio — rio Meyes —, ¿sabes desde cuándo estamos proyectando salir juntos?

—Desde que nos conocimos en casa de Neca. ¡Entonces — se asombró — nunca hemos salido juntos!

—Te acompaño al garage.

Meyes aseguró el cigarrillo en la boquilla. Gregorio sacó el automóvil de Jacinto, frenó frente al porche y, por la portezuela entreabierta, preguntó:

—¿Queréis algo del pueblo?

La voz de Neca se juntó a la de Julia, pidiéndole no se retrasasen para la comida. Jovita corrió descalza y se acomodó en uno de los guardabarros delanteros.

—Te abro la valla.

—Quítate de ahí — ordenó Gregorio.

—Jovita — gritó Meyes, desde el porche —, vas a romperte la cabeza.

Jovita rio con fuerza. Bajo la blusa blanca oscilaban sus pechos, mientras Gregorio conducía lentamente hacia la salida. Jovita saltó al suelo, abrió la valla y le despidió con el brazo derecho extendido en vertical.

En uno de los recodos de la carretera forestal, al disminuir la velocidad, descubrió una línea de orugas blancas ascendiendo el tronco de un árbol. Al llegar al pueblo, preguntó por la bolera. Uno de los numerosos veraneantes que paseaban por la calzada le explicó concienzudamente que en el pueblo existían cuatro boleras y que tres de ellas aún estaban cerradas aquel año, antes de indicarle la localización de la cuarta.

Gregorio descendió del coche y se aproximó al arco, donde unas letras de tubo de neón rotulaban: BOLOCLUB. Las únicas instalaciones cubiertas eran las del bar. En la parte derecha y al fondo, brillaban las pistas. La sombra del pajizo apenas si disminuía el calor. Una de las pistas estaba libre. Pedro, en contra de Jacinto y Leopoldo, deseaba jugar.

— Hombre, menos mal que has llegado. ¿Tú quieres echar una partida?

Gregorio escuchó unos instantes la música del altavoz y detuvo su mirada en la muchacha de los ceñidos pantalones granates, que se doblaba para lanzar la bola; durante el rodante tableteo, la muchacha mantuvo su quebrada postura última. Los bolos cayeron, los amigos de la muchacha gritaron y ella se irguió. A Gregorio le ahogaba el aire seco.

— Bueno.

Pero permanecieron sentados. Pedro contemplaba, más allá de las tapias blancas, la ladera azulada.

— Quizá haga demasiado calor. Si nos ponemos a jugar, sudaremos.

— Tú, que tanto protestas del calor — dijo Jacinto a Leopoldo —, verás lo que es bueno, cuando estés en Italia.

— ¿Es cierto que te vas la semana que viene? Mejor dicho, a la otra.

— Aquí ya no hay nada que hacer.

Como una isla de silencio en la animación del bar, continuaron callados, hasta que un muchacho, con gafas, saludó a Leopoldo. Era un compañero de Facultad y su cordialidad no decayó por el altanero cansancio con que fue recibido.

— No sabía que veraneabas aquí.

— Estoy de paso. Voy a Italia.

Antes de expresar su sorpresa, el muchacho les miró.

— ¿A Italia? ¿Para ir a Italia pasas por la Sierra? Sigues siendo un tipo genial.

— Voy a Italia dentro de nueve días, exactamente. Si quieres beber algo con nosotros...

— No, no, muchas gracias. Acércate algún día por mi chalet. Los viejos se han largado al Norte y se puede preparar una fenómeno.

— Ya veremos.

— Yo voy a echar un ratito de bolos.

— Los bolos es un juego para impotentes.

El otro rio, desconcertado, y se despidió.

— Buen chico — enjuició Leopoldo. — Su familia tiene un

fortunón. El padre dejó el Ejército y se dedicó a los negocios. Hicieron el dinero en unos cuantos años.

— ¿Cómo has encontrado a Julia? — preguntó Jacinto.

La ansiedad desfiguró el rostro de Pedro.

— Bien, muy bien — la frente de Pedro y sus mejillas sudorosas parecían extraordinariamente blandas. — La he encontrado muy mejorada. Además, según Isabel, ha tenido una buena noche. ¿Qué sucede?

Pedro se adelantó a Jacinto:

— No les hagas caso. Se empeñan en empeorar la situación.

Gregorio miró tenazmente a Leopoldo y Jacinto.

— Hazle caso a él. ¿No sabes que le darán un día de estos — Leopoldo, en un segundo, se había apasionado — la medalla del valor?

— Es posible —. Pedro trataba de contener su impetuosidad. — Y a ti, la del miedo. Si empleases para el "poker" la misma audacia, se te iría el dinero como espuma.

— Aquí no se trata de tirarse un farol, sino de la integridad de Julia.

— Chis, chis — hizo Jacinto.

— Sé muy bien lo que le pasa a Julia y lo que...

— No, eso no — le interrumpió Leopoldo. — Lo que la pueda pasar, no lo sabes. O no quieres saberlo. Te has encariñado con el papel de hombre sereno y matón. Ahí es donde te duele a ti; que estás confundiendo el valor con la matonería.

— ¿Queréis decirme qué sucede?

Los tres tomaron contacto con su presencia. En el principio de las pistas, se movían los rotundos colores de los pantalones, las faldas y las blusas de las muchachas. Jacinto habló, con un forzado tono apaciguador:

— Es posible que Julia tenga una lesión interna o algo así. Hablando de ello, se nos ocurrió la idea. No pasa de ser una idea, eh. Que a Julia le quede una enfermedad, después de todo esto.

— Pero ¿en qué os fundáis? Ha sido Meyes — aclaró Pedro a Gregorio — quien les ha metido esa estupidez entre ceja y ceja. ¡Lo único que les preocupa a ellas es tener hijos y más hijos, para el día que ya no gusten!

— El heroico condecorado discursea contra la maternidad. El heroico condecorado nos está saliendo rana, con su abrumadora capacidad para la injusticia —. Leopoldo varió bruscamente el tono. — ¿No has visto lo que ha hecho ella por ti? ¿Es que no te preocupa saber cómo ha quedado ella?

Las mesas y la barra del bar se desocupaban. Contra los ruidos de la bolera, persistía el aluvión de las melodías de moda. Una afilada luz tajaba el campo.

— No liaros en discusiones tontas — intervino Jacinto. — Julia está bien.

Gregorio permaneció inalterable, al tiempo que Pedro sonreía.

— Creo, Jacinto, que Leopoldo y tú pretendéis que a Julia la vea un médico.

— Exactamente.

— No.

— Bien, no ahora, claro, sino cuando todo haya pasado.

Gregorio respiró como en un suspiro.

— Ya se verá, entonces. Pero ahora, no. Esa mujer es médico, la ha reconocido y ha encontrado que a Julia no puede sucederle nada grave. Hemos pasado lo peor y supongo que nadie estará dispuesto a estropear el asunto en el último minuto.

— Es lo razonable — dijo Pedro. — Ahora que ya no tiene dolores...

— Aunque volviese a tenerlos — Pedro asintió mecánicamente. — Julia se curará sin que intervenga más gente. Y sin comprometer a los que hemos intervenido.

Leopoldo anunció la hora y Jacinto trató de abonar las consumiciones.

— Deja, deja — dijeron Pedro y Leopoldo, al tiempo.

Las voces recobraban su cordial habitualidad. Gregorio, con las manos en las caderas bajo su camisa suelta, dio unos pasos hasta el círculo de cemento, que constituía la pista de baile y que parecía fuese a resquebrajarse al sol. Ya sólo jugaban a los bolos unos hombres.

24

—Ahora ya es noche en toda Europa—dijo Meyes. —Durante estas dos últimas horas, se han ido encendiendo todas las avenidas de las ciudades de Europa. ¿Te las imaginas? Líneas larguísimas de farolas, de anuncios luminosos, de automóviles, de gentes—hizo una pausa.—Ahora ya empieza otra noche en todos los países.

—¿Te gusta pensar en ella?—preguntó Gregorio.

—Sí.

—Creo que te entiendo.

—¿De verdad? Me reconforta, me da una pequeña tristeza y un frenético deseo. Bien, pensarás que soy una loca o una cursi.

—No, no—musitó sonriendo.

El aire quieto y ligero de la noche disipaba el entumecimiento que le había dejado la siesta, desnudo y húmedo de sudor sobre la cama, en el dormitorio sofocante asaeteado por la luz de las rendijas.

—Opina lo que quieras. Estoy contenta.

El sendero, entre las praderas, era gris. Caminaban despaciosamente, juntos, cuidadosos de sus pasos en las inesperadas piedras y desniveles. A uno y otro lado, las rocas y los matorrales sustituyeron las iguales extensiones de hierba.

—Yo también. Hemos retrasado la hora de ponerse a beber en el parque. Si se levantase un poco de viento...

—La radio ha anunciado tiempo tormentoso. Pero suele equivocarse. Tendremos otra semana de calor.

—Vamos por aquí—indicó Gregorio.

Andar fuera del sendero, a pesar de la claridad del cielo, les obligó a ir más despacio.

—¿Sabremos volver? Claro que sí. De niña me aterrorizaba la idea de que los mayores no supiesen regresar. El campo por la noche me ponía muy triste. Con una tristeza terrible.

—¿Qué es lo que ahora te pone triste?

—Pocas cosas. Beethoven, las aglomeraciones, algunas personas y las bodas.

— Las tardes de domingo también.

— Las tardes de domingo procuro que estén llenas. Si no, desde luego que resultan infames. Por lo general, las paso en casa de Neca.

— Y sin Beethoven. En casa de Neca no debe de haber más que "jazz" ¿Te gusta el "jazz"?

— Casi nada. ¿Y a ti Beethoven?

— Nada. Me parece un cascarrabias en continuo ataque de ira, con pausas sensibleras. Oye, no hagas caso de mis estúpidas blasfemias musicales. No entiendo nada de música.

— Te perdonaré tus herejías. ¿Dónde vamos?

Espero que el sanatorio esté iluminado.

Ella llevaba una chaqueta de punto sobre los hombros y un vestido de grises frutas estampadas en fondo amarillo.

El sanatorio, en la verdosa obscuridad de la montaña, estaba iluminado; del arroyo, a trechos visible, se levantaba una húmeda aroma.

— Quizá — Meyes se sentó en la tierra — te manches el vestido.

— Es magnífico.

Gregorio se sentó junto a Meyes y fumaron, sin hablar, con la reciente frescura de la noche en los paladares. La piel de Meyes tenía una claridad mate e igual.

— ¿Te divertiste anoche?

— ¿Anoche? ¿En Madrid?

— Sí. Supusimos que estarías de juerga.

— No, claro que no —. Gregorio enrojeció de la resonancia teatral de su propia risa. — Estaba muy cansado.

De pronto, en el silencio, creyó que Meyes necesitaba algo. La muchacha sonreía, como distraída, y, a la vez, en sus facciones se delataba una suerte de anhelo o desamparo.

— Isabel fue la primera que me habló de ti.

— Lo haría bien. A Isabel la tengo engañada.

— La tienes encantada.

— ¿Quieres escapar de algo, Meyes? — preguntó, deliberadamente brusco.

— ¿Por qué lo dices?

Instantáneamente volvió a la superficialidad.

— Por tu expresión.

— Eres listo, tú. Apenas tiene importancia.

— Si puedo ayudarte...

— ¿Tú no pides nunca ayuda?

— Muchas veces — bromeó.

— Lo mío es algo que debe de sucedernos a todas las chicas de mi edad. De pronto, sientes que tu vida ha estado vacía, sin sentido o hueca. Hace tiempo, Juan y yo salimos con frecuencia.

— No sabía.

— Es que carecía de importancia. Como lo demás. Había estudiado la carrera casi entera, había salido con uno y con otro, a bailar, a dar una vuelta, a no sé. Tenía amigas, los exámenes, a los de casa. Pero ahora veo que estaba muy sola. He reconocido mi soledad.

Mientras escuchaba, sujetaba sus manos contra las rodillas. Meyes le hablaba de sus años del colegio. El sosegado tono de su voz, el cuerpo y el rostro tan cercanos, su aroma, sus sonrisas encadenadas a las palabras, matizándolas o precisándolas, le enervaban. Acababa de fumar, pero volvió a hacerlo. Hubiese abandonado sus muñecas y su boca en el agua, que adivinaba helada, de haber estado solo. Cuando Meyes dejó de hablar, Gregorio dijo:

— Me acuerdo de la falda que llevabas el día que te conocí. Tu falda de flecos.

Meyes rio. Gregorio le ayudó a ponerse en pie. Mientras se sacudían la ropa, ella estaba muy próxima a sus manos.

— Mis piernas. En eso es en lo que te fijaste. Ya sé que las tengo bonitas.

— Algo más que bonitas.

— Me agrada que fuese así. Aunque recurras a la hipocresía de recordar mi falda con el borde de flecos.

— Por favor, no la arrincones. Alguna vez me gustaría volvértela a ver.

Meyes se apoyó en su brazo, al caminar.

— Ha sido un buen paseo.

Meyes andaba con la cabeza gacha y Gregorio oprimía el brazo de ella contra su cadera.

El suelo de la carretera forestal estaba más igualado. Los chalets, la mayoría de ellos sin luces, comenzaron a aparecer. Gregorio recordó la procesión de orugas, bajo el sol de aquella mañana, reptando el tronco del árbol. Detuvo a Meyes y miró sus ojos. Ella sonreía tenuemente y él encontró la causa de que ella, a pesar de la extraña o lejana o no entrañable sensación que siempre le había producido, fuera ahora distinta y no sólo a ella misma, sino distinta a todas las mujeres que había conocido. Era justo, e inevitable, que ella, si no lo sabía ya, no lo ignorase.

— He tardado en darme cuenta. Como a ti te pasó el día que descubriste que habías vivido en soledad. Yo ya lo sé.

— Tú y yo nos comprendemos.

Ella continuó mirándole y él fue ahondando su mirada. Meyes casi no despegó los labios, cuando añadió:

— Tú y yo no queremos perder libertad.

— Siempre he creído saber muy bien en qué consistía mi libertad.

— Lo difícil es encontrar a la otra persona.

La risa de él movió los hombros de Meyes en un impulso ascendente. Ambos se cogieron de una mano y siguieron andando. Meyes canturreaba. Antes de llegar al chalet, brillaron unos faros y ellos dos, sin soltar sus manos, se apartaron a una de las cunetas. Los de las bicicletas reían y una voz de mujer les saludó.

— Mira — dijo Gregorio.

Dos de las bicicletas llevaban una pequeña luz en las ruedas traseras.

— Están contentos — dijo Meyes.

— Tengo apetito. Y ¿tú?

— Enorme.

En el parque no había nadie. Llegaron al porche, mirándose, risueños y burlones.

Meyes entró primero en el "living". Sobre su hombro, Gregorio vio el rostro de Isabel.

— Pedro ha salido a buscarte — dijo Isabel.

Entonces oyó los gritos de Julia y pensó que Meyes y él debían de haberlos oído, hacia la mitad del sendero.

— ¿Qué pasa? — preguntó Meyes.

Más que los gritos, las luces y la inmovilidad de ellas dos le alarmaron.

— Salió hace unos minutos.

Gregorio dio unos pasos, acariciando la espalda de Meyes, al adelantarla en dirección a Isabel. Meyes atravesó la habitación, corriendo, y subió las escaleras. Los gritos de Julita decrecieron.

— ¿Ha sangrado?

— No. Un dolor muy fuerte.

— ¿Intentó levantarse?

— Estaba dormida y se despertó con el dolor —. Isabel dejó el vaso sobre la mesa y le asió, crispadas las manos, los antebrazos. — Pero ¿no comprendes?

— Sí. Leopoldo y Jacinto. Están haciendo algo, pero no puedo acabar de entenderlo.

— Han ido al pueblo. Pedro salió a buscarte.

Gregorio se separó de Isabel. La puerta del garage estaba abierta. Isabel se apoyó en una de las jambas.

— Van dispuestos a traer al médico.

— No te angusties y vuelve con Julia. Cuando regrese Pedro, que se esté aquí.

— Ha debido de llegar ya.

Los ciclistas se sobresaltaron de sus golpes de claxon. Gregorio vio detenerse las rodantes lucecitas y aceleró, al pasar junto a ellos.

Las calles del pueblo estaban mal iluminadas. Dejó el coche antes de las primeras casas y comenzó a correr.

Como Meyes le había dicho a orillas del riachuelo, la vida consistía en ir de un lugar a otro, sentarse, conversar bebiendo algo, mirar o sentirse mirado y, por fin, regresar. Aquella carrera sobre los adoquines, con el cortado aire quemando su garganta, beneficiaba, en una especie de paradoja o engaño, la continuidad que rompía. Rastreaba algún posible signo de Jacinto y Leopoldo. Se detuvo y recuperó aliento. Encendió un cigarrillo y caminó a un ritmo casi normal.

Un altavoz, que podía ser el de la bolera, repartía en el silencio unas ráfagas de música. En las rectangulares luces de las puertas de los bares, había hombres y golpes de fichas de dominó. Gregorio tiró el cigarrillo y volvió a correr.

Atravesó el pueblo y retornó por la travesía hasta las inmediaciones de una plaza. A derecha e izquierda, las callejuelas se ramificaban. Eligió la parte de la colina, donde se encontraba uno de los hoteles y algunos modestos chalets.

Oyó golpear sobre la madera, con una repetida furia. Después, descubrió la silueta del coche y, cuando llegó, les vio, casi en el centro de la calzada, las cabezas levantadas a las ventanas. Leopoldo tenía las manos en los bolsillos del pantalón. Gregorio dejó de correr y se apoyó en la fachada.

— ¿A qué vienes? — preguntó Leopoldo.

Cerró los ojos y oyó las pisadas desconcertadas y presurosas de Pedro. Pedro llegó, por la dirección contraria a la que él había traído, unos segundos después. Entonces Jacinto les miró.

— Deja de llamar — ordenó Pedro.

Gregorio separó la espalda de la pared y comprobó que ellos dos estaban en el centro de la calle, de la que Pedro y él ocupaban los extremos. Se movió, apartándose del automóvil, para lograr más visibilidad.

— Vamos, tú, deja de llamar — repitió Pedro.

Una mujer abrió la puerta de la casa vecina. Era una mujer gorda, con un viejo vestido negro y un corto collar de vidrios de colores oprimiéndole la carne.

— ¿Buscan ustedes al médico?

Los cuatro permanecieron en silencio. La mujer se separó del umbral de la puerta. Tenía los dientes superiores muy prominentes.

— Sí — dijo Gregorio.

— No tardará en volver. No hay nadie en su casa. Pueden esperarle en la mía. Él no ha de tardar.

— No es nada grave.

— Don Hilario fue a la estación; tenía que recoger un encargo del tren de Segovia.

Sonaría — si es que no había sonado ya — el silbido de la locomotora sobre la música y los ruidos.

— Es lo mismo. Gracias, señora.

— Si quieren, déjenme las señas.

— Vamos de viaje, señora. Uno de mis amigos se encontró indispuesto y nos detuvimos en este pueblo. Pero — Jacinto andaba hacia el coche — no merece la pena molestar a nadie. Él ya se encuentra bien — añadió Gregorio.

Por la travesía pasó un camión y trepidaron unos cristales.

— Como usted mande — dijo la mujer.

Pedro susurró:

— Rápido.

Gregorio se despidió de la mujer. En el asiento posterior,

Leopoldo, con las piernas extendidas y las manos bajo las axilas, muequeó una sonrisa.

— ¡Vamos, venga!

— No pierdas los nervios — dijo Leopoldo.

Pedro se revolvió en el asiento delantero.

— ¿Yo? ¿Qué, yo...?

— Déjalo — dijo Gregorio.

— Sí, dejémoslo — dijo Jacinto.

Maniobró marcha atrás y, al llegar a la carretera, aceleró. En la salida del pueblo, Gregorio le pidió que frenase.

— Vais a matarla — exclamó Leopoldo.

— ¿Tú es que no lo comprendes, Jacinto?

— Sí. No sé. Ya está hecho.

— Aún podemos volver por ese hombre — insistió Leopoldo. — A Julia la matáis.

— Soy yo — empezó a decir Pedro — quien más quiere a Julia y...

— ¿Tú? Y la has dejado sola. A ver ahora lo que te encuentras. Has salido corriendo a buscar a éste, para impedir que llevemos un médico. Es más lógico pensar, que te quieres a ti solo. A tu seguridad. Lo primero es no pisar la cárcel y, después, ya se verá lo que ella aguanta.

Leopoldo calló, al abrir Gregorio la portezuela.

— Si no llegamos a tiempo, vamos todos a la cárcel.

— Jacinto — con los antebrazos en el volante, Jacinto esperaba — conocía al tipo ese. No nos creas tan estúpidos. Tampoco ha de ser muy alto el precio del médico de un poblacho de esta clase. Pero tú te crees muy listo, Pedro, y no sabes a quién tocará pagar más, si a Julia le sucede algo.

— A Julia no le sucederá nada — dijo Gregorio.

Descendió del automóvil, para ocupar el de Isabel. Los dos pilotos del coche de Jacinto se separaban de la luz de los faros. Por las abiertas ventanillas brillaban trozos de rocas, estrellas, una larga penumbra.

— Hemos llegado a tiempo — se murmuró Gregorio.

Jacinto aceleró y Gregorio dejó de ver las dos lucecitas rojas. Abajo, en la entrada del valle, el tren último para Madrid estaría en marcha. La mujer de los dientes saltones explicaría a don Hilario la visita de unos clientes frustrados. Probablemente, don Hilario habría ido a recoger unas muestras o instrumental nuevo. Aquellos coloreados vidrios dejarían, cuando ella se desnudase después de la cena, un enrojecimiento en la grasa del cuello de la mujer. A quien él había llamado repetidamente señora, sin moverse, en una suerte de miedo expectante o incontrolada dureza.

Isabel sujetaba la valla. Gregorio no frenó hasta el porche. En el "living", Jacinto servía unos vasos. Leopoldo hablaba con Isabel en el jardín. Subió a saltos de dos escalones. A lo largo del pasillo, las luces de las habitaciones entrecruzaban triángulos de sombra. Meyes vino hacia él y se inmovilizó, dejándole paso. Empujó la puerta del dormitorio. Olía a sudor, a ácido úrico y al acre cansancio de sábanas revueltas. Neca y Jovita trataban de calmar a Julia. Se dirigió a la consola. Mientras hervía la jeringuilla, dijo:

— Sujetadla, por favor.

Luego, vació la ampolla y se acercó a la cama.

— Más. Sujetadla más — vio a Meyes en la puerta, con la boca entreabierta, aletargada de pasmo. — Anda, ven a ayudar.

Meyes tuvo un solícito apresuramiento. En el "living", sobre la voz de Isabel, ellos habían vuelto a enmarañarse en las palabras.

25

Meyes bajó del dormitorio de Julia y comunicó que ésta comenzaba a dormirse. Isabel acababa de retirar los cubiertos de la cena y Neca le siguió a la cocina.

— No discutáis más — recomendó Neca, antes de salir del "living".

Gregorio sonrió a Neca. En el parque persistía la machacona melancolía, que Jovita tocaba en su armónica. La discusión, que había durado toda la cena, pareció acabada. Pedro subió a ver a Julia y volvió a bajar. Jacinto y Gregorio fumaban en silencio. Únicamente Leopoldo paseaba por la habitación y hasta el porche; fue al pasillo, que conducía a la cocina, y habló con Isabel y con Neca. Meyes abrió el diario, que habían comprado en el pueblo y que alguien dejó en el mueble de las revistas, entre unos antiguos "Vogue" y "Paris-Match".

— Si se levantase algo de viento... — dijo Jacinto.

— No hace mala noche —. Gregorio miró a los espacios abiertos de los ventanales. — Al menos, nos hemos librado del bochorno.

Meyes giró la cabeza y le miró unos instantes. La armónica de Jovita continuaba con los mismos compases. Una puerta rechinó en el piso superior y Pedro alzó el rostro.

— Creo que me voy a acostar — dijo Jacinto.

— ¿Queréis beber algo?

— Gracias, Meyes.

— Hazme un "cuba-libre", si no te importa.

Meyes se puso en pie, colocó el periódico en el mismo sitio de donde lo había cogido y sacó los vasos de uno de los aparadores. Leopoldo empujó la puerta batiente del "office" y reanudó sus paseos.

— Podríamos jugar un "poker". O al subastado, si no somos bastantes.

La proposición de Gregorio varió la postura de Jacinto en su sillón frente a la chimenea.

— Yo me voy a acostar — dijo Jacinto.

Meyes preguntó a Neca e Isabel si les preparaba bebidas.

— Sí, haz el favor. Ahora vamos.

Llenó la bandeja y dudó, mirando al parque. Leopoldo descubrió la mirada de Meyes.

— A ésa, déjala — reaccionó.

Meyes distribuyó los vasos. Después de los pequeños ruidos, de los murmullos, de los gestos, en las medidas luces del "living" quedaron la quietud y el silencio. El monótono estribillo de la armónica de Jovita se petrificó, en la misma inmovilidad de un sillón o una contraventana. Meyes se sentó junto a Gregorio y éste se acercó a ella, en el diván.

— Si, al fin, descargase la tormenta, como anunció la radio, refrescaría unos días.

En el silencio oyeron bajar el conmutador de la luz y los pasos de Isabel y Neca. Las dos se acomodaron en los butacones y frotaron sus manos con una crema. Meyes apoyó los codos en los muslos y contempló el humo ascendente del cigarrillo de Pedro.

Una vez que tomó una tableta de aspirina, Leopoldo llamó a Jovita. La musiquilla adquirió un ritmo galopante. Leopoldo, acodado en el repecho del ventanal, distinguía a Jovita, balanceándose en el sofá entoldado, entre las blancas sillas y la mesa de hierro contra la mancha igual de los árboles.

— ¿Cuando vas a poner el surtidor, Jacinto?

— Ay, hijo — contestó Neca a Leopoldo —, eso nadie lo sabe.

— No tengo tiempo de meter todo esto en obras. Cuando hagan la instalación de agua para la piscina. También quisiera enlozar otros trozos. Si no, colocan las sillas en el césped y se pisotea. Neca, no bebas mucho que luego no dormirás.

— Un sorbo, cariño.

— ¡¡Jovita!!

El segundo grito de Leopoldo sobresaltó a Isabel y cortó el sonido de la armónica. Unos segundos después, con la camisola verde colgando sobre los pantalones cortos, Jovita apareció en el porche.

— ¿Qué?

— Siéntate por ahí y guárdate a la Sinfónica de Viena, monstruo.

— Necesitaba un poco de aislamiento y de...

— ¡Siéntate!

— Tú me dijiste que me largase.

— A la mierda. Yo te dije que te largases a la mierda, pero tú solita. No que nos emporcases a los demás con esa matraca. Si me quedo a vivir en Italia un par de años, será porque tú me has hecho irrespirable este país.

Jovita se sentó en el diván. Por detrás de Gregorio, Meyes tiró a Jovita de las mechas de la nuca. Jovita sonrió, agradecida.

— Veinte años mejor que dos.

— No conozco un tipo de ejemplar humano tan cargante. Me exasperas.

— Estás exasperado.

— Estoy como me da la gana.

— Pues no digas que soy yo. Si tienes miedo por lo de Julia, no...

— Por favor — interrumpió Pedro —, no empecemos.

— Julia está sola — dijo Neca.

230

—Déjala que duerma —aconsejó Gregorio.

—Te morirás con tu inoportunidad omnipotente. Recuerdo una tarde que fui a recogerla a la Facultad y que nos quedamos por la Universitaria hasta el anochecer. Yo tenía mis problemas económicos, mis problemas intelectuales, sociales, y puede que hasta morales. Quiero decir, que yo aquella tarde era un muerto respecto a su contextura física y fisiológica. Bueno, pues va y se me abalanza, confesándome que ha comprendido, que desde el primer momento ha comprendido que había ido a buscarla porque la sexualidad no me dejaba tranquilo —. Gregorio y Jacinto rieron. —Me costó más de media hora convencerla de lo contrario.

—¿A qué viene eso?

—Pero, oye, oye, Leopoldo, atiende. ¿Y cómo —intervino Neca—la convenciste?

—Es cierto, ¿no?

—Y, aunque lo sea, ¿qué pinta esa historia imbécil ahora?

—Compadecedme —Leopoldo, extendiendo los brazos, se dejó caer en un butacón.

—¿Qué clase de hijos —preguntó Isabel—vais a tener Jovita y tú?

—Nunca me lo había imaginado —dijo Neca.

—Pero si es de lo más pintoresco. ¿No has jugado nunca a pensar cómo serán los hijos de tus amigos? Imagínate a Jovita y a Leopoldo casados.

—Imposible.

—¿Por qué? —dijo Jovita.

Todos rieron. Meyes volvió a llenar el vaso de Gregorio. Jacinto peleó con Jovita y les obligaron a levantarse del diván, con su lucha y sus carcajadas. Neca reclamó silencio.

—Andad, vamos a acostarnos.

—Yo mañana tengo que volver a Madrid.

—Ya se hablará.

Gregorio había cenado con exceso, a juzgar por el grasiento sopor que le aplastaba allí, con el cigarrillo y la dulce tibieza del ron. Sus propios gestos, en una algodonosa lentitud, le procuraban un profundo bienestar. Los demás estaban por el "living" o las habitaciones de arriba. Se oía ruido de grifos, con un cristalino y reconfortante crisparse del agua, pasos, puertas, palabras. Alguien redujo la iluminación. Afuera, los grillos agudizaban la profundidad de la noche. No habría ya luces en el sanatorio. La montaña sería ahora una continua obscuridad verdosa. Neca recogía los vasos y, en unos minutos, el "living" recuperaría su orden. Desde el sábado, ellas cuatro eran las mujeres que constantemente veía. Y a Julia, bajo su sábana que, en ocasiones, más que cubrirla, la desnudaba. Le dominó la sensación de los blancos cabellos terrosos de Emilia. Luego, se adormiló.

— Pedro, tienes la cama preparada. No estés toda la noche levantado.
— No te preocupes, Neca.
— Jovita, vas a despertar a Julia.
— La vais a despertar entre todos.
— Entornad las ventanas. A la madrugada hace frío.
— Yo me dejo una manta a los pies de la cama.
— Leopoldo, ¿quieres tú otra?
— Anda, Neca, vete a la cama de una vez.
— ¿Y Gregorio?

Gregorio abrió los ojos; Jacinto, con un batín sobre el pijama, chancleteaba las pantuflas de cuero hacia él. Se repantigó en el diván y aseguró el vaso entre sus dedos.

— ¿No te acuestas?
— Esperaré un poco.
— Julia parece que va bien.
— Es por estar un rato aquí.
— Despiértame, si es preciso. ¿De acuerdo?
— De acuerdo.

Leopoldo se despidió desde el rellano de la escalera.

— En el frigorífico quedan botellas — advirtió Jacinto.
— ¿Nos sentamos fuera? — propuso Pedro. — Hace una noche formidable.

Gregorio sacó las botellas y Pedro llevó los vasos. Meyes, que había subido a ponerse su chaqueta de punto azul, se les unió en el parque.

— ¿Dónde está Isabel?
— Ahora viene — dijo Meyes.

Las luces del pueblo señalaban confusamente el trazado de algunas calles. Las lejanas carreteras se iluminaban por los faros de los automóviles o de los camiones. Isabel vino a sentarse en el diván colgado. Pedro sirvió un vaso más, que Isabel cogió con mano temblona.

— No bebas mucho, Isa.

— Un poco solamente. En el patio de atrás había un bicho rarísimo. Fosforescente.

— Déjalo.

— ¿A vosotros no os preocupa la vida de los animales? — preguntó Meyes.

— ¿Qué quieres decir?

Impremeditadamente hablaban en un tono bajo. Meyes cruzó las piernas y en la penumbra se acentuó la claridad de sus pómulos.

— Hombre, pues pensar en lo que sentirán los animales. Hasta los más repugnantes. Una rata o una cucaracha, por ejemplo. Yo, cuando tenga una casa propia, no permitiré que haya un solo animal. Ni perros, ni pájaros, ni, naturalmente, gatos.

— Me aterrorizan los gatos — dijo Gregorio.

— Aquí se está bien.

— Es estúpido convivir con animales. Una regresión o algo así.

— Yo conozco a un tipo, un compañero de Ministerio, que tiene un gato encima de su mesa, entre los expedientes.

— Gente anormal.

— Vete a saber... Hay de todo. Lo que sucede, es que no conocemos más que a cincuenta personas. El círculo donde nos movemos. Pero hay de todo.

— En Gijón, una chica, corriente, una chica como vosotras, tiene seis tortugas en su casa. Por las habitaciones, encima de las camas o de las sillas. Nauseabundo. Dicen de ella que... Bueno, creo que no se puede contar.

— Me lo imagino.

— Aunque sea un chisme provinciano y no me lo imagine, le está bien empleado lo que digan de ella.

— Se está a gusto, ¿verdad?

— Sí, Isa.

— ¿No te aburrías en Gijón?

— La mayor parte del invierno la pasaba en Oviedo. Pero sí, me aburría mucho. Menos mal que, entre mi madre y yo, hemos arrancado al viejo de allí. Para él no existe más mundo habitable que Asturias.

— Pues los asturianos, como los gallegos, suelen ser gente inquieta, con ganas de viajar.

— Según, ya sabes. Mi padre se estaba apocilgando en su ambiente de club, reuniones de matrimonios y excursiones por la costa. Le vendrá bien, y no sólo para los negocios, vivir en Madrid.

— Yo no sabría vivir en otra ciudad.

— En París.

— O en Roma.

— Ya ves, no sé qué te diga. No sé.

— ¿Vosotros creéis que Leopoldo se marcha a Italia o que no? — preguntó Isabel.

— Es posible — dijo Pedro. — Depende del dinero que consiga.

— A mí me gustaría ir con él, pero me tendré que quedar con mis padres.

— Veranearemos en la piscina de Eduardo, ¿eh, Gregorio? No me apetece nada encadenarme a padres, hermanos y sobrinos.

— Estupendo, Isa.

— Irán a Sangenjo como todos los años, ¿no?

— Sí, hija; como todos los años. No soporto más rías bajas. ¡Madrid de mis amores! Con todo lo horno que sea.

Gregorio hizo saltar la chapa de la botella a palanca entre la juntura de unas losas. La espuma de la "coca-cola" le humedeció las manos. Meyes le dejó un pañuelo. La casa, con las ventanas abiertas en la obscuridad, permanecía en silencio. Las ramas de los árboles no se movían. Isabel tosió.

— ¿Qué habría sucedido — dijo Pedro — si Jacinto y Leopoldo hubieran encontrado al médico?

— No le des más vueltas.

— ¿Habéis hecho bien? — preguntó Isabel. — Oh, por favor, sin reticencia. Cuando os veo enfrentados, no sé quién obra con razón. Ellos tienen miedo y vosotros no. Pero vosotros dos no os apoyáis en nada.

— ¿En nada? — dijo Gregorio sonriendo.

— Entiéndeme.

— Yo te entiendo, Isabel — dijo Meyes.

— Estáis empeñados en esperar, solamente en esperar. Con una tozudez absurda. Ya sé, ya sé, Gregorio. Pero esa mujer, por muy médico que sea, ha podido equivocarse o engañarnos porque no quiera reconocer su error.

— Habría tomado sus medidas. No olvides que ella está metida en el lío, igual o más que cualquiera de nosotros.

— Bueno, pero es posible que lo haya hecho mal. Por torpeza. Y aunque resulte muy improbable... Se trata de Julia, de su vida.

— Vamos, Isa, esto ha salido bien — dijo Pedro. — Es algo que suele salir bien. Y no podemos estropearlo en un minuto de nerviosismo o de terror.

— O de impaciencia — completó Gregorio.

Pedro se puso en pie y dio unos pasos hasta la mesa, donde dejó su vaso vacío. Isabel tardó en hablar; asió una de las cadenas y balanceó el diván, sin posar los pies en el suelo.

— Quizás vosotros estéis en lo cierto.

— Gregorio, voy a subir al cuarto de Julia. Mira, yo no creo que vaya a ocurrir nada, pero si ésos se intranquilizasen otra vez... ¿comprendes? Debemos estar prevenidos. He pensado en inutilizar los coches.

— No te tortures.

— Tendremos que hacer algo, Gregorio.

— Acuéstate, Pedro — dijo Meyes.

Gregorio cambió su silla por el diván colgante, al lado de Isabel. Frente a él, al alcance de la mano, Meyes le sonreía. Los perfumes de Isabel y de Meyes, metamorfoseando la amplitud de la obscuridad, crecían en su respiración a rítmicos golpes. No recordaba haber experimentado nunca una tensión semejante a la de aquellas largas y repletas miradas.

Isabel estaba bebiendo, en un mutismo reconcentrado. Meyes cruzó sobre el vientre las puntas de su chaqueta y puso las manos en los costados.

— Oye, Isabel — dijo Gregorio —, no hables así delante de Pedro. Pedro también tiene miedo. Intenta no fracasar, ni arrastrarnos a los demás, pero también tiene miedo.

— ¿Y tú?

— El mío particular, Isa.

— No, tú no. Duro como una plancha de acero y con menos inteligencia que un mosquito. Te quiero, Gregorio. Hasta que tú llegaste, no habíamos conocido más hombres de acción que Leopoldo, ¿verdad, Meyes? Nunca supuse que pudiese haber un tipo de hombre de acción, que no se diese importancia.

— Pero si soy un intelectual. Mejor dicho, un aprendiz de intelectual. Burgués. Y más burgués que intelectual, quizá. Tendré, como Meyes, una casa muy ordenada y sin animales. A cargo de una mujer elegante y algo decadente. Excepto a la hora de ser madre, se entiende. Con sus buenos cuadros, sus buenas reuniones y sus buenos rincones para chismorrear. Hasta es posible que a los cincuenta y tantos mantenga una querida y todo.

— Eres un hombre de acción y no me discutas —. Gregorio y Meyes rieron tenuemente. — O, al menos, en mis tiempos un muchacho como tú era considerado como un hombre de acción. A mí me gustaban, en aquellos lejanísimos años...

— Isa, tienes mucho sueño.

— ... los llamados hombres de acción, esencialmente, por la maestría que usaban para abrazarla a una. ¿Nunca has sido abrazada por un hombre de acción, Meyes? Sí, tienes razón; sueño, borrachera y una enormidad de tonterías en la lengua. Algo inenarrable. Pero no son convenientes para la existencia normal. Por lo menos, en mi época, donde la existencia era muy normal y un hombre de acción resultaba, la mayor parte del tiempo, inútil. Todo está cambiado, lo reconozco, y quizá los hombres de acción no sean tan superfluos como hasta ahora — se levantó, haciendo oscilar el asiento y tirando un almohadón al suelo, que trató de recoger unos segundos después que Gregorio. — Sin embargo, prefiero un hombre de pensamiento. Alguien como tú, Gregorio.

— ¿En qué quedamos?

— Nunca se puede quedar en nada. Se habla, se habla, nos analizamos o nos dejamos analizar y, al final, resulta imposible quedar en algo. Serás el báculo de mi histeria —. Gregorio se puso en pie. — Dentro de unos años, te querré como a un hijo. Ahora, no.

— Anda, te acompaño.

— Sólo hasta el porche. Adiós, Meyes.

— Duerme de un tirón, Isabel.

— ¿Y las escaleras?

— Subir las escaleras con los ojos cerrados es una de las maravillosas facultades que proporciona el ron.

Cuando volvió, Meyes continuaba con los brazos cruzados. Se sentó en el columpio y no tuvo tiempo de buscar su mirada. Ella llegó a sus brazos, en un total y ansioso movimiento.

— Parecía que no iban a marcharse nunca.

— Nunca.

Le rodeó los hombros y ella apoyó la cabeza en su pecho.

— ¿Estás cómoda?

— Un poco más fuerte.

Gregorio aumentó la presión de su brazo. Las manos de Meyes se detuvieron sobre su cuello.

— Ahora se fuma un cigarrillo, se bebe un trago y se es feliz.

— A ver si puedo explicártelo. Vas caminando por una red de telarañas, a tientas, y, de repente, has llegado donde ni sabías que ibas, ni podías imaginarlo. A este parque, este verano — imprimía un tono burlón a su emocionada voz. — Como un sueño de jovencita, encerrada en su dormitorio una tarde de calor. Pero distinto, claro.

— Y mejor.

— Temí que te cansases de esperar a que se fuesen.

— ¿Añoras tu libertad?

— Muchísimo. Pero estoy contenta.

— Me gusta asegurar la felicidad. Prométeme que serás siempre una muchacha deliciosa.

— Hasta que te decidas a mantener a esa rubia gordísima. ¿Te enciendo un cigarrillo?

— Y yo te preparo un trago.

— Son las cuatro y veinticinco, casi y media.

— Dentro de poco, amanecerá.

— Esto es lo que me fastidia. Que parece un sueño de jovencita.

Estrechados, con el eco de la risa de Meyes en el pecho, el tiempo era una mancha luminosa, como la noche, casi un placer realizado. Luego, recogieron los vasos, las botellas, el cenicero y entraron en la casa. Guiándose el uno al otro, con las manos extendidas, subieron al piso de los dormitorios.

En el pasillo, se besaron. Al separar los labios, con los

alientos contenidos, Meyes tenía los ojos enturbiados por unas pequeñas lágrimas.

— ¿Es posible? — susurró Gregorio.

Al fondo, se abrió la puerta del dormitorio de Julia. Pedro les sorprendió aún abrazados.

— Le está empezando el dolor.

La bombilla del techo y la de la lámpara, en la mesilla de noche, llenaban las paredes de una hiriente claridad. Meyes acarició la frente de Julia y miró a Pedro.

— Tiene mucha fiebre.

—¡Maldita herida! Ahora que iba bien...

— Bueno, ya pasará. Procura que ésos no te oigan. Meyes, en uno de los armarios del primer cuarto de baño hay un frasco con alcohol.

Meyes salió, cuidando de no hacer crujir el "parquet". Pedro rodeó la cama y cogió a Gregorio de un brazo.

— ¿Vas a inyectarla?

— Esperaré un poco. Quizá se calme.

Julia gemía intermitentemente, con el rostro contra la almohada. En el escote, la carne de la espalda tenía un casi invisible vello, húmedo de sudor.

Cuando Meyes volvió con el frasco, los tres se sentaron — Pedro, en la cama — intentando no mirar a Julia. Meyes, ya sin la chaqueta de punto, encendió el cigarrillo que le había entregado Gregorio.

Durante media hora, Julia no cambió de postura. De pronto, se lamentó con más fuerza y saltó, como descoyuntada. Pedro se abalanzó sobre ella. Puesta en pie, al tiempo que restalló el cuerpo de Julia, Meyes empalideció.

— ¿Qué es ello, Julia?

Abrió los ojos, sin comprender. Gregorio, con las manos en los bolsillos del pantalón, sonrió sin separar los labios.

— Pedro, me quema y me escuece. Cuando haya agua, despiértame.

— Tiene náuseas — dijo Meyes.

— ¿Náuseas?

Pedro le acechaba, sobresaltado.

— Sí, será mejor — decidió Gregorio.

Estaba con la jeringuilla en la mano derecha, mientras con la izquierda sostenía la ampolla, cuando Julia se arrodilló en la cama, debatiéndose contra Pedro y Meyes. Gregorio acudió rápidamente y Meyes se apartó.

Se quejaba en un grito único, enronquecedor y ululante. El cuerpo se le crispaba en espasmos. Pedro resollaba, a punto de llorar. Gregorio se tendió sobre Julia y la contuvo.

— Sujétale las piernas.

— Sí — dijo Pedro.

— Sujétale las piernas. Que no se mueva nada.

La fuerza cedió y una brusca laxitud hundió a Gregorio contra Julia. Apoyó las manos sobre la almohada y se irguió, en un único impulso.

— Se ha desmayado — exclamó Pedro.

— No.

Por sus labios entreabiertos silbaba la respiración, fuerte, anhelosa. Las manos de Julia se unieron y la cabeza le cayó a un lado.

— Aún no. Pero... No sé qué puede haberle pasado — buscó con la mirada la butaca, donde estaba, llena, la jeringa. — Trae el cardiazol.

Jacinto y Leopoldo obstruían la puerta. Para dejar salir a Pedro, penetraron en la habitación. Leopoldo fue hasta la cama.

— Se está muriendo.

— No digas majaderías.

Jacinto le hizo girar sobre sí mismo.

— Gregorio — su voz contrastaba con la fuerza de sus manos —, yo no estoy nervioso, ni he perdido la cabeza. Pero a Julia hay que salvarla. No tenemos derecho a esperar más.

Se desprendió violentamente de Jacinto. El pulso de Julia latía con regularidad y entonado. Le arregló las almohadas.

— Llama a Isabel. Tú, Jacinto.

Pedro trajo el cardiazol. El aspecto de Julia era más tranquilizador, a pesar de su boca entreabierta y los ramalazos de desasosiego que alteraban su sueño.

— ¡Pedro! — gritó Leopoldo.

Las muchachas se agolpaban en el pasillo. Gregorio empujó a Leopoldo.

— Fuera.

Leopoldo, en el centro de la habitación, no se movió. Cuando nuevamente Gregorio le apartó, alzó los brazos, tambaleándose, y tropezó en una jamba de la puerta.

— Entra, Isabel.

— Se está desangrando — dijo Leopoldo.

Neca gimió y trató de entrar en el dormitorio.

— Oye, imbécil, nadie se está desangrando.

— Lo has visto igual que yo. Por eso llamas a Isabel.

Isabel, en pijama, procuraba domeñar sus manos. Volvió la cabeza. Pedro, arrodillado en el suelo, mordía un pliegue de la colcha. Jovita se anudaba un salto de cama transparente, al fondo del pasillo.

— Jacinto, esperad abajo. Después buscaremos una solución — dijo Gregorio.

— Está bien — accedió, como aliviado.

La boca hundida de Isabel compuso una mueca compungida.

— No me obligues, Gregorio — apretó el rostro contra su mejilla y añadió en un susurro: — Una asquerosa borracha, que no puede con las manos. De verdad, que no puedo.

Gregorio la acompañó hasta la escalera.

— Baja y tranquilízate.

Neca cubría el cuerpo de Julia.

— Yo lo haré — dijo.

Mientras traían el agua y cambiaban la ropa de la cama, Pedro se sentó en una butaca y cerró los ojos. Trabajaron en silencio, con precisión. De vez en cuando, una mirada espectral modificaba la impasibilidad de las facciones de Julia. Neca recogió las sábanas y las toallas sucias. Pedro besó los párpados de Julia. Al ver a Gregorio con la jeringuilla dispuesta, no opuso ninguna objeción. Gregorio inyectó a Julia.

— Gracias — dijo Pedro.

— No la dejes sola.

— ¿Qué vas a decirles?

— Nada. Lo de siempre.

— Quizá convendría buscar otra vez a esa mujer.

— Quizá.

Respiró hondo, las piernas separadas. Antes de descender al "living", se duchó.

Isabel bebía una taza de té, ovillada en el diván. Neca y Jovita secreteaban. Una expectación furiosa le siguió hasta el último escalón.

— Tú dirás — dijo Leopoldo.

— ¿Qué? — preguntó suavemente.

Notó que su sonrisa relajaba la actitud general.

— Hay que traer un médico — dijo Jacinto.

— Detrás llegará la policía.

— No tanto.

— Exactamente, Jacinto. No tanto. Julia ha tenido una pequeña hemorragia. ¿Sabes por qué?

— Ni él, ni yo somos médicos.

— Yo tampoco, Leopoldo. Pero sé que la hicieron una herida exterior y que le duele tanto, que se revuelve constantemente. Ésa es la causa. Ahora llamáis a quien sea y, en una hora, estamos todos en un calabozo. ¿O es que no queréis comprenderlo?

— Tú tampoco quieres comprender que Julia se te puede morir en los brazos.

— No melodramatices.

— ¡En cualquier momento! Por tu culpa.

— Yo...

— Has buscado a esa mujer, has traído y has llevado a Julia y quieres que esto se desarrolle a tu manera, porque tú lo has dirigido.

— Cállate, Leopoldo.

— No me da la real gana. Estoy harto de tu orgullo y de tu terquedad.

— Gregorio, lo de la policía, en el peor de los casos, puede tener arreglo, pero si Julia muere...

— ¿No podéis resistir?

— Estás jugando al héroe. Sabes pinchar en un brazo, convencer al cerdo de Juan y conducir un automóvil, y lo estás explotando bien. Pero se ha acabado. O intentarás que te ayudemos a cavar una fosa.

— Leopoldo, no me hables como a Jovita.

— Eres el tío más cobarde que he conocido en mi vida. La dejas morir sin...

— ¡¡Que te calles!!

El aire se llenó de coloreadas manchas, entre las que oscilaban los rostros. Un inesperado deseo de golpear le dañaba en el tórax. Pensó que nunca cesarían de colgar de sus manos aquellas diez varillas de hierro. Luego, estimó suficiente su contención y volvieron el sudor y los aromas de la noche.

Como si hubiera abierto los ojos, reconquistó los límites naturales de la habitación. Se sentó. Neca y Jovita lloraban en silencio.

— Por la noche se desmesuran las cosas.
— Gregorio — dijo Meyes.
— Pero Julia está viva y, además, no va a morirse. Si deseáis que piense lo contrario, también lo pienso. Mañana os vais todos. Pedro y yo nos quedamos aquí. Pedro y yo cargaremos con el asunto y vosotros sabéis perfectamente que no os complicaremos en él. Yo estoy tratando de ver claro. A veces, también me sobresalto y me sorprendo. Sobre todo, de mis propias reacciones. Puede que no me conociese del todo y ahora vosotros me lo estéis diciendo. Es posible que alardee con mis inyecciones y mis viajes en automóvil. Largaos mañana mismo. Recurrir a un médico sería una irrevocable estupidez.

— Ya es tarde para que nos salgamos del asunto — dijo Jacinto.
— No, no lo es.
— Nos quedaría el remordimiento de no haber intentado salvar a Julia.
— Habéis hecho todo lo que estaba en vuestras manos. Si ahora os vais...
— Gregorio — dijo Meyes.
— Realmente es tonto quedarnos todos — admitió Leopoldo.
— Absolutamente tonto.
— Y, sin embargo, alguien tiene que quedarse.
— Sí.
— ¿Por qué Pedro y tú?
— Pedro la quiere.
— ¿Y tú?

Pedro se detuvo en el rellano de la escalera. La irónica sonrisa de Leopoldo acosaba la respuesta. Gregorio encendió un cigarrillo. ·

— ¿Y por qué he de marcharme, si tengo la certidumbre de que Julia no morirá?

Pedro bajó los escalones, al tiempo que Isabel se levantaba asustada. Sobre los hombros, sintió Gregorio los dedos de Meyes, rozando la camisa.

— Parece que duerme — les anunció Pedro.

26

— No me voy.

— ¿Está anocheciendo?

—— Al contrario, cariño. Amanece.

— En casa de los padres de Neca había unos sillones parecidos. De cuero amarillo, ¿recuerdas? El día de la petición de mano de Neca tú bebiste mucho. Entonces no me querías como ahora. Juan llevaba un traje horroroso. Meyes y Juan salían con frecuencia y parecía que fuesen a hacerse novios. Yo miraba a Meyes y Meyes estaba mirando las solapas de la americana de Juan. Estoy segura que aquellas solapas, tan mal planchadas, la ponían nerviosa. Bailamos hasta muy tarde. Jacinto tenía los ojos húmedos, cuando te abrazó después de la boda. Estabas guapo de verdad con el chaquet. Meyes supo cortar a tiempo.

— ¿No puedes dormir?

— ¿Para qué dormir? No te vayas.

— Descuida, que no me voy. Si descansases unas horas, luego te encontrarías mejor. Así, te subirá la fiebre.

— ¿Tengo mucha fiebre?

— No, claro que no.

— Me gustan tus manos, Pedro. Dicen que, con el tiempo, se pierden las sensaciones, pero a mí eso no me sucede.

— Deja de hablar. Debes ser razonable, como siempre lo has sido.

— Un poco sólo. Estamos un poco más y me acompañas a casa. Tengo necesidad de hablar, ¿sabes?, de hablar mucho, durante horas. Hay que explicarse todo lo que nunca tuvimos tiempo de decir. Pedro, ¿estás incómodo?

— No.

— Leopoldo y tú me tranquilizasteis aquella mañana, que nos citamos en el Ministerio. Había telefoneado a tu madre. La mesa camilla era igual a la que tenían en la habitación donde fuimos las primeras veces. Gregorio estaba esperando y no tenía miedo. Sabía que todo iba a ser así, pero no imaginé que oliese a repollo cocido. No pensé en que pudiese oler la casa. La mujer me sonreía. Cuando Leopoldo me contaba lo de su nuevo automóvil, se me aparecieron las sonrisas de aquella mujer. Esas gentes no son honradas, como Jacinto.

— ¿Tienes sed?

— No.

— Te quiero mucho, Julia.

— Tiéndete junto a mí y abrázame.

— Voy a darte mucho calor.

— La ventana debe de estar abierta. Juntos los dos. ¿No me encuentras fea y sucia? Huele a aire frío.

— Sí, está abierta la ventana.

— ¿Se han acostado ya?

— Gregorio está abajo. No tiene sueño.

— He delirado, ¿no? Me gustaría ayudarlas. Claro que, si no estuviese yo enferma, hubiésemos traído a las doncellas. Con Isabel no os portáis bien, Pedro.

— ¿Qué dices?

— Sí, ríete, pero no os portáis bien. La tratáis como a una solterona maniática. La pobre Isabel es una mujer como yo o como Neca. ¿Te acuerdas de Juan? Dicen que ella le sorprendió. Yo soñé una noche que entraba en una habitación y, en el centro de la obscuridad, tú estabas desnudo. Me avergonzaban esos sueños y, al día siguiente, no te los contaba. Lloraba mucho, como si desease dejar de quererte, igual que Isabel dejó de querer a Juan. No se casará nunca y no nos tiene más que a nosotros. Si no contáis con ella cuando se va a algún sitio, acabará por darse cuenta y sufrirá mucho. Hay que tratarla de otra forma, Pedro. Ella no tiene un hombre. Nunca podrás imaginar lo feliz que soy, teniéndote a ti. Suceda lo que suceda, tú y yo podemos hablar y besarnos.

— ¿No sientes dolor ahora?

— Te acostumbras a un dolor y lo más terrible es que cambie. Eso me mata. Te quitan lo que es más tuyo. Ahora me encuentro como si no tuviese cuerpo, hueca, casi flotando. Tu madre y la mía no lo habrían resistido. De esta forma, todo saldrá bien.

— Naturalmente.

— Lo prepararemos con calma, durante el invierno. Dejarás el Ministerio. Siempre me ha gustado estar segura de que

244

nos entenderíamos a la hora de colocar los muebles o distribuir el dinero. Tú y yo somos de la misma pasta, ¿eh Pedro?
Estos últimos días han sido muy extraños. Ahora, quiero olvi-
darme de todo lo que he pensado. Meyes me ha dicho que
tendremos que confesárselo a un cura especial, que un sacerdote corriente no puede absolvernos. Pedro, hace poco estuve
a punto de averiguar cómo es la muerte. Vi unos colores.

— Julia, pequeña.

— Lo tenía ya muy claro y me entretuve a fijarlo en la
memoria. Para contártelo, cuando me encontrase bien. Y, de
repente, lo olvidé. Fue tranquilizador, no creas. Era volver a
lo de siempre.

— Pero tú, a pesar de esos horribles dolores, no te encuentras mal, ¿verdad, Julia?

— ¿Duermen ya, Pedro?

— Sí.

— Entonces, ¿estamos solos?

— Sí, solos, Julia.

— Hoy es sábado, ¿no?

— No, ya es lunes. Pero es día festivo.

— ¿Cuándo vais a volver a Madrid?

— Ya se verá.

— Pero tendrás que ir al Ministerio y Jacinto, a su oficina. Pueden quedarse Gregorio e Isabel. Jovita deberá aparecer
por su casa y Leopoldo recoger el automóvil.

— No te preocupes.

— Alguna vez habrás ido con otra mujer. Pedro, cielo,
estoy convencida de que me has engañado.

— Por favor, pequeña, ¿qué tonterías son esas?

— Es muy difícil morir, Pedro. Desde niña, me ha parecido
casi imposible. Nos conocemos hace tantos años...

— Mira, estate quieta. Desde ayer tarde no tomas nada y
voy a traerte un vaso de leche. Te ayudará a dormir.

— Pero si no quiero dormir.

— Es un minuto. Llamo a Gregorio y así no te quedas sola.

— Ahora podemos aprovechar para hablar de muchas cosas. Está amaneciendo. Lo malo es cuando empieza el escozor.
Se me extiende por todo el cuerpo, como un reguero de hor-
migas.

— No pienses en ello.

— Me desespera. Si duele hondo, lo aguanto. Pero el escozor... ¿Qué decías antes?

— ¿Cuándo?

— No sé. Antes. Se os oía hablar muy fuerte. Era de noche.

— Serían Leopoldo y Jovita. Estuvieron discutiendo, ya sabes.

— Todo esto te cuesta mucho dinero.

—. Pero, ¿qué idea es ésa?

— Sé que estás gastando mucho.

— Pareces una niña.

— Tengo mal sabor de boca.

— Hoy has fumado demasiado.

— Estuve leyendo una revista y me iba a levantar. Me quedo muy derrengada, cuando Gregorio me pone una inyección. ¿Isabel ha traído el coche?

— Sí.

— Sería ridículo que, después de tanto trabajo como os estáis tomando, se enterasen en nuestras casas.

— No hay peligro. Cada uno se ha buscado una buena justificación.

— Es verdad. Además, ellos tienen sus problemas. Nunca se enteran de nada. Las primeras veces, durante las cenas, pensaba que ellos iban a descubrirlo. Por mis ojos o por mis gestos o, simplemente, por la forma de mi cuerpo. Pero no. Por muy distinta que yo me sintiese, ellos me veían igual que siempre. O ni siquiera me veían. Quizá, tampoco nosotros comprenderemos a nuestros hijos.

— Julia.

— ¿Qué?

— Algún día tendremos un hijo.

— Sí.

— Julia, no debemos separarnos.

— No. Neca estuvo aquí la otra mañana y hablamos de ti. Neca te quiere mucho. Se subió una labor y estuvo sentada en la cama, haciendo punto. A mí Neca me da confianza. Pienso que seré como ella. Me habló de una medicina. Al parecer, si la tomas en el primer mes, produce resultado. Ya no había remedio y nos reímos. Neca comprende.

— Todos ellos comprenden.

246

— No estoy segura. Tú no debes asustarte.

— Julia, yo no me asusto.

— Sí, cuando me entra el dolor. Es posible que hasta hayas temido que pueda morir. Te conozco, Pedro, y sé que vives pendiente de lo que me ocurre. Oye, yo no he querido a nadie como a ti. A nadie puedo querer así. Y no sólo me refiero a las tardes que me has vuelto loca.

— Cuando llegue el invierno, buscaré un buen sitio. Un sitio acogedor y bonito. No uno de esos lugares detestables. Eso se acabó. De ahora en adelante, tú y yo vamos a sacarle a la vida todo su jugo, ¿sabes? Quiero que vivamos mejor que nadie y así va a ser.

— No puedo recordar el nombre de ese medicamento.

— Pondremos la casa más sensacional de Madrid.

— Tenía un nombre pintoresco.

— Julia, ¿no te encuentras bien?

— Ya pasó. Ha sido una arcada. Te acercas por casa y le dices a la chica que tardaré unos días, que me quedo en la Sierra. Coge las cartas que haya. A lo mejor, papá ha escrito. Las abres y me las lees por teléfono. Si vienes tú o Jacinto, me traéis... Ya os haré una lista.

— Estás muy fatigada.

— Tienes razón. Hay que resarcirse de esto. Las madrugadas son terribles. Aquella mujer ya me lo advirtió. Pedro, tenemos que adelantar la boda lo más posible. No me da la gana de estar sola por las noches. Creo que ahora no podría resistir despertar, cuando está amaneciendo, y encontrarme sola.

— Sí, Julia, sí.

— Tengo un ansia rara.

— Respira con sosiego.

— Y, al mismo tiempo, un descanso muy profundo. No sé explicártelo.

— Con tanta charla, vas a empeorar.

— Y tengo que decirlo, Pedro. Eso pasa con frecuencia. Hay un lado de las cosas, del que nunca hablamos, ¿verdad? O no sabemos o no creemos necesario hacerlo. Pero esta noche es preciso que tú y yo hablemos desde el otro punto de vista. ¿Me entiendes? Luego, será de día y estarán los otros.

Nos pondremos a contar las cosas en el tono de siempre y ya será tarde para comprender. Hay que aprovechar ahora.

— De acuerdo, bonita, pero no te inquietes.

— No se oye nada.

— Todos están durmiendo.

— Ni veo colores, saltando unos encima de otros. No olvides lo de Isabel.

— ¿Qué de Isabel?

— Ella es divertida. Necesita estar rodeada de gente. ¿Prometes que la telefonearás tú o que harás que la llame alguno de ellos?

— Prometo lo que quieras. Pero descansa. El último beso y me levanto. Te arreglaré un poco este camastro, cerraré las persianas y beberás un vaso de leche.

— Espera un poco.

— Pero, Julia...

— Tú espera. Yo ignoraba que era valiente.

— Lo eres.

— A los cinco años me hice una herida. Papá me limpiaba con yodo y el abuelo me acariciaba la cabeza, temblando. Habrá que volver allí, Pedro. Meyes se levantará, en cuanto amanezca. Duerme poco Meyes. Estudia por las noches y eso le producirá insomnios para toda su vida. Se lo he dicho muchas veces. Júrame que volveremos allí.

— Volveremos.

— Estará aún la mesa camilla y yo recordaré. Tú, mientras tanto, apriétame fuerte. Y nos reiremos. Nos reiremos y nos pondremos a escupir y pisotear aquello. ¡Hay que hacerlo rápidamente! ¡¡No quiero esperar más!! ¡¡Me estáis haciendo esperar siempre!! Y ¡¿si no queda ya tiempo?! Es un robo, me estáis robando.

— Quieta, Julia.

— Maldito dolor. Me ha tenido cogida, pero ya ha pasado y nos largaremos a bailar y a bañarnos. Cuando Leopoldo regrese de Italia, nosotros estaremos bronceados. Tengo que preguntárselo a Neca.

— Vamos, Julia.

— Es una hora tranquila ésta.

— Hay que ser sensatos, Julia. Deja que me levante.

— Cómo sudas...

—Tienes arrugadísimas las sábanas.

—No estés triste, Pedro.

— ¿Triste?

—Al sol, con el olor del agua y de la crema. Ya estoy limpia de fiebre.

—¿Quieres fría la leche o un poco templada?

—Decide tú. Tú sabes bien lo que conviene. ¡Qué silencio! Parece que se oye, ¿verdad, Pedro?

27

Tiempo atrás, una noche estuvo contemplando la luna con unos prismáticos. Había descubierto que aquella plana superficie blanca, a través de las lentes, era redonda y tenía manchas, como montañas o lagos de barro azulado. En la curva del cielo, contra los pinos indistintos, permanecía ahora la luna, difuminada en la desgarrada luz de la tarde. Gregorio volvió a acercar el reloj a su oreja derecha. Mientras descendía la escalera, giró la ruedecilla de la cuerda.

—Hola — saludó Jovita. — ¿Qué tal has dormido?

—Bien — por uno de los ventanales, vio a Jacinto, leyendo en el parque. — ¿Qué hora es?

—Las cuatro. Bueno, las cuatro menos cinco.

—Pues ya ha salido la luna. Habéis comido, ¿no?

—Hay pollo frío, algo de pescado y...

—Hazme una tortilla francesa y dos litros de café.

— ¿Nada más? —. Gregorio denegó con una sonrisa. — ¿Le pongo chirizo a la tortilla?

—Como quieras.

Jovita se levantó de un salto, le palmeó la frente y salió, corriendo. Sobre la repisa de la chimenea estaban las gafas de sol de Isabel. Terminó de arremangarse la camisa y dejó de mirar por el ventanal. La casa parecía vacía. Afuera, el campo crujía de calor. Cuando Jovita trajo la bandeja, Gregorio se sentó a la mesa.

—He encontrado también melocotón en almíbar.

— ¿Quién te ha dicho a ti que me apetece ahora el melocotón en almíbar?

— Ay, hijo, yo creo que es una cosa que siempre apetece.

— Bueno — esperó a que la tortilla se enfriase. — ¿Cómo ha pasado Julia la mañana?

— Un poco intranquila. Hace un rato dormía.

— Sí, continúa durmiendo.

Estaba amaneciendo, cuando Pedro había bajado por un vaso de leche para Julia. En el diván del "living", él combatía el sueño con cigarrillos. Pedro le había comunicado que Julia se encontraba inquieta, con la fiebre en aumento. Una insólita lucidez sostuvo su cansancio, hasta que la luz se definió tajantemente en los ventanales. En el piso superior habían comenzado a oírse ruidos. Neca, con un claro vestido y recién maquillada, fue la primera en descender. Ella y Meyes le habían preparado una taza de té e instado a acostarse. Antes de hacerlo, se había cruzado con Leopoldo, que salía del cuarto de baño, la chaqueta del pijama sobre los hombros y los cabellos revueltos. Leopoldo había gruñido algo y él, después de lavarse la boca, había caído en la cama.

— ¿Está buena?

— Sí.

— Pues ya se lo puedes decir a ésos. Me tratan como si fuese una princesa griega, que no ha pisado nunca una cocina.

— Hoy día hasta las princesas griegas saben guisar.

Cuando despertó, el reloj estaba parado en las diez; unos minutos antes de aquella hora, debía de haberse dormido. Oyó voces en el parque. Después de ducharse y vestirse, en la penumbra del dormitorio de Julia, donde un cierto resuello denotaba su respiración, tuvo por vez primera la sensación de soledad en la casa. Las puertas de las otras habitaciones, abiertas o entornadas, dejaban ver que nadie estaba en ellas.

— ¿Por dónde anda la gente?

— Por ahí — dijo Jovita. — Neca y Meyes han bajado al pueblo, de compras.

— Y tú ¿cuándo te vuelves a Madrid?

— Bah, no hay prisa. Hablé esta mañana con casa. Leopoldo también tuvo una conferencia con su madre. Y Meyes. Estamos a cubierto.

— ¿Más sosegados los ánimos?

Jovita tardó en responder:

— Sí.

Después de haber bebido el café, encendió un cigarrillo. Jovita recogió los cubiertos. Los pantalones le aprisionaban las nalgas.

— Y tus pantalones cortos?

— ¿Qué? —. Jovita se volvió en la puerta batiente, sujetándola con una cadera.

— Nada. Que tienes unas piernas emocionantes.

— ¿A qué viene ahora esa emoción por mis piernas?

— Muy largo de explicar.

Jugueteó con las dos patillas de imitación de ámbar, al tiempo que silbaba. Con las gafas en la mano, salió al porche. Isabel leía un libro, sentada en la hierba. Desde donde se encontraba, veía a Jacinto.

Gregorio volvió a entrar y dejó las gafas en la repisa. Empujó la puerta y recorrió el corto pasillo. Jovita, de espaldas, fregaba en el lavadero. La luz del sol, que chocaba en los cristales de las ventanas entornadas, era allí blanca. Jovita se volvió, con las manos mojadas a la altura del estómago.

— No me gusta verte así — pareció salir a su encuentro, aun si moverse, al adelantar los hombros. — Se te ponen los ojos redondos.

Cuando la tenía estrechada, experimentó un brusco relajamiento. Jovita persistía en su extraña pasividad resignada.

— Me gustaría saber qué te sucede.

— Nada — había tratado de sonreír inútilmente.

Le besó la frente con la boca entreabierta y salió al patio trasero. Jovita dijo algo, pero él ya doblaba la fachada. Isabel levantó los ojos del libro unos metros antes de que Gregorio llegase y se tendiese en el césped. La fría sombra de la tierra le sosegó.

— ¿Cuándo te has levantado?

— Así no puedo seguir. Creo que me estoy idiotizando.

— Pero ¿de qué hablas?

— Es el calor.

Alargó un brazo y cogió el libro que tenía sobre la falda.

— ¿Has hablado con Jacinto? — preguntó Isabel.

Jacinto, que se levantaba de la silla, le saludó con un gesto.

— Meyes y Neca se fueron al pueblo, ¿no? Tú y yo deberíamos dar un paseo. Esta modorra me puede —. Jacinto se aproximaba, sus pies desnudos en las sandalias de cuero, moviéndose a un ritmo igual sobre la grava. — Un paseo me quitaría el embotamiento.

— Luego.

— Hola — dijo Jacinto.

Isabel se inclinó, al sentarse Jacinto frente a ella. Gregorio colocó el libro sobre la falda de Isabel. Jovita estaba en el porche.

— ¿Qué dice el periódico?

— Nada interesante. Además, es el de ayer. Gregorio...

— Me gustaría llegar hasta el sanatorio. Le proponía a Isa un paseo, en el coche. Casi casi me siento con la inquietud de horizontes de Leopoldo. Voy a buscar algo de beber.

La voz de Jacinto, en un murmullo indeciso, le quebró el impulso.

— Espera, Gregorio. Vamos a charlar un rato los tres.

— ¿De Julia?

— Sí, en cierto sentido.

— Julia está bien.

— Será preferible no discutirlo. Isabel quería ser ella quien te hablase y yo prefiero que te enteres por mí.

Jovita estaba en lo alto de los escalones del porche. Sus pantalones azules destacaban en el gris de la piedra.

— ¿De qué?

— Espero que comprendas —. Jovita bajaba los escalones. — Pedro y Leopoldo han ido a buscar a Darío.

— ¿Pedro?

— Oye — dijo Isabel —, no te sientas ahora traicionado. Era lo más lógico. No voy a decirte que también era lo más moral. Puede que hubiese sido mejor despertarte. Pero todos tuvimos miedo de que te opusieses. Nadie ha pretendido engañarte, créeme.

— Claro, Isabel. Comprendo que se hiciese mientras estaba durmiendo. Sólo que sigo pensando — Jovita se había detenido al sol y, las manos en la nuca, sus brazos trazaban dos divergentes triángulos en la luz — que no debía haberse hecho.

— Fui yo quien les convencí. Mejor dicho, quien convenció a Pedro. Ahora hablemos de Darío. No le creo capaz de denunciarnos.

La voz de Jovita sonó paulatinamente más próxima. Estuvo un largo tiempo oyéndoles, hablando él mismo a veces, mientras continuaba aquella gradación de luces en la rama del árbol y más allá azuleaba el cielo, monótono, sin nubes. Ellas dos discutieron con Jacinto sobre el carácter de Darío. Cuando Jovita fue por las botellas y los vasos, le dijo:

— Sube a ver a Julia.

Julia ignoraba que Darío venía a verla. También él, una vez, había dormido sin saber, ni sospechar. Ni aun siquiera intuir, cuando unos minutos antes había experimentado la soledad de la casa, que en la casa culebreaba una fingida soledad, puesto que únicamente faltaban de ella Pedro y Leopoldo y los otros espiaban su aparición en el parque.

— ¿Estarán de vuelta Meyes y Neca antes de que regresen ésos?

— Supongo — dijo Jacinto. — Pero será mejor que las chicas no aparezcan hasta que nosotros hayamos hablado con Darío. Pedro y Leopoldo salieron alrededor de las doce. A la una o una y media, en Madrid. No es buena hora de localizar a Darío y es también probable que hayan tardado en decírselo. Si a las dos se lo han llevado a comer, a las tres...

— Ya deberían estar de vuelta — interrumpió Jovita.

— Es lo mismo — dijo Gregorio.

Bebieron en silencio, hasta que el ruido del motor se oyó. Gregorio esperó tumbado en la hierba. Julia acababa de despertarse y en la nueva pausa, mientras Jacinto e Isabel se alejaban y Jovita corría hasta debajo de la ventana de Julia, anheló que Meyes terminase de aproximarse a él.

— Bueno, te la han jugado, ¿no es eso?

Gregorio logró sonreír.

— Jacinto pensó que iba a herirme mucho la cosa. Y tenía razón — le acarició un brazo a Meyes. — Soy un chiquillo.

Neca les propuso un paseo. Isabel acababa de conectar la radio. Neca se colgó del brazo de Gregorio y Meyes se colocó a su derecha. Entre las dos, por el último repecho de la carretera forestal, tuvo la evidencia de aquella ridícula frustración y de sus innumerables y minúsculas causas.

— Esperad — las dos se detuvieron. — Debo volver — la música se oía desde allí. — Estaba olvidando algo muy importante.

Meyes dio media vuelta, pero Neca quiso saber. Entre los árboles, más allá de los caminos y las praderas, de las rocas, de los tejados y las paredes, un automóvil avanzaba.

— Por Julia — aclaró a Neca.

Aunque no corriese (y dado por supuesto que era el coche de Pedro) llegaría a tiempo, pero comenzó a correr para desfogar la actividad que, de golpe, había retornado. Al atravesar el parque, estaba casi contento. Jacinto e Isabel le preguntaron qué sucedía. Subió las escaleras sin contestarles y entró en el dormitorio.

— ¿Dónde estabas?

Se apoyó en la pared, recuperó la regularidad de la respiración y sonrió. Julia, recostada en las almohadas, se frotaba el rostro con una pequeña toalla. Jovita le sostenía el espejo y en la ventana abierta lucía un rectángulo de paisaje.

Sonaban cerca los pasos de Jacinto y la voz de Isabel. Antes de que llegasen, se sentó en el borde de la cama.

— Por ahí. Preparándote una sorpresa.

— Una sorpresa agradable, ¿no? — la sonrisa tembló en las mejillas de Julia. — ¿Y Pedro?

Jacinto e Isabel acababan de entrar y, en unos instantes, llegarían Meyes y Neca. Si no se dejaba interrumpir hasta que Julia supiese, si arrancaba de ella, aunque fuese únicamente por un fruncimiento de labios o un parpadeo, su asentimiento, en cierto modo, su perdón, se hallaría justificado o, al menos, habría anulado la apática inercia que presagiaba sin límite.

— No es del todo agradable, pero sí tranquilizadora. Ya no habrá más peligro.

Julia apoyó las manos en el colchón y subió el cuerpo, que mantuvo separado de las almohadas. La muchacha le compensaría del engaño de los otros, permitiéndole desarrollar su última entrega, antes que ellos hablasen o el automóvil (en el supuesto de que se tratase del automóvil de Pedro) frenase.

— ¿Peligro?

— ¿Está Julia despierta? — dijo la voz de Meyes.

— Anoche hablamos con Darío por teléfono. No se te dijo nada, para no inquietarte. Yo mismo le expliqué el caso. Al principio, se revolvió. Tú ya le conoces. Pero, luego, todo fue sencillísimo. Tenía mucho trabajo y no podía venir, pero quedamos en que se iría a buscarle a Madrid. Él te curará del todo.

— ¿Anoche?

— Tenía mucho trabajo. Visitas urgentes, ¿te das cuenta?

— Sí, sí, naturalmente —. Julia volvió a mirarle. — Pero ¿por qué?

Ahora que Isabel, Neca, Meyes, Jovita y Jacinto estaban allí, escuchando, él debía aprovechar la oportunidad de vengarse. Cogió una mano de Julia y la oprimió con fuerza.

— Se me ocurrió a mí la idea.

— No te comprendo, Gregorio. Ahora no te comprendo.

— Era ridículo que no te viese un médico de completa confianza. Lo pensé, de repente. ¿A ti no te sucede, a veces, eso? Crees en algo y, sin más, dejas de creer.

No era preciso continuar. Julia cerró los ojos, estrechó la mano de Gregorio, forzando sus dedos, y suspiró. Gregorio se puso en pie. Inmediatamente, las mujeres hablaron. Sintió sus cuerpos, que se aproximaban a la cama, y sus aromas conocidos, y se apartó hasta la puerta. Jacinto le alcanzó en el pasillo.

— Has tenido una idea genial. Yo no sabía cómo soltárselo a Julia.

En el "living" vacío, la radio transmitía un pasodoble. Gregorio se sentó en el diván y encendió un cigarrillo. Meyes bajó la escalera y se apoyó contra él. Estuvieron abrazados. La música había sido sustituída por los anuncios comerciales. En el dormitorio de Julia, Jacinto y ellas reían.

— Ahora todo será mejor — dijo Meyes.

Gregorio besó las comisuras de su boca y ella tuvo un estremecimiento.

28

Jovita anunció desde el rellano que acababa de ver los faros de un automóvil por la carretera.

— Baja — le ordenó Isabel.

Meyes y Neca estaban ya en el porche. Cuando Jovita descendió, oyeron el ruido del motor. Gregorio salió al parque con las mujeres y ellas penetraron en la obscuridad.

Al atardecer, unas nubes de tonos malvas habían aparecido por cima del valle. Gregorio anduvo hasta el recodo del sendero de grava. El automóvil se detuvo unos metros más allá, frente a la entrada.

Jacinto hablaba a Darío, al entrar Gregorio en el "living". El brazo derecho de Jacinto se alzaba hasta los hombros de Darío y, aunque su cabeza apenas si sobresalía de los hombros del médico, la inclinaba, como recostándose sobre su pecho. Pedro y Leopoldo le saludaron y Darío volvió el rostro.

De la estatura de Leopoldo, tenía una delgadez más acentuada. La larga nariz dividía su rostro en dos patentes mitades. Gregorio se apoyó en el repecho de un ventanal. Entonces, Darío le miró por vez primera.

— No acabo de creerlo — dijo Darío.

— Las muchachas se asustaron.

— Y tú, ¿cómo has esperado tanto a llamarme? — observó a los cuatro en una pausa estudiada. — En el caso de que haya una perforación, sólo operando dentro de las veinticuatro horas, se puede salvar a la enferma; y lleváis cinco días, desde el jueves según me han dicho éstos. También es más que posible una septicemia. ¿Quién le inyectaba la morfina?

— Yo.

— Ya hablaré con usted.

Un segundo más tarde, Darío subía la escalera, seguido de Pedro.

Gregorio se encogió de hombros y lanzó una carcajada. Leopoldo quiso reir con él, pero produjo únicamente un sonido espaciado y agudo.

— Viene bufando — opinó Jacinto.

— Quisiera yo que hubierais hecho el viaje con él. Nos hemos mamado un tratado de moral médica, cívica e higiénica. El cabrito, cuando no nos sermoneaba, se dedicaba a ponerle los pelos de punta al pobre Pedro.

— ¿Ha hablado algo de la policía? — preguntó Gregorio.

Los tres se sentaron en el diván. Jacinto cruzó los brazos y sonrió, nervioso.

— Ni una palabra. Nos ha asegurado toda clase de penas, sufrimientos y venganzas del destino. Pedro y yo, como piedras. A mí se me ocurrió proponer una parada, para beber algo fresco. Porque, a todo esto, un calor de miedo. Bueno, pues no hizo más que gruñir y Pedro le metió un acelerón al coche. Lo peor fue al principio. Se lió a dar gritos. Estábamos en su casa, en consulta. Tuvimos que esperar una enormidad y, luego, va y se lía a gritar, que yo creo que se han enterado su madre, su mujer, su puñetero niño de cuatro meses y todos los de la sala de espera.

— Magnífico — dijo Gregorio.

— Oye, Gregorio, no nos enzarcemos ahora. Discutimos más tarde lo que sea. Pero, por lo pronto, vamos contra él. Ha venido duro y tiene que salir blando. Tú, Leopoldo, llama a las chicas. Están en el parque. Diles que vengan aquí y que preparen café.

— Las mujeres sólo van a estorbar.

— Tú diles que vengan —. Leopoldo se levantó. — Gregorio, a gritos no conseguiremos nada.

Gregorio subió silenciosamente. Inmóvil, en la penumbra que creaba la raya de luz eléctrica de la puerta del dormitorio de Julia y la luz del "living" por el vano de la escalera, escuchaba.

Detrás de la puerta, vibró una especie de grito o carcajada de Julia, continuado por la voz de Pedro, estentórea e ininteligible. Gregorio avanzó un paso y la puerta se abrió, sin que tuviese tiempo de retroceder. La luminosidad le cegó.

— ¿Qué haces aquí? — se sobresaltó Pedro.

— Pero ¿cómo ha encontrado a Julia?

Pedro le abrazó. Eran sollozos histéricos aquella momentánea explosión de Pedro sobre su hombro. Le sacudió, hundiéndole los dedos en los costados y Pedro reaccionó.

— Que traigan agua caliente. De prisa.

Se callaron, cuando él apareció. Neca e Isabel subieron las palanganas.

En el porche, un raro alivio le relajaba la tensión. Continuaba con el eco de la risa o los lamentos de Pedro, en el pasillo relampagueantemente iluminado, durante unos segundos de sorpresa y ahogo.

— No bajan — dijo Meyes.

Jovita, que venía detrás de ella llevaba sus pantalones ajustados. Gregorio sonrió.

257

— ¿Crees que será grave?

— No seas gafe, Jovita — dijo Meyes. — Deberías tomar una copa de coñac, Gregorio.

— Desde luego, estás muy inquieto.

Gregorio se sentó en uno de los escalones. Ellas entraron en la casa, al oir la voz de Pedro. El silencio se quebró tumultuosamente. Gregorio, sujetándose en el barandal, se puso en pie. Era posible aguantar un tiempo más largo, pero sus nervios y sus músculos estaban dominados.

Darío le miró y dejó de hablar.

— ¡¿Has oído, Gregorio?! — gritó Isabel.

— ¿Usted es Gregorio?

— Sí.

— ¿Usted proporció la mujerzuela que matase a Julia?

— Sí.

— Afortunadamente — Gregorio dejó de moverse a un metro del diván, sobre el que Darío doblaba una pierna — entre bobos anda el juego.

— Hombre, Darío... — comenzó a decir Jacinto.

— Bobo es el calificativo más benévolo que a usted se le puede aplicar. Ni su poca edad, ni su absoluta carencia de criterios morales, le eximen de todos los demás adjetivos, que por buen gusto me callo.

— No se torture con delicadezas inefables. Dígalos.

— Como guste. Es usted un asesino, un idiota, un tozudo y un cerdo.

— Siga.

— Vamos a tratar de otro asunto que me interesa más.

— Siga, le estoy diciendo.

Sus voces, hasta el momento serenas e implacables, pareció que fuesen a elevarse.

— Quiero el nombre y el domicilio de esa mujer que usted encontró —. Gregorio se sentó en una silla y apoyó en la mesa los antebrazos. — Oiga, va usted a dármelos.

— No, desde luego.

— El nombre y el domicilio de esa delincuente.

— No suministro nombres a los chivatos. Desde niño practico esa costumbre.

— Si hubiese usted vivido muchos años desde que empezó

a practicarla, se.daría cuenta ahora de que dice quién es esa mujer o es su nombre el que va a la policía.

—Lo cual sería más justo. Es igual, en último término.

Isabel avanzó una mano a través de la mesa y sus dedos quedaron sobre los puños de Gregorio.

—Tú ya has hecho todo lo posible.

Los ojos le brillaban a Isabel.

—No pretenda que comparta su peculiar concepto de la justicia. Esa mujer no debe seguir en libertad. Nadie más se verá comprometido. Confío en que esta experiencia les será suficiente. Pero ella va a seguir haciendo...

—¡Pero si no ha hecho nada! —exclamó Jovita.

Gregorio se puso en pie y rodeó la mesa, con las manos en los bolsillos del pantalón.

—¿Es cierto?

—Eso resulta secundario ahora. Ella aseguró que Julia estaba embarazada y les hizo creer, no sólo eso, sino que le había hecho un legrado. No le produjo más que unas heridas superficiales. Lo imprescindible para que Julia sufriese y ella quedase a cubierto de su engaño.

—Y, encima, le disteis más dinero del que pidió —dijo Leopoldo.

—Váyase.

—Me parece que no ha comprendido bien. Sé cuál es mi deber...

—No vamos a entendernos. Váyase —le interrumpió Gregorio.

—¡No! Y, además, pollo, no me hable en ese tono. A un tipo de su calaña le prohibo, por dignidad, que intente amedrentarme con chulerías.

—Será mejor... —comenzó a intervenir Jacinto.

Meyes, a unos pasos de la chimenea, le estaba mirando y él dejó de mirar a Meyes, cuando apartó con la mano derecha a Leopoldo. Dejó de sentir la presencia de los otros. Jacinto acudió tarde, a pesar de haber adivinado y por culpa de Neca, que huyó de aquella onda de violencia, aún no realizada, pero cierta en la casi perezosa forma con que Gregorio sacó su mano izquierda del bolsillo del pantalón. Isabel gritó con miedo y asombro y corrió hacia el porche; Jovita se abrazó a ella, llorando. Leopoldo permaneció anonadado.

—Voy a terminar esta basura de asunto.

Le golpeó en el estómago, confiando que se doblase o, al menos, se aproximase a una distancia posible para alcanzarle el mentón. Pero Darío se tambaleó y, sólo al segundo golpe, extendió los brazos en defensa de aquella metódica furia de Gregorio. Gregorio saltó, buscándole el cuello, y lanzó a Darío contra la pared. Logró sujetarse al aparador. Inmediatamente, Gregorio le abofeteó. La sangre en la boca de Darío pareció enardecerle y rechazó con un impulso de los codos a Jacinto, que había intentado sujetarle.

— ¡Basta, basta! — gritó Isabel.

Darío estaba arrodillado y él proyectó aplastarle la nariz de un rodillazo, pero temió romperle la mandíbula. Estaba en el "living", era de noche y en el piso de arriba Julia no se hallaba, ni nunca lo había estado, en peligro de muerte. Reunió todas sus energías, para deshacer el arco ascendente que había trazado su mano hasta el límite del brazo. El golpe dio de lleno contra la cabeza de Darío, que resbaló contra el pecho. La mano de Gregorio chocó con una silla. Aquel vivísimo dolor anuló su ira. Leopoldo y Jacinto ayundaron a Darío a tenderse en el diván. Neca descorchaba una botella.

Dio unos pasos hacia el porche. Isabel se debatía entre los brazos de Jovita. Gregorio rodeó la cintura de Isabel. Antes de salir, dijo:

— Que se largue, en cuanto haya dejado de sangrar.

— Hasta Jacinto — le secretó Leopoldo — le hubiera arreado de seguir así. Pero tú lo has hecho a maravilla. Lo has puesto blando.

— Anda, Isabel.

En el parque redobló su furioso manoteo. Gregorio la condujo, arrastrándola por entre los árboles, hasta el sendero que conducía a la piscina y acababa en la cerca de piedra. Desde allí, no se veía la casa. Isabel sollozaba y le golpeaba. Gregorio la derribó en la hierba y sujetó sus brazos contra la tierra, mientras con las rodillas oprimía sus caderas. Quedó exhausta, despeinada, con unos últimos espasmos de lágrimas y gemidos. Gregorio se sentó y encendió un cigarrillo.

El incompleto círculo del horizonte clareaba de estrellas. En unas horas, sería otra vez de día. Mientras golpeaba a Darío, había deseado que Pedro, Juan o la propia Julia se encontrasen bajo sus puños. Todos ellos, puesto que todos habían colaborado en la minuciosa y fatigante maraña de aquel inútil combate de las noches y los días últimos. No obstante, Darío era el culpable. Reprimió un temblor de las piernas. No entre ellos, ni siquiera Emilia, sino Darío había cometido aquella defraudación, al revelarles lo que debió callar.

— Por eso le he pegado — dijo.

Isabel se removió. El quieto aire de la noche le enfriaba las mejillas. Luego, pensó en el viaje de Leopoldo a Italia.

— Isa.

— ¿Qué?

Ella se dejó pasar un brazo por la espalda y moverse, hasta quedar guarecida contra el pecho de Gregorio.

— No estaba borracha.

— Siempre preocupada con la bebida.

— Era terrible que Julia no estuviese embarazada.

Gregorio puso el cigarrillo en los labios de Isabel y ésta aspiró con ansia. Se recogía una necesidad de quietud, en el silencio punteado de rumores.

Inútil. Y absurdo. Pero también habría sido inútil y absurdo, aunque Julia no se hubiese equivocado cuando creyó que iba a ser madre. Gregorio aflojó su abrazo.

— Este verano iremos a la piscina y, por las noches, al cine o a bailar. ¿De acuerdo, Isabel?

Lloraba mansamente.

— Creo que estoy loca. Me dais miedo. No puedo hacer nada para entenderme con vosotros. Gregorio, estos nervios míos me convierten en una chiflada.

— No le des vueltas.

— Cuando a una mujer le sucede esto, dicen que necesita un hombre. Pero es idiota creer que todo lo vaya a resolver un hombre. Gregorio, a ti te necesito mucho. Contigo estoy bien — le abrazó y Gregorio resbaló de espaldas sobre la hierba, con el rostro de Isabel en su cuello. — Desde que te conozco, cien veces he estado a punto de contarte quién era Juan. Y es, porque espero que tú puedas hacérmelo olvidar. Un día te lo diré todo. Es grotesco. A ti, un crío de veinte años escasos, recién entrado en la Facultad. También un día, tendrás que besarme esta boca vieja y triste, que me está agriando el alcohol.

Su aliento le entibiaba la piel. Los pechos de Isabel, blandos, aplastados contra su camisa, le produjeron una inesperada ternura. Darío también tendría un instante de laxitud, en que se le hiciese patente toda la lamentable debilidad de un hombre. Sonrió de su conmiseración por la carne bienoliente y apenada de Isabel. Abrió los ojos. Acariciaba la nuca de Isabel, que había dejado de hablar y respiraba regularmente.

Aunque la ausencia de signos no presuponía la inexistencia de hechos, tampoco un signo, un recuerdo, la precisa recriminación de Darío, había de determinar toda una vida. Una vida era algo más confuso, más inestable, que cualquier hecho aislado o cualquier propósito. Volvería a buscar a Lupe, a jugar al "poker", a acumular desconcierto, a besar a Meyes, a charlar con Neca, a acechar a Carmen en el recodo del pasillo.

Cuando Isabel levantó el rostro, recordó que ella estaba allí.

Entre los árboles, brillaban las luces en los ventanales. La música sonaba fuerte y profundizaba la extensión del parque.

— Voy por la cocina. No debo de tener un aspecto como para lucirme.

Julia, envuelta en una manta de colores, reía desde el diván, con las contorsiones de Pedro y Leopoldo, que bailaban con Jovita. Gregorio se sentó junto a ella.

— ¿Cómo va eso?

— Estupendamente.

Leopoldo dejó de saltar y, girando sobre sí mismo, se sostuvo en Gregorio.

— Jacinto se lo llevó a Madrid. Esta noche hay que celebrarlo.

— ¿Qué hay que celebrar? — dijo Jovita.

— Pedro, Pedro... — gritó Neca. — No seáis locos y bajad un poco esa radio.

Meyes estaba en la cocina, con Neca. En el patio trasero, Isabel con las piernas separadas, se lavaba la cara en la fuente.

— Creía que la habías hecho buena — dijo Neca, dejando de pelar patatas — cuando le diste el primer puñetazo.

Gregorio sonrió y miró a Meyes.

— Bueno, ya ha pasado.

— ¡Jovita! — exclamó Meyes. — Ven un rato.

— ¿Para qué?

— Podemos dar un paseo Gregorio y yo antes de la cena — explicó.

— ¡Jovita! —. Neca apartó las peladuras. — ¡Que te digo que vengas!

Gregorio volvió al "living". Julia y Leopoldo reían de la pelea de Jovita con Pedro. Rompieron un vaso y el ruido de los vidrios contra el suelo aumentó las voces de Neca.

— Pero ¿para qué queréis que vaya? Estoy muy bien aquí.

— Tú no seas tonta — aconsejó Leopoldo — y no te dejes engañar, si no te corresponde el turno de fregona.

Gregorio, casi arrastrando los pies, fue hasta el porche y se sentó en uno de los sillones a esperar.